여러분의 합격을 위한
해커스공무원만의 특별 혜택

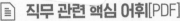
KB087072

 단어암기 MP3　　　　📄 **직무 관련 핵심 어휘[PDF]**

해커스공무원(gosi.Hackers.com) 접속 후 로그인 ▶
상단의 [교재·서점 → 무료학습자료] 클릭 ▶ 본 교재 우측의 [자료받기] 클릭하여 이용

무료 자료 바로가기 ▶

 단어시험지 제작 프로그램

해커스공무원(gosi.Hackers.com) 접속 후 로그인 ▶
상단의 [교재·서점] 클릭 ▶ 좌측의 [단어시험지 생성기] 클릭

 단어암기 어플 이용권

GOSIVOCA4000PL

구글 플레이스토어/애플 앱스토어에서 [해커스공무원 기출보카] 검색 ▶
어플 설치 후 실행 ▶ '인증코드 입력하기' 클릭 ▶ 위 인증코드 입력

* 등록 후 30일간 사용 가능

단어암기 어플 바로가기 ▶

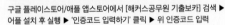 **무료 매일 문법 / 어휘 / 독해 실전문제 & 해설강의**

해커스공무원(gosi.Hackers.com) 접속 후 로그인 ▶ 상단의 [무료강좌 → 매일영어 학습] 클릭하여 이용

 온라인 단과강의 20% 할인쿠폰

49C6B773B9B4766U

해커스공무원(gosi.Hackers.com) 접속 후 로그인 ▶
상단의 [나의 강의실] 클릭 ▶ 좌측의 [쿠폰등록] 클릭 ▶ 쿠폰번호 입력 후 이용

* 등록 후 7일간 사용 가능(ID당 1회에 한해 등록 가능)

 합격예측 온라인 모의고사 응시권+해설강의 수강권

F62888329E976C4J

해커스공무원(gosi.Hackers.com) 접속 후 로그인 ▶
상단의 [나의 강의실] 클릭 ▶ 좌측의 [쿠폰등록] 클릭 ▶ 위 쿠폰번호 입력 후 이용

* ID당 1회에 한해 등록 가능

---

* 기타 쿠폰 관련 문의는 고객센터(1588-4055)로 연락주시거나 1:1 문의 게시판을 이용해주시기 바랍니다.

해커스공무원 gosi.Hackers.com

단기 합격을 위한
해커스공무원 커리큘럼

입문	**탄탄한 기본기와 핵심 개념 완성!**
	누구나 이해하기 쉬운 개념 설명과 풍부한 예시로 부담없이 쌩기초 다지기
	TIP 베이스가 있다면 **기본 단계**부터!

▼

기본+심화	**필수 개념 학습으로 이론 완성!**
	반드시 알아야 할 기본 개념과 문제풀이 전략을 학습하고
	심화 개념 학습으로 고득점을 위한 응용력 다지기

▼

기출+예상 문제풀이	**문제풀이로 집중 학습하고 실력 업그레이드!**
	기출문제의 유형과 출제 의도를 이해하고 최신 출제 경향을 반영한
	예상문제를 풀어보며 본인의 취약영역을 파악 및 보완하기

▼

동형문제풀이	**동형모의고사로 실전력 강화!**
	실제 시험과 같은 형태의 실전모의고사를 풀어보며 실전감각 극대화

▼

최종 마무리	**시험 직전 실전 시뮬레이션!**
	각 과목별 시험에 출제되는 내용들을 최종 점검하며 실전 완성

PASS

* 커리큘럼 및 세부 일정은 상이할 수 있으며,
자세한 사항은 해커스공무원 사이트에서 확인하세요.

단계별 교재 확인 및
수강신청은 여기서!
gosi.Hackers.com

해커스공무원

기출 보카
4000+

2권 | DAY 31-50

🏛 해커스공무원

CONTENTS

해커스공무원 **기출 보카 4000+**

2권

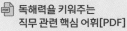

DAY 31
— 50

DAY 31

■ 1회독 ■ 2회독 ■ 3회독

최빈출 단어

DAY31 음성 바로 듣기

2401 ☐☐☐

project

명 [prádʒekt]
동 [prədʒékt]

2020 국회직 8급 외 46회

명 사업, 계획   ≡ scheme, plan

동 비추다, 투영하다   ≡ reflect

동 예상하다, 추정하다   ≡ forecast, predict

A number of companies are now planning **projects** to commercialize space. (기출변형)

현재 많은 기업들이 우주 상업화 사업을 계획하고 있다.

2402 ☐☐☐

emerge

[imə́:rdʒ]

2021 국가직 9급 외 27회

동 나타나다, 부상하다   ≡ appear, arise

어원 e[밖으로(ex)] + merg(e)[물에 잠기다] = 물에 잠겼던 것이 밖으로 드러나도록 물 위로 부상하다

She **emerged** as the clear choice for the newest board member. (기출변형)

그녀는 신임 임원 자리에 대해 확실하게 선택될 자격이 있는 사람으로 나타났다.

⟷ **disappear** 동 사라지다

➕ **emerging** 형 최근 생겨난, 신생의

2403 ☐☐☐.

profession

[prəféʃən]

2019 지방직 9급 외 14회

명 직종, 직업   ≡ career, occupation

I don't know a better training for a writer than to spend some years in other **professions**. (기출변형)

나는 다른 직종들에서 몇 년의 시간을 들이는 것보다 작가에게 더 좋은 훈련을 모른다.

➕ **professional** 형 전문적인, 전문가의

2404 ☐☐☐

amendment

[əméndmənt]

2020 국가직 9급 외 14회

명 수정 조항, 개정   ≡ revision, change

어원 a[~로부터] + mend[고치다] + ment[명·접] = 원래 것으로부터 달라지도록 고침, 개정

The **amendment** gave Americans the power to elect senators directly. (기출변형)

그 수정 조항은 미국인들에게 상원의원을 직접 선출할 권력을 주었다.

2405 □□□

legislation

[lèdʒisléiʃən]

2020 법원직 9급 외 13회

명 (제정된) 법안

명 법률 제정, 입법 행위　　　= ratification

어원 leg(is)[법] + lat[제안하다] + ion[명·접] = 제안되어 만들어진 법안, 법을 만드는 입법 행위

The lawmakers introduced **legislation** that prevents sports team owners from profiting excessively. 기출변형

입법자들은 스포츠 구단주들이 과도하게 이윤을 내는 것을 금지하는 법안을 도입했다.

➕ **legislative** 형 입법부의

2406 □□□

judicial

[dʒuːdíʃəl]

2020 국회직 8급 외 12회

형 사법의, 재판의　　　= legal, judiciary

Appointing her as chief justice of the Supreme Court begins a new era in **judicial** history. 기출변형

그녀를 대법원장으로 임명한 것은 사법 역사에 새로운 시대를 시작했다.

➕ **judiciary** 명 사법부

2407 □□□

chronic

[kráːnik]

2021 국가직 9급 외 11회

형 만성의, 장기적인　　　= persistent

어원 chron(o)[시간] + ic[형·접] = 시간상으로 오래 가는, 즉 만성의

Many people die from **chronic** diseases, such as diabetes and cancer. 기출변형

많은 사람들이 당뇨나 암과 같은 만성질환으로 사망한다.

⟷ **acute** 형 급성의

2408 □□□

profitable 🌱

[práːfitəbl]

2020 국회직 8급 외 10회

형 이익이 되는, 수익성이 있는　　　= lucrative

The daily work of diligent people is **profitable** to the community. 기출변형

성실한 사람들의 일과는 지역사회에 이익이 된다.

⟷ **unprofitable** 형 수익성이 없는

➕ **profitability** 명 수익성

2409 □□□

simultaneously

[sàiməltéiniəsli]

2019 서울시 7급 외 9회

부 동시에, 일제히　　　= all at once

어원 simul[비슷한] + taneous[자연 발생하는] + ly[부·접] = 두 일이 비슷하게 발생하도록 하는, 즉 동시에

He cannot attend to two tasks **simultaneously**. 기출변형

그는 두 가지 일을 동시에 처리할 수 없다.

2410 ☐☐☐

mitigate

[mítəgèit]
2019 서울시 7급 외 9회

동 완화하다, 경감시키다　　　🔁 alleviate, lessen

The government should **mitigate** economic inequality. 기출변형
정부는 경제적 불균형을 완화해야 한다.

↔ **aggravate** 동 악화시키다, 짜증 나게 만들다

빈출 단어

2411 ☐☐☐

counterpart

[káuntərpàːrt]
2020 지방직 7급 외 8회

명 대응하는 것, 상대　　　🔁 equivalent, parallel

어원 counter[대항하여] + part[부분, 구성원] = 양편 중 서로 대응하는 부분 또는 구성원, 즉 상대

The human brain has many more neurons than its animal **counterparts**. 기출변형
인간의 두뇌는 그에 대응하는 동물의 것보다 훨씬 더 많은 뉴런을 가지고 있다.

2412 ☐☐☐

mandatory 🌱

[mǽndətɔ̀ːri]
2019 국가직 9급 외 8회

형 의무적인, 강제적인　　　🔁 compulsory, obligatory

Mandatory military service is required for both sexes in Israel. 기출변형
이스라엘에서는 의무적인 군 복무가 남녀 모두에게 요구된다.

↔ **optional** 형 선택의, 마음대로의

2413 ☐☐☐

dismiss 🌱

[dismís]
2021 국가직 9급 외 8회

동 해산시키다, 해고하다　　　🔁 release, discharge

동 묵살하다, 무시하다　　　🔁 reject, disregard

어원 dis[떨어져] + miss[보내다] = 있던 자리에서 떨어뜨려 보내다, 즉 해산시키다 또는 해고하다

The government **dismissed** the parliament after an argument over the financial crisis. 기출변형
정부는 경제 위기에 대한 논쟁 이후에 의회를 해산시켰다.

↔ **assemble** 동 모으다, 집합시키다

2414 ☐☐☐

starvation

[staːrvéiʃən]
2019 지방직 9급 외 6회

명 굶주림, 기아　　　🔁 famine

Food aid has led to a reduction in the number of people dying of **starvation**. 기출변형
식량 원조는 굶주림으로 사망하는 사람 수의 감소를 가져왔다.

➕ **starve** 동 굶주리다

2415 ☐☐☐

futile

[fjú:tl]

2019 법원직 9급 외 6회

형 소용없는, 헛된 ▪ useless, vain

어원 fut[쉽게 쏟아지는] + ile[형·접] = (쉽게 쏟아져 버려) 쓸데없고 헛된

The campaign to eliminate pollution will prove **futile** without full cooperation. (기출변형)

충분한 협력 없이는 오염을 없애기 위한 캠페인은 소용없을 것이다.

⟷ **useful** 형 유용한, 쓸모 있는

2416 ☐☐☐

refine

[rifáin]

2019 국회직 9급 외 6회

동 정제하다, 제련하다 ▪ purify, clear

동 개선하다, 개량하다 ▪ improve, revise

어원 re[다시] + fin(e)[끝] = 끝났던 일을 다시 해서 질을 높이다, 즉 정제하다

The company learned how to test and **refine** chemicals. (기출변형)

그 회사는 화학 물질들을 시험하고 정제하는 법을 배웠다.

➕ **refinery** 명 정제소, 정제 장치

2417 ☐☐☐

allowance

[əláuəns]

2020 법원직 9급 외 5회

명 용돈 ▪ pocket money

He decided to use his saved **allowance** to pay off his debt. (기출변형)

그는 빚을 갚기 위해 저축한 용돈을 사용하기로 했다.

2418 ☐☐☐

humility

[hju:míləti]

2023 지방직 9급 외 4회

명 겸손 ▪ modesty

어원 humili[땅] + ty[명·접] = 몸을 땅으로 숙이는 것, 즉 겸손

His **humility** masked the fact that he was one of the richest men in the country.

그의 겸손은 그가 나라에서 가장 부유한 사람 중 하나라는 사실을 감추었다.

⟷ **arrogance** 명 자만, 오만

2419 ☐☐☐

revenge

[rivéndʒ]

2019 서울시 7급 외 4회

명 복수, 보복 ▪ reprisal

동 복수하다

The president vowed to get **revenge** on those who attacked the country.

그 대통령은 나라를 공격한 사람들에 대한 복수를 맹세했다.

2420 ☐☐☐

agenda

[ədʒéndə]

2011 국가직 7급 외 4회

명 의제, 안건   ▪ scheme

A freedom **agenda** would give individuals more power and the government less.
자유 의제는 개인에게 더 많은 권력을 주고 정부에게는 덜 줄 것이다.

2421 ☐☐☐

squander

[skwɑ́:ndər]

2016 서울시 9급 외 3회

동 낭비하다, 허비하다   ▪ waste, dissipate

He **squandered** all of his savings on a bad investment.
그는 불량 투자에 그의 모든 저축금을 낭비했다.

↔ **save** 동 저축하다, 모으다, 구하다

2422 ☐☐☐

sturdy

[stə́:rdi]

2014 국가직 7급 외 3회

형 견고한, 확고한   ▪ hardy, solid

Made of strong wood, the chair was **sturdy** and durable.
튼튼한 나무로 만들어져서, 그 의자는 견고하고 내구성이 좋다.

2423 ☐☐☐

oversight

[óuvərsàit]

2019 서울시 7급 외 2회

명 감독, 관리   ▪ supervision

명 (못 보고 지나쳐서 생긴) 실수, 간과   ▪ carelessness

Much has been done to arrange strict **oversight** of the financial sector.
금융 부문에 대한 엄격한 감독을 마련하기 위해 많은 것들이 실행되어왔다.

2424 ☐☐☐

aloft

[əlɔ́:ft]

2017 서울시 7급 외 2회

부 공중에, (하늘) 높이   ▪ high up

We had not been **aloft** for long when the plane began to shake.
비행기가 흔들리기 시작했을 때, 우리는 공중에 있은 지 얼마 되지 않았다.

↔ **downward** 부 아래쪽으로

2425 ☐☐☐

deleterious

[dèlitíəriəs]

2018 서울시 9급 외 2회

형 해로운, 유해한   ▪ detrimental, lethal

The pesticide had a **deleterious** effect on the environment.
그 살충제는 환경에 해로운 영향을 갖고 있었다.

↔ **beneficial** 형 이로운, 수익성이 있는

2426 ☐☐☐

pending

[péndiŋ]

2018 지방직 9급 외 1회

| 형 미결인, 미정인 | ⊜ undecided |
| 형 임박한 | ⊜ imminent, impending |

The results of the medical studies are still **pending**. (기출변형)

그 의약 연구의 결과들은 여전히 미결이다.

2427 ☐☐☐

subsidy

[sʌ́bsədi]

2017 지방직 9급 외 1회

| 명 보조금, 장려금 | ⊜ financial support |

Government **subsidies** for new airplanes improved the techniques for building airplanes. (기출변형)

새로운 항공기를 위한 정부 보조금은 항공기를 만드는 기술을 향상시켰다.

➕ subsidize 동 보조금을 주다

2428 ☐☐☐

complacent

[kəmpléisnt]

2012 국가직 9급

| 형 자기 만족적인, 현실에 안주하는 | ⊜ apathetic |

The winner's **complacent** smile annoyed the audience. (기출변형)

그 우승자의 자기 만족적인 미소는 관중을 짜증 나게 했다.

⊟ insecure 형 자신이 없는, 불안정한

빈출 숙어

2429 ☐☐☐

work on

2020 지방직 9급 외 34회

~에 공을 들이다, 애쓰다

The construction company has been **working on** a new office building for the last seven months. (기출변형)

그 건축 회사는 지난 7개월 동안 새로운 사무실 건물에 공을 들이고 있었다.

2430 ☐☐☐

be open to

2018 국가직 9급 외 20회

| ~에 열린 마음을 가지다 | ⊜ receptive |

~에 개방되어 있다, ~의 여지가 있다

In a healthy relationship, children **are open to** the help and guidance of parents. (기출변형)

건강한 관계에서, 아이들은 부모의 도움과 지도를 받는 데에 열린 마음을 가진다.

2431 ☐☐☐

take down

2017 국회직 8급 외 4회

콧대를 꺾다

~을 낮추다, 내리다 　　　　　　　　　■ pull down, lower

His talent was enough to **take down** the crowd. 　기출변형
그의 재능은 군중의 콧대를 꺾기에 충분했다.

2432 ☐☐☐

and the like

2018 지방직 7급 외 4회

~ 같은 것, 기타 등등 　　　　　　　　　■ and so on

Fish populations change due to the availability of food,
proper temperature, **and the like**. 　기출변형
어류의 수는 식량의 유효성, 적절한 온도 같은 요인들 때문에 변한다.

2433 ☐☐☐

bottom line

2019 국회직 8급 외 2회

핵심, 요지 　　　　　　　　　　　■ essence

순이익 　　　　　　　　　　　　　■ net profit

The details are complicated, but the **bottom line** is that he
lied to us.
세부 사항은 복잡하지만, 핵심은 그가 우리에게 거짓말을 했다는 것이다.

2434 ☐☐☐

at first glance

2018 국가직 9급 외 1회

언뜻 보기에는, 처음에는 　　　　　　　■ seemingly

While **at first glance** his friends seem immature, he
depends on them. 　기출변형
그의 친구들은 언뜻 보기에는 미성숙해 보이지만, 그는 그들에게 의존한다.

완성 어휘

2435 □□□	sincerity	몡 성실, 정직
2436 □□□	professed	혱 공공연한, 공언된
2437 □□□	deterrent	몡 제지; 혱 제지하는
2438 □□□	rationale	몡 이유, 근거
2439 □□□	delusion	몡 망상, 착각
2440 □□□	intrepid	혱 두려움을 모르는
2441 □□□	propagate	통 선전하다
2442 □□□	revelation	몡 폭로
2443 □□□	run-down	혱 황폐한
2444 □□□	skittish	혱 변덕스러운, 겁이 많은
2445 □□□	solitude	몡 고독
2446 □□□	destitute	통 빈곤한, 가난한
2447 □□□	underscore	통 강조하다, ~에 밑줄을 긋다
2448 □□□	solicitude	몡 배려, 걱정
2449 □□□	downplay	통 경시하다
2450 □□□	smack	통 (손바닥으로) 때리다
2451 □□□	boon	몡 혜택, 이익
2452 □□□	fertilization	몡 비옥화, (생물의) 수정
2453 □□□	omnivorous	혱 잡식성의
2454 □□□	carnivore	몡 육식동물
2455 □□□	contender	몡 경쟁자, 도전자
2456 □□□	astute	혱 약삭빠른, 영악한
2457 □□□	leniently	뷔 관대하게, 인자하게

2458 □□□	pictorial	혱 그림의, 그림 같은
2459 □□□	cede	통 넘겨주다, 양도하다
2460 □□□	delectable	혱 아주 맛있는
2461 □□□	turbulence	몡 난기류
2462 □□□	bygone	혱 지나간, 옛날의
2463 □□□	adamant	혱 견고한, 단호한
2464 □□□	solemn	혱 엄숙한, 진지한
2465 □□□	supersede	통 대체하다
2466 □□□	feasibility	몡 실행 가능성
2467 □□□	impassable	혱 지나갈 수 없는
2468 □□□	penitence	몡 뉘우침, 참회
2469 □□□	turn down	~을 거절하다
2470 □□□	iron out	해결하다, 다림질하다
2471 □□□	lose one's temper	화를 내다
2472 □□□	at loose ends	하는 일 없이
2473 □□□	lose track of	~을 놓치다
2474 □□□	come into force	효력을 발생하다
2475 □□□	meet the needs	요구를 충족시키다
2476 □□□	fool into	속여서 ~하게 시키다
2477 □□□	mark off	구별하다
2478 □□□	lift the ban on	~에 대한 금지를 없애다
2479 □□□	rip across	둘로 자르다, 쪼개다
2480 □□□	put ~ in one's shoes	~의 입장에 처하게 하다

✔ = 어휘 영역 출제

DAY 32

■ 1회독 ■ 2회독 ■ 3회독

DAY32 음성 바로 듣기

최빈출 단어

2481 ☐☐☐

completely 🌱

[kəmplíːtli]

2020 지방직 9급 외 43회

🔳 완전히, 철저히　　　　　🟰 totally, entirely

어원　com[모두] + ple(te)[채우다] + ly[부·접] = 빈 곳 없이 모두 채워서, 완전히

The skeleton of an ancient shark is **completely** different from that of a modern shark. 기출변형

고대 상어의 뼈대는 현대 상어의 뼈대와 완전히 다르다.

2482 ☐☐☐

facility

[fəsíləti]

2018 국가직 9급 외 24회

🔳 시설, 기관　　　　　🟰 establishment

어원　fac[행하다] + il(e)[쉬운] + ity[명·접] = 어떤 일을 행하기 쉽게 하는 시설

An identification card is required to use the athletic **facilities**. 기출변형

운동 시설을 이용하기 위해서는 신분증이 요구된다.

➕ **facilitate** 🔳 가능하게 하다, 용이하게 하다

2483 ☐☐☐

suspect

🔳 [səspékt]
🔳 [sʌ́spekt]

2020 국회직 8급 외 21회

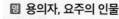

🔳 의심하다　　　　　🟰 doubt, distrust

🔳 용의자, 요주의 인물

어원　su[아래로(sub)] + spect[보다] = 상대를 위에서 아래로 훑어보며 의심하다

The students were **suspected** of cheating on the exam because they had identical answers. 기출변형

학생들은 그들의 정답이 동일했기 때문에 시험에서 부정행위를 한 의심을 받았다.

➕ **suspicious** 🔳 의심스러운

2484 ☐☐☐

instrument

[ínstrəmənt]

2020 국회직 8급 외 20회

Music

🔳 악기

🔳 기구, 도구　　　　　🟰 apparatus

어원　instru(ct)[가르치다] + ment[명·접] = 가르치기 위해 쓰는 도구, 음악의 도구인 악기

The musical directors organize and coordinate various **instruments**. 기출변형

지휘자들은 다양한 악기들을 편성하고 조화시킨다.

➕ **instrumental** 🔳 악기에 의한, 중요한

2485 ☐☐☐

constitute

[kάːnstətjùːt]

2020 국가직 9급 외 16회

동 구성하다, 이루다　　　　　**≡** make up, compose

동 제정하다　　　　　**≡** enact

어원　con[함께(com)] + stit(ute)[서다] = 여럿이 함께 서서 기관, 단체 등을 구성하다

Pedestrians **constitute** 22% of all road traffic victims. (기출변형)
보행자들은 도로 교통 피해자 수 전체의 22퍼센트를 구성한다.

➕ constitution 명 헌법, 구조

2486 ☐☐☐

satellite

[sǽtəlàit]

2018 국가직 9급 외 15회

명 인공위성, 위성

형 인공위성의, 위성의

The company uses a **satellite** network for virtual classrooms. (기출변형)
이 회사는 가상 교실 수업에 인공위성 네트워크를 사용한다.

2487 ☐☐☐

relevant

[réləvənt]

2019 지방직 9급 외 15회

형 관련 있는, 적절한　　　　　**≡** pertinent, related

Observations are not always made with a clear sense of what data may be **relevant**. (기출변형)
관찰은 항상 어떤 자료가 관련이 있을지에 대해 분명히 알고 시작되지는 않는다.

➖ irrelevant 형 관련 없는, 상관없는
➕ relevance 명 관련성, 적절성

2488 ☐☐☐

distract

[distrǽkt]

2018 법원직 9급 외 14회

동 산만하게 하다　　　　　**≡** disturb

어원　dis[떨어져] + tract[끌다] = 어떤 것에서 주의가 떨어지도록 끌어 산만하게 하다

He was so **distracted** by his daughter's question that he exceeded the speed limit. (기출변형)
그는 딸의 질문에 산만해져서 속도 제한을 초과했다.

➖ attract 동 주의를 끌다
➕ distracted 형 (정신이) 산만해진, 심란한

2489 ☐☐☐

challenging

[tʃǽlindʒiŋ]

2018 국회직 9급 외 12회

형 힘든, 도전적인　　　　　**≡** demanding

Top software companies are finding it increasingly **challenging** to stay ahead. (기출)
상위 소프트웨어 회사들은 앞서나가는 것이 점점 힘들어지고 있음을 깨닫고 있다.

🌿 = 어휘 영역 출제

2490 ☐☐☐

solely

[sóulli]

2020 국회직 8급 외 12회

♥ 오로지, 단독으로   **≡** only, simply

어원 sol(e)[하나] + ly[부·접] = 하나만, 즉 유일하게 또는 단독으로

The objectives of companies should not be **solely** based on profits. (기출변형)

기업들의 목표를 오로지 이익에만 기반을 두어서는 안 된다.

빈출 단어

2491 ☐☐☐

grab

[græb]

2019 법원직 9급 외 9회

동 붙잡다, 움켜잡다   **≡** seize, grasp

동 관심을 끌다   **≡** draw

He **grabbed** me by the arm and asked for help. (기출)

그는 내 팔을 붙잡고 도움을 요청했다.

↔ release 동 풀어 주다

2492 ☐☐☐

endeavor

[indévər]

2019 국회직 8급 외 9회

명 시도, 노력   **≡** effort, attempt

동 노력하다, 애쓰다   **≡** try, attempt

The artist concentrated on her creative **endeavors** throughout the summer.

그 예술가는 여름 내내 창의적인 시도에 집중했다.

2493 ☐☐☐

companion

[kəmpǽnjən]

2018 지방직 9급 외 8회

명 (마음이 맞는) 친구, 벗, 동반자   **≡** partner

어원 com[함께] + pan[빵] + ion[명·접] = 빵을 함께 나누는 사이, 즉 친구

It is rude to talk with a **companion** in your native language in front of your foreign friends. (기출변형)

당신의 외국인 친구들 앞에서 당신의 모국어로 친구와 대화하는 것은 무례한 일이다.

➊ companionship 명 동료애

2494 ☐☐☐

defect

[díːfekt]

2019 국회직 8급 외 7회

명 결함, 흠   **≡** flaw, fault

어원 de[떨어져] + fec(t)[만들다] = 질이 떨어지게 만들어진 것, 즉 결함

Mechanics examine automobiles to find **defects**. (기출변형)

정비사들은 결함을 발견하기 위해 자동차를 검사한다.

2495 ☐☐☐

ample

[ǽmpl]

2019 국회직 8급 외 7회

형 충분한, 풍만한　　　　■ enough, sufficient

Ample evidence exists of climate change. (기출변형)

기후 변화에 대한 충분한 증거들이 존재한다.

■ **insufficient** 형 불충분한

2496 ☐☐☐

council

[káunsəl]

2018 국회직 8급 외 7회

명 의회　　　　■ parliament, assembly

어원 coun[함께(com)] + cil[외치다] = 여럿이 모여서 함께 의견이나 주장을 외치는 의회

Systems of government range from a **council** of elders to a democracy. (기출변형)

정부의 체제는 원로 의회에서 민주주의까지 다양하다.

2497 ☐☐☐

stubborn 🌱

[stʌ́bərn]

2016 국회직 8급 외 6회

형 고집이 센, 완고한　　　　■ persistent

형 다루기 힘든

That **stubborn** child refuses to listen to his mother.

그 고집 센 아이는 어머니의 말을 듣는 것을 거부한다.

2498 ☐☐☐

altruism

[ǽltruːizm]

2019 국회직 9급 외 5회

명 이타심, 이타주의

어원 alt(ru)[다른] + ism[명·접] = 다른 사람을 위하는 마음, 즉 이타심

His **altruism** made him put the needs of others before his own.

그의 이타심은 그가 다른 사람들의 요구를 자신의 것보다 우선시하도록 했다.

➕ **altruistic** 형 이타적인

2499 ☐☐☐

parallel

[pǽrəlèl]

2015 서울시 7급 외 5회

형 평행한, 평행의　　　　■ resemble, similar to

동 유사하다　　　　■ akin, similar

명 위도선

All of the trees in the orchard were planted in **parallel** rows.

과수원의 모든 나무는 평행한 열로 심어졌다.

2500 ☐☐☐

skeptical

[sképtikəl]

2017 지방직 9급 외 4회

| 형 회의적인, 의심 많은 | = doubtful |

형 무신론자의

The president was **skeptical** about the agreement. (기출변형)
대통령은 그 협정에 대해 회의적이었다.

➕ **skepticism** 명 회의적인 태도, 회의론

2501 ☐☐☐

dissemination

[disèmənéiʃən]

2014 국가직 9급 외 4회

| 명 보급, 전파 | = distribution |

Printing facilitated the **dissemination** of knowledge. (기출변형)
인쇄술은 지식의 보급을 용이하게 했다.

2502 ☐☐☐

reconcile

[rékənsàil]

2010 국회직 9급 외 4회

| 동 중재하다, 화해시키다 | = settle |

동 받아들이다 | = resign |

Society should **reconcile** the needs of the individual and those of the community. (기출변형)
사회는 개인과 공동체의 요구를 중재해야 한다.

2503 ☐☐☐

devastation

[dèvəstéiʃən]

2020 국회직 9급 외 3회

| 명 파괴, 황폐화 | = destruction |

The earthquake caused **devastation** across the region.
그 지진은 지역 전체에 파괴를 초래했다.

➕ **devastating** 형 대단히 파괴적인

2504 ☐☐☐

sporadic

[spərǽdik]

2016 서울시 9급 외 3회

| 형 산발적인, 이따금 발생하는 | = occasional |

Sporadic revolutions continued until the collapse of the Soviet Union. (기출변형)
소련이 붕괴되기 전까지 산발적인 혁명이 계속되었다.

↔ **frequent** 형 빈번한, 자주 발생하는

2505 ☐☐☐

damp

[dæmp]

2015 국가직 7급 외 3회

| 형 습기 찬, 축축한 | = moist, humid |

Mold often appears in dark, **damp** areas like basements.
곰팡이는 종종 지하실과 같은 어둡고 습기 찬 곳에서 나타난다.

↔ **dry** 형 건조한

2506 ☐☐☐

literacy

[lítərəsi]

2015 지방직 9급 외 2회

명 (글을) 읽고 쓸 줄 아는 능력

Literacy can be achieved by repeating a simple sentence pattern. (기출변형)

읽고 쓸 줄 아는 능력은 단순한 문장 패턴을 반복함으로써 얻을 수 있다.

➕ literature 명 문학, 문헌

2507 ☐☐☐

confirmed

[kənfɔ́:rmd]

2020 국회직 8급 외 1회

형 (버릇 등이) 상습적인 ▪ compulsive

형 확고한, 굳어진 ▪ established

It is difficult for a **confirmed** smoker to give up the habit. (기출변형)

상습적인 흡연자가 그 습관을 버리는 것은 어렵다.

➕ confirmation 명 확인, 확증

2508 ☐☐☐

agitate

[ǽdʒitèit]

2016 법원직 9급 외 1회

동 뒤흔들다, 휘젓다 ▪ stir, whisk

Sea foam forms when the ocean is **agitated** by waves. (기출변형)

바다 거품은 바다가 파도에 의해 뒤흔들릴 때 형성된다.

2509 ☐☐☐

supercilious

[sù:pərsíliəs]

2012 국회직 8급

형 거만한, 남을 얕보는 ▪ arrogant, conceited

The **supercilious** art dealer rolled her eyes when we asked about the cheaper painting. (기출변형)

그 거만한 미술상은 우리가 더 저렴한 그림을 요구하자 곁눈질을 했다.

◀▪ humble 형 겸손한, 천한

빈출 숙어

2510 ☐☐☐

as opposed to

2020 국회직 8급 외 8회

~과는 반대로, ~과는 대조적으로 ▪ on the contrary

We had a simple meal at home **as opposed to** eating at a fancy restaurant.

우리는 고급 레스토랑에서 먹는 것과는 반대로 집에서 간단한 식사를 했다.

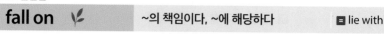

2511 ☐☐☐

fall on

2021 지방직 9급 외 2회

~의 책임이다, ~에 해당하다

目 lie with

After he inherited the company, the responsibility of caring for his employees **fell on** him.

그가 기업을 상속받은 후, 직원들을 보살피는 것은 그의 책임이었다.

2512 ☐☐☐

try out

2016 국가직 7급 외 2회

시험 삼아 사용해 보다

I have some hiking gear I want to **try out**. 〔기출변형〕

나는 시험 삼아 사용해 보고 싶은 하이킹 장비가 몇 개 있다.

2513 ☐☐☐

shore up

2019 서울시 7급 외 2회

강화하다, 떠받치다

目 reinforce

The policy **shored up** the social safety net. 〔기출변형〕

그 정책은 사회 안전망을 강화했다.

2514 ☐☐☐

fill up

2013 지방직 7급 외 1회

차다, 채우다

目 pack, stuff

Recycling can prevent landfills from **filling up** too early.

재활용은 매립지가 너무 빨리 차는 것을 예방할 수 있다.

완성 어휘

2515	monotony	몡 단조로움
2516	subservient	톙 굴종하는
2517	disobedient	톙 복종하지 않는, 반항하는
2518	delude	통 속이다
2519	intractable	톙 고집 센, 다루기 힘든
2520	ramification	몡 파문, (좋지 못한) 결과
2521	bracket	몡 (소득의) 구분, 계층
2522	fervor	몡 열의, 열정
2523	tactful	톙 요령 있는
2524	sermon	몡 설교
2525	monument	몡 기념물, 기념비적인 것
2526	soundly	뷔 곤히, 깊이
2527	plausible	톙 그럴듯한
2528	authoritative	톙 권위 있는, 믿을 만한
2529	exponential	톙 급격한, 기하급수적인
2530	mischievous	톙 짓궂은, 해를 끼치는
2531	slack	톙 느슨한, 느린
2532	high-end	톙 고급의
2533	dominion	몡 지배, 지배권, 영토
2534	listless	톙 열의가 없는, 무기력한
2535	interplay	몡 상호 작용
2536	pigment	몡 색소, 안료
2537	chromosome	몡 염색체

2538	nonchalance	몡 태연함, 아랑곳하지 않음
2539	acquit	통 석방하다, 면제하다
2540	coarse	통 조악한, 조잡한
2541	stagnate	통 침체되다
2542	grudge	몡 원한
2543	collide	통 충돌하다, 상충하다
2544	adoptive	톙 입양으로 맺어진
2545	laborious	톙 힘든
2546	erudite	톙 학식 있는, 박식한
2547	noteworthy	톙 주목할 만한, 현저한
2548	imperil	통 위태롭게 하다
2549	penury	몡 가난, 궁핍
2550	keep one's feet on the ground	현실적이다
2551	tender age	(경험이 없는) 어린 나이
2552	be intent on	~에 열중하다
2553	turn back	되돌아오다, 되돌리다
2554	be chained to	~에 속박당하다, 묶이다
2555	stay in shape	건강을 유지하다
2556	hold back	억제하다, 막다
2557	make believe	~인 체하다, 믿게 만들다
2558	think back to	~을 회상하다
2559	boast of	~을 뽐내다
2560	be on the verge of	~하기 직전에

🌱 = 어휘 영역 출제

DAY 33

■ 1회독 ■ 2회독 ■ 3회독

최빈출 단어

DAY33 음성 바로 듣기

2561 ☐☐☐

conduct

[kəndʌ́kt]

2019 국가직 9급 외 32회

동 실시하다, (특정한 활동을) 하다 ■ carry out

어원 con[함께(com)] + duc(t)[이끌다] = 여럿을 함께 이끌거나 지휘하다, 이끌어져 어떤 일을 실시하다

An experiment was **conducted** with a group who had low satisfaction in life. (기출변형)

실험은 삶의 만족도가 낮은 무리를 대상으로 실시되었다.

2562 ☐☐☐

satisfy

[sǽtisfài]

2020 법원직 9급 외 31회

동 충족시키다, 만족시키다 ■ content, gratify

어원 satis[충분한] + fy[동·접] = 충분하게 줘서 만족시키다, 충족시키다

There is not enough wood in the country to **satisfy** the demand. (기출변형)

이 나라에는 수요를 충족시키기 위한 목재가 충분하지 않다.

↔ **dissatisfy** 동 불만을 느끼게 하다

➕ **satisfaction** 명 만족

2563 ☐☐☐

violence

[váiələns]

2019 국회직 8급 외 24회

명 폭력, 폭행 ■ cruelty

명 격렬함, 맹렬함

어원 viol[난폭한, 과격한] + ence[명·접] = 폭력, 격렬함

Most people have a strong dislike for excessive **violence** on TV. (기출)

대부분의 사람들은 TV에서의 과도한 폭력을 매우 싫어한다.

➕ **violent** 형 폭력적인

2564 ☐☐☐

interfere 🌿

[ìntərfíər]

2020 국회직 8급 외 23회

동 개입하다, 간섭하다 ■ meddle, intervene

동 방해하다

어원 inter[서로] + fere[치다] = 서로 상대방을 쳐서 방해하다, 개입하다

The police are unwilling to **interfere** in family problems. (기출변형)

경찰은 집안 문제에 대해서 개입하기를 꺼린다.

➕ **interference** 명 개입, 간섭

2565 ☐☐☐

prime

[praim]

2018 법원직 9급 외 22회

형 주된, 주요한　　　　　■ main, leading

형 제1의, 최초의　　　　　■ primary

어원 prim(e)[첫 번째의] = 첫 번째로 중요한, 즉 주된

A lack of leadership was the **prime** cause of the failure. (기출변형)

리더십 부재가 실패의 주된 원인이었다.

➕ primarily 閉 주로

2566 ☐☐☐

neglect

[niglékt]

2020 지방직 7급 외 20회

동 등한시하다, 무시하다　　　■ disregard, ignore

명 방치, 소홀　　　　　　■ negligence

어원 neg[아닌] + lect[선택하다] = 어떤 것을 선택하지 않고 넘어가다, 즉 등한시하다

People exercise their bodies, yet they **neglect** to exercise their emotions. (기출변형)

사람들은 신체를 단련하지만, 그들의 감정을 단련하는 것은 등한시한다.

➕ negligible 형 무시해도 될 정도의

2567 ☐☐☐

steadily

[stédili]

2020 국가직 9급 외 17회

閉 꾸준히, 한결같이

Gun crimes have **steadily** increased over the last three decades. (기출변형)

총기 범죄는 지난 30년 동안 꾸준히 증가해왔다.

➕ steadfast 형 변함없는

2568 ☐☐☐

cultivate

[kʌ́ltəvèit]

2019 서울시 7급 외 14회

동 재배하다, 경작하다　　　　■ farm, fertilize

동 (재능 등을) 기르다, 함양하다　■ improve

어원 cult[경작하다] + iv(e)[형·접] + ate[동·접] = 경작하다, 경작해서 자라게 재배하다

Black pepper is **cultivated** as a simple ingredient for cooking. (기출변형)

후추는 요리의 간단한 재료로 재배된다.

2569 ☐☐☐

diminish

[dimíniʃ]

2022 서울시 9급 외 13회

동 떨어뜨리다, 줄어들다　　　■ decrease, decline

동 약해지다, 약화시키다

어원 di[떨어져(dis)] + min[작은] + ish[동·접] = 큰 것을 떨어뜨려 크기가 작게 줄어들다

Excessive stress **diminishes** a person's ability to function. (기출변형)

과도한 스트레스는 개인의 활동 능력을 떨어뜨린다.

🌱 = 어휘 영역 출제

2570 □□□

deserve

[dizə́ːrv]

2013 국가직 7급 외 11회

통 ~을 받을 자격이 있다

어원 de[완전히] + serv(e)[섬기다] = 완전히 섬기어 그 대가를 마땅히 받을 자격이 있다

Our customers **deserve** friendly service. (기출변형)

우리의 고객들은 친절한 서비스를 받을 자격이 있다.

빈출 단어

2571 □□□

surrender

[səréndər]

2018 지방직 7급 외 9회

통 항복하다, 굴복하다 ▣ yield, concede

통 (권리 등을) 포기하다, 내주다 ▣ relinquish

어원 sur[위에] + render[주다] = 권력 등을 위로 넘겨주어 항복하다

Carthage **surrendered** to Rome in the end. (기출변형)

카르타고는 결국 로마에 항복했다.

⊟ resist 통 저항하다

2572 □□□

immense

[iméns]

2020 국가직 9급 외 9회

형 엄청난, 어마어마한 ▣ huge, enormous

형 헤아릴 수 없는

어원 im[아닌(in)] + mens(e)[재다(meter)] = 잴 수 없을 정도로 크기가 거대한, 엄청난

The company's founders amassed **immense** personal wealth as it continued to expand.

그 회사의 창립자들은 그것이 계속해서 확장됨에 따라 엄청난 개인적인 부를 축적했다.

⊕ **immensely** 분 엄청나게

2573 □□□

reverse

[rivə́ːrs]

2015 국회직 8급 외 9회

명 반대, 반전

통 뒤집다, 뒤바꾸다 ▣ overturn, undo

형 반대의, 뒤집힌

어원 re[뒤로] + vers(e)[돌리다] = 뒷면이 앞으로 오도록 뒤로 돌려 뒤집다

The seat's side is covered in leather, but the **reverse** is cloth. (기출변형)

좌석의 측면은 가죽으로 덮여 있지만, 반대는 천이다.

⊕ **reversal** 명 뒤바뀜, 반전

precise 🌿

형 정확한, 정밀한 · exact, accurate

[prisáis]

2017 서울시 7급 외 8회

어원 pre[앞에] + cis(e)[자르다] = 앞에 붙은 군더더기를 잘라내 정확한

The railroad was the first institution to draw attention to the importance of **precise** timekeeping. (기출변형)

철도는 정확한 시간 엄수의 중요성에 관심을 모은 최초의 기관이다.

↔ **vague** 형 희미한

➕ **precisely** 부 정확히

2575 □□□

scramble

동 애쓰다 · strive, contend

[skrǽmbl]

2018 지방직 7급 외 7회

동 쟁탈하다

명 쟁탈, 쟁탈전

When she has no paper, she **scrambles** to find envelopes or napkins to write on. (기출변형)

종이가 없을 때, 그녀는 글을 쓸 봉투나 냅킨을 찾기 위해 애쓴다.

2576 □□□

corruption 🌿

명 부패 · depravity

[kərʌ́pʃən]

2019 서울시 9급 외 7회

어원 cor[모두] + rupt[깨뜨리다] + tion[명·접] = 법이나 도덕을 모두 깨뜨린 부패

He spent two decades documenting **corruption** in the country. (기출변형)

그는 그 나라의 부패를 문서화하는 데 20년을 보냈다.

➕ **corrupt** 형 부패한, 타락한

2577 □□□

toil

명 노력 · labor

[tɔil]

2016 지방직 7급 외 6회

동 애쓰다, 열심히 일하다 · strive

Completing this work requires a lot of **toil** and patience from you. (기출)

이 일을 끝마치는 것은 당신의 많은 노력과 인내심이 필요하다.

2578 □□□

amid

전 (~하는) 가운데에서, ~의 한복판에서 · in the middle of

[əmíd]

2019 지방직 7급 외 6회

The president's popularity during her first years decreased **amid** high unemployment. (기출변형)

부임 초기 대통령의 인기는 높은 실업률 가운데에서 줄어들었다.

🌿 = 어휘 영역 출제

2579 ☐☐☐

ignite

[ignáit]
2020 국회직 9급 외 6회

동 ~에 불을 붙이다　　　■ torch, kindle

Ignite a candle, a cigarette, or a ball of cotton. 기출
양초, 담배, 또는 솜덩어리에 불을 붙여보세요.

2580 ☐☐☐

undertaking

[ʌ̀ndərtéikiŋ]
2019 서울시 9급 외 5회

명 (중요한) 일, 사업　　　■ task, business

명 약속, 동의

Climbing Mount Kilimanjaro is a serious **undertaking**. 기출변형
킬리만자로산을 등반하는 것은 만만찮은 일이다.

2581 ☐☐☐

obsess

[əbsés]
2018 지방직 7급 외 4회

동 사로잡다, ~에 집착하게 하다　　　■ agonize, haunt

It's pointless to be **obsessed** with something that doesn't affect your life.
당신의 인생에 영향을 미치지 않는 무언가에 사로잡히는 것은 무의미하다.

➕ obsessive 형 강박적인

2582 ☐☐☐

domesticate

[dəméstikèit]
2019 국가직 9급 외 3회

동 길들이다, 사육하다, 재배하다　　　■ tame

The humans who **domesticated** animals were the first to fall victim to evolved germs. 기출변형
동물들을 길들인 사람들은 진화한 세균의 첫 번째 희생자가 되었다.

➕ domestication 명 길들이기, 사육

2583 ☐☐☐

disparage

[dispǽridʒ]
2018 서울시 7급 외 3회

동 폄하하다, 헐뜯다　　　■ ridicule, decry

The tax cut was **disparaged** by senators from both parties. 기출변형
세금 감면은 양당의 상원 의원들에 의해 폄하되었다.

⬌ flatter 동 아첨하다
➕ disparaging 형 얕보는

2584 ☐☐☐

nutrient

[njú:triənt]
2016 국가직 7급 외 3회

명 영양소

Fruits and vegetables are packed with **nutrients**. 기출변형
과일과 채소는 영양소로 가득 차 있다.

2585 ☐☐☐

gratify

[grǽtifài]

2021 지방직 9급 외 2회

통 기쁘게 하다　　　　■ satisfy, appease

For many buyers, the act of purchasing is what **gratifies** themselves. (기출변형)

많은 구매자들에게, 구매의 행위는 그들 스스로를 기쁘게 하는 것이다.

➕ gratification 명 기쁨

2586 ☐☐☐

convoluted

[kɑ́:nvəlùːtid]

2017 지방직 9급 외 1회

형 복잡한, 대단히 난해한　　　　■ complicated

형 나선형의, 구불구불한

The plot of the story is so **convoluted** that it is almost impossible to follow. (기출변형)

그 이야기의 줄거리는 너무 복잡해서 이해하는 것이 거의 불가능하다.

↔ straightforward 형 간단한

2587 ☐☐☐

coincidence

[kouínsidəns]

2016 국회직 8급 외 1회

명 우연의 일치　　　　■ accident

It was a **coincidence** that his friend was on the same flight.

그가 친구와 같은 비행기를 탄 것은 우연의 일치였다.

2588 ☐☐☐

burnout

[bə́:rnàut]

2021 국가직 9급 외 1회

명 극도의 피로, 쇠진　　　　■ exhaustion

Burnout is a chronic condition that results as daily work stressors take their toll on employees. (기출)

극도의 피로는 일일 업무 스트레스 요인이 직원들에게 타격을 줄 때 결과로 나타나는 만성적인 상태이다.

2589 ☐☐☐

imminent

[ímənənt]

2011 법원직 9급

형 임박한, 목전의　　　　■ impending

형 절박한

The increasing price of food is a signal that a severe global food crisis is **imminent**. (기출변형)

식량 가격 상승은 심각한 국제적 식량 위기가 임박해 있다는 신호다.

↔ remote 형 먼

빈출 숙어

2590 ☐☐☐

get up

2020 법원직 9급 외 18회

(앉거나 누워 있다가) 일어나다, 깨우다

(바다·바람이) 거세지다

I let them know it was time to **get up** and start a new day. (기출변형)

나는 그들에게 이제 일어나서 새로운 하루를 시작할 때라고 알렸다.

2591 ☐☐☐

by no means

2021 국가직 9급 외 5회

결코 ~이 아닌

Historians **by no means** agree that the characters in the book were real.

역사학자들은 이 책의 등장인물들이 진짜였다는 것에 결코 동의하지 않는다.

2592 ☐☐☐

be eager to

2019 지방직 7급 외 5회

간절히 ~하고 싶어 하다

Millions of people **are eager to** work but remain unemployed. (기출변형)

수 백만의 사람들이 간절히 일하고 싶어 하지만 무직 상태로 남아있다.

2593 ☐☐☐

at the expense of 🌱

2020 지방직 3급 외 5회

~의 희생으로, ~을 대가로

The global economy grows **at the expense of** the poor. (기출)

세계 경제는 가난한 사람들의 희생으로 성장한다.

2594 ☐☐☐

abide by 🌱

2023 국가직 9급 외 4회

준수하다, 지키다　　　　　　　　　　■ comply with

TV and radio stations will have to **abide by** new standards. (기출변형)

TV와 라디오 방송국은 새로운 기준을 준수해야 할 것이다.

완성 어휘

2595 □□□	dictatorship	뗑 독재 정권
2596 □□□	dormant ✔	휑 휴면기의, 활동을 멈춘
2597 □□□	stake ✔	뗑 이해관계, 지분
2598 □□□	decisively	뛰 단호하게, 결정적으로
2599 □□□	enduring	휑 오래가는, 지속되는
2600 □□□	bustle ✔	뚱 바삐 움직이다
2601 □□□	allege	뚱 혐의를 제기하다
2602 □□□	statutory ✔	휑 법에 명시된, 법령에 의한
2603 □□□	malice ✔	뗑 악의
2604 □□□	suppleness ✔	뗑 유연함, 유순함
2605 □□□	rebellion	뗑 반란, 반대
2606 □□□	bask	뚱 (햇볕을) 쪼이다
2607 □□□	obstruction ✔	뗑 방해, 차단
2608 □□□	misbehave	뚱 못되게 굴다
2609 □□□	startle	뚱 깜짝 놀라게 하다
2610 □□□	appalling ✔	휑 끔찍한
2611 □□□	zenith ✔	뗑 정점, 천장
2612 □□□	pillar	뗑 기둥
2613 □□□	compress	뚱 압축하다
2614 □□□	drearily	뛰 황량하게, 쓸쓸히
2615 □□□	hybrid ✔	뗑 혼합물, 합성물
2616 □□□	overcast	휑 구름이 뒤덮인
2617 □□□	automation	뗑 자동화

2618 □□□	infamous	휑 악명 높은
2619 □□□	homogeneous	휑 동종의
2620 □□□	villain	뗑 악당
2621 □□□	unwarranted	휑 부적절한
2622 □□□	frost	뗑 서리
2623 □□□	precedented ✔	휑 전례가 있는
2624 □□□	impetuosity	뗑 격렬, 맹렬
2625 □□□	photosynthesis	뗑 광합성
2626 □□□	notwithstanding	쩐 ~에도 불구하고
2627 □□□	unaffected	휑 꾸밈없는, 자연스러운
2628 □□□	shoplift	뚱 가게 물건을 훔치다
2629 □□□	incubate	뚱 (알을) 품다, 배양하다
2630 □□□	have the guts ✔	~할 용기가 있다
2631 □□□	made of money ✔	아주 부자인
2632 □□□	take one's toll	피해를 주다, 타격을 주다
2633 □□□	be adept at	~에 능숙하다
2634 □□□	set aside	따로 떼어 두다
2635 □□□	pass away	사망하다
2636 □□□	figure as	~의 역할을 하다
2637 □□□	a series of	연속의, 일련의
2638 □□□	let go of ✔	버리다, 포기하다
2639 □□□	look the other way	못 본 척하다
2640 □□□	step into one's shoes	~의 후임이 되다

✔ = 어휘 영역 출제

DAY 34

■ 1회독 ■ 2회독 ■ 3회독

최빈출 단어

DAY34 음성 바로 듣기

2641 ☐☐☐

intelligence

[intélədʒəns]

2020 국가직 9급 외 52회

명 지능

명 기밀, 정보요원

= intellect

Any effects of birth order on **intelligence** will likely be washed out by other influences. (기출변형)

지능에 대한 태어난 순서의 영향은 다른 영향에 의해 없어질 것이다.

2642 ☐☐☐

sophisticated

[səfístəkèitid]

2019 서울시 9급 외 22회

형 정교한, 복잡한

형 세련된, 교양 있는

= delicate

The more **sophisticated** the brain of an animal is, the greater its role becomes. (기출변형)

동물의 뇌가 정교할수록, 그 역할은 더 커진다.

➕ sophistication 명 교양, 세련

2643 ☐☐☐

discipline

[dísəplin]

2019 국가직, 지방직 9급 외 20회

명 규율, 훈육

= regulation

Classroom **discipline** issues need to be addressed while maintaining an open environment. (기출변형)

열린 환경을 유지함과 동시에 교실의 규율 문제들은 다뤄져야 한다.

2644 ☐☐☐

detective

[ditéktiv]

2020 국회직 8급 외 16회

명 형사

어원 detect[발견하다] + ive[사람] = (증거나 죄를 발견하는) 탐정, 형사

Improvements in technology help **detectives** solve crimes faster. (기출변형)

기술의 향상은 형사들이 범죄를 더 빨리 해결하도록 돕는다.

2645 ☐☐☐

deliberate

형 [dilíbərət]
동 [dilíbərèit]

2018 국회직 8급 외 13회

형 의도적인, 고의의	≡ intentional
형 신중한, 사려 깊은	≡ careful, cautious
동 숙고하다, 심의하다	≡ contemplate

My brother said it was an accident, but I think destroying my picture was **deliberate**.

오빠는 그것이 사고라고 했지만, 나는 내 사진을 망가뜨린 것은 의도적이었다고 생각한다.

➕ **deliberately** 뷰 고의로

2646 ☐☐☐

utility

[ju:tíləti]

2020 지방직 7급 외 12회

| 명 (가스·수도 등의) 공공시설 | ≡ usefulness |
| 명 유용성, 효용 | |

어원 ut[사용하다] + il[형·접] + ity[명·접] = 사용할 수 있는 설비, 공공시설

Even as they couldn't pay their **utility** bills, some people spent on luxuries. (기출변형)

공공시설 요금을 낼 수 없었음에도 불구하고, 일부 사람들은 사치품에 돈을 썼다.

➖ **inefficiency** 명 비능률

➕ **utilitarian** 형 실용적인

2647 ☐☐☐

sanction

[sǽŋkʃən]

2022 국회직 9급 외 11회

명 제재	≡ ban, embargo
명 허가, 인가	≡ authorization
동 허가하다, 인가하다	≡ permit

Financial **sanctions** are necessary to prevent nuclear terrorism. (기출변형)

핵무기 테러를 막기 위해 재정적 제재가 필요하다.

2648 ☐☐☐

physiological

[fìziəládʒikəl]

2019 국가직 9급 외 11회

형 생리적인, 생리학의

어원 physio[몸] + log(i)[말] + cal[형·접] = 몸의 조직이나 기능에 대해 말하는 생리적인

Stress has a negative impact on one's **physiological** functioning. (기출변형)

스트레스는 개인의 생리적인 기능에 부정적인 영향을 미친다.

➕ **physiologist** 명 생리학자

✔ = 어휘 영역 출제

2649 ☐☐☐

province

[prá:vins]

2020 지방직 9급 외 10회

명 지역, 지방	■ territory, region
명 (학문 등의) 분야, 영역	■ field

어원 pro[앞으로] + vinc(e)[이기다] = 전투에서 이기고 앞으로 나아가 차지하게 된 지역

He comes from Jeju **Province**, as you can tell from his accent. 기출

말투에서 알 수 있듯이, 그는 제주 지역 출신이다.

2650 ☐☐☐

literally

[lítərəli]

2021 국가직 9급 외 9회

부 문자 그대로	■ precisely
부 (강조하여) 완전히, 정말	■ truly

어원 liter[글자] + al[형·접] + ly[부·접] = 글자의, 문자 그대로의

The word "karma" **literally** means "activity." 기출

'카르마'라는 단어는 문자 그대로 '행동'을 의미한다.

빈출 단어

2651 ☐☐☐

extension

[iksténʃən]

2018 서울시 7급 외 8회

명 연장, 확장	■ expansion

In an **extension** of computer-assisted systems, patients can begin the diagnostic process by themselves. 기출변형

컴퓨터의 지원을 받는 시스템의 연장으로, 환자들이 스스로 진단 절차를 시작하는 것이 가능하다.

➊ **extent** 명 정도, 규모

2652 ☐☐☐

drain

[drein]

2020 지방직 9급 외 8회

동 물을 빼다, 배수하다	■ empty

Canals were built to **drain** the wetland. 기출변형

습지대의 물을 빼기 위해 운하가 건설되었다.

➊ **drainage** 명 배수

2653 ☐☐☐

sting

[stiŋ]

2013 국가직 9급 외 7회

명 (곤충 따위의) 침, 찌르기	
동 찌르다, 쏘다	■ poke, injure

Immunizing patients with bee venom can prevent serious **sting** reactions. 기출변형

벌침 독으로 환자를 면역시키는 것이 침에 대한 심각한 반응을 예방할 수 있다.

➊ **stinging** 형 찌르는, 쏘는

2654 ☐☐☐

imprison

[imprízn]

2015 국가직 9급 외 7회

동 투옥하다　　　　■ jail

동 ~를 가두다, 감금하다

어원 im[안에(in)] + prison[감옥] = 감옥 안에 가두다, 즉 투옥하다

The king had **imprisoned** his political enemies. 〔기출변형〕

왕은 자신의 정적들을 투옥했다.

➕ **imprisonment** 명 투옥

2655 ☐☐☐

accomplishment

[əká:mpliʃmənt]

2021 국가직 9급 외 7회

명 업적, 완수　　　　■ achievement

The **accomplishment** can be academic such as a graduation. 〔기출변형〕

업적이란 졸업과 같이 학문적인 것일 수도 있다.

2656 ☐☐☐

ignorant

[ígnərənt]

2020 국회직 8급 외 6회

형 모르는, 무지한　　　　■ uneducated

어원 i[아닌(in)] + gnor[알다] + ant[명·접] = 무지한, 무식한

Many people are **ignorant** about what other cultures are really like.

많은 사람들은 다른 문화들이 정말 어떠한지에 대해 모른다.

➕ **ignorance** 명 무지

2657 ☐☐☐

fake

[feik]

2014 서울시 7급 외 6회

형 가짜의　　　　■ spurious, mock

The art critic said that the painting was a **fake** because of its defect. 〔기출변형〕

미술 비평가는 그것의 결함 때문에 그 그림이 가짜라고 말했다.

2658 ☐☐☐

passionate

[pǽʃənət]

2022 지방직 9급 외 5회

형 열정적인　　　　■ eager, ardent

어원 pass[느끼다] + ion[명·접] + ate[형·접] = 강하게 열정을 느끼는, 즉 열정적인

The activist gave a **passionate** speech about the importance of protecting the environment.

그 운동가는 환경을 보호하는 것의 중요성에 대해 열정적인 연설을 했다.

↔ **apathetic** 형 무관심한

2659 ☐☐☐

arguably

[ɑ́ːrgjuəbli]

2020 국회직 8급 외 5회

🔽 거의 틀림없이, 주장하건대　　■ debatably

A Theory of Justice is **arguably** the most important book of American philosophy. (기출변형)

정의론은 거의 틀림없이 미국 철학에서 가장 중요한 책이다.

➕ argument 몡 논쟁

2660 ☐☐☐

antibiotic

[æntibaiɑ́ːtik]

2019 지방직 9급 외 5회

몡 항생제, 항생물질

혱 항생의

어원 anti[대항하여] + bio[생물] + tic[형·접] = 세균 등의 다른 생물에 대항하는 항생제

After people realized the idea of germs, scientists invented **antibiotics**. (기출변형)

사람들이 병균이라는 개념을 깨닫고 나서, 과학자들은 항생제를 발명했다.

2661 ☐☐☐

submerge

[səbmə́ːrdʒ]

2018 국가직 9급 외 4회

동 (물속에) 잠기다, 담그다　　■ overflow, deluge

어원 sub[아래로] + merg(e)[물에 잠기다] = 물 아래로 깊이 잠기다

After the crash, all parts of the ship **submerged** under the ocean. (기출변형)

충돌 이후에, 배의 모든 부분이 바다 아래로 잠겼다.

⟷ surface 동 수면으로 올라오다

2662 ☐☐☐

tuition

[tjuːíʃən]

2018 국가직 9급 외 3회

몡 등록금, 학비　　■ training

몡 수업, 교습　　■ education

어원 tuit[가르치다] + ion[명·접] = 가르침의 대가로 지불하는 비용, 즉 등록금

Students at some colleges don't stress about the high price of **tuition** because it is free. (기출변형)

몇몇 대학의 학생들은 등록금이 무료이기 때문에 고액의 등록금에 대해 부담을 갖지 않는다.

2663 ☐☐☐

entice

[intáis]

2017 국회직 8급 외 3회

동 유인하다, 유혹하다　　■ tempt, allure

These flowers **entice** birds and bees who come for the nectar. (기출변형)

이 꽃들은 과즙을 얻기 위해 오는 새와 벌들을 유인한다.

⟷ repel 동 격퇴하다

2664 ☐☐☐

residue

[rézədjùː]

2020 국가직 9급 외 3회

명 잔여물, 잔류물　　　■ remains, remnant

Customers look for all-natural products that don't leave harmful **residues**. (기출변형)

소비자들은 해로운 잔여물을 남기지 않는 완전한 천연 제품을 찾는다.

✚ **residual** 형 잔여의, 남은

2665 ☐☐☐

alternate

동 [ɔ́ːltərnèit]
형 [ɔ́ːltərnət]

2015 국가직 9급 외 3회

동 번갈아 나오게 하다, 대체하다　　　■ rotate

형 번갈아 하는

어원 alter(n)[다른] + ate[동·접] = 다른 것과 번갈아 하다

A patient suffering from bipolar disorder **alternates** between periods of excitement and depression. (기출변형)

조울증을 앓고 있는 환자는 흥분기와 우울기가 번갈아 나온다.

✚ **alternative** 명 대안

2666 ☐☐☐

state-of-the-art

[stéitəvðiɑ́ːrt]

2018 지방직 7급 외 2회

형 최첨단의, 최신의　　　■ modern, advanced

The school uses **state-of-the-art** technology to improve learning.

그 학교는 학습을 강화하기 위한 최첨단 기술을 사용한다.

2667 ☐☐☐

down-to-earth ✔

[dauntuəːrθ]

2017 국가직 9급 외 1회

형 현실적인, 세상 물정에 밝은　　　■ practical, realistic

The financial manager gave **down-to-earth** advice to his client. (기출)

그 재무 관리자는 자신의 고객에게 현실적인 조언을 했다.

⇄ **idealistic** 형 이상주의적인

2668 ☐☐☐

surreptitious ✔

[sə̀ːrəptíʃəs]

2017 사회복지직 9급 외 1회

형 은밀한, 남몰래 슬쩍 하는　　　■ clandestine

형 부정한

He made a **surreptitious** glance before stealing the money.

그는 돈을 훔치기 전에 은밀한 눈짓으로 흘긋 보았다.

⇄ **blatant** 형 노골적인

✔ = 어휘 영역 출제

빈출 숙어

2669 ☐☐☐

take in 🌱

2020 국가직 9급 외 18회

흡수하다, 섭취하다	■ absorb
속이다	■ delude

When a plant is alive, it **takes in** carbon dioxide from the air. (기출변형)
식물은 살아있을 때, 공기에서 이산화탄소를 흡수한다.

2670 ☐☐☐

go into 🌱

2015 국회직 8급 외 13회

~을 시작하다	■ begin
~을 논하다	

How did you **go into** selling cosmetics online? (기출)
당신은 어떻게 온라인상에서 화장품을 팔기 시작했습니까?

➡ **complete** 통 완료하다

2671 ☐☐☐

be rooted in

2018 서울시 7급 외 6회

근거를 두다, ~에 원인이 있다

His confidence **is rooted in** a series of successes and victories.
그의 자신감은 일련의 성공과 승리에 근거를 두고 있다.

2672 ☐☐☐

susceptible to 🌱

2018 지방직 9급 외 5회

~에 민감한, 취약한　　　　■ vulnerable to

People with lung conditions may be more **susceptible to** air pollution. (기출변형)
폐 질환을 가진 사람들은 대기 오염에 더 민감할 수 있다.

2673 ☐☐☐

preoccupied with

2019 지방직 9급 외 4회

~에 집착하는, ~에 사로잡혀 있는

Parents are often too **preoccupied with** their children to focus on work.
부모들은 종종 자녀들에게 너무 집착해서 일에 집중하지 못하는 경우가 많다.

2674 ☐☐☐

be around

2018 국가직 9급 외 4회

존재하다, 부근에 있다

TV home shopping has **been around** for decades. (기출변형)
TV 홈쇼핑은 존재한 지 수십 년이 되었다.

2675 □□□	diplomatic	형 외교의
2676 □□□	solidity	명 견고함
2677 □□□	impermissible	형 용납할 수 없는
2678 □□□	swarm	명 무리, 떼; 동 떼를 짓다
2679 □□□	cramp ✔	명 경련, 쥐; 동 방해하다
2680 □□□	tenacity ✔	명 끈기, 고집
2681 □□□	ardent ✔	형 열렬한
2682 □□□	incinerate	동 태우다, 소각하다
2683 □□□	preclude ✔	동 못하게 하다
2684 □□□	strident ✔	형 귀에 거슬리는
2685 □□□	occupation	명 직업
2686 □□□	customize	동 주문 제작하다
2687 □□□	proactive	형 (상황을) 앞서서 주도하는
2688 □□□	benchmark	명 기준
2689 □□□	normality	명 정상 상태
2690 □□□	taint	동 더럽히다
2691 □□□	restless	형 침착하지 못한, 불안한
2692 □□□	industrious	형 근면한
2693 □□□	hue	명 빛깔, 색조
2694 □□□	hilarious	형 아주 우스운
2695 □□□	pious	형 경건한
2696 □□□	aggrandizement ✔	명 권력 강화
2697 □□□	parallelism	명 유사성

2698 □□□	banal	형 따분한
2699 □□□	optimization	명 최적화
2700 □□□	impetuous	형 성급한
2701 □□□	radiate	동 내뿜다
2702 □□□	germane	형 밀접한 관련이 있는
2703 □□□	spawn	동 알을 낳다
2704 □□□	overdue	형 기한이 지난
2705 □□□	shortfall	명 부족, 부족분
2706 □□□	implore	동 간청하다
2707 □□□	jurisdiction	명 사법권
2708 □□□	fetus	명 태아
2709 □□□	calumny ✔	명 비방, 명예훼손
2710 □□□	give way to	~을 못 이기다
2711 □□□	in no way ✔	결코 ~ 않다
2712 □□□	be tired of	~에 싫증이 나다
2713 □□□	tear ~ down	해체하다, 헐다
2714 □□□	be fettered by ✔	속박을 당하다
2715 □□□	drop off	잠들다
2716 □□□	be meant to	~할 셈이다
2717 □□□	figure out ✔	알아내다
2718 □□□	be told to	당부받다
2719 □□□	keep an eye on	~을 주시하다, 계속 지켜보다
2720 □□□	on the ground	현장에서

✔ = 어휘 영역 출제

DAY35 음성 바로 듣기

최빈출 단어

2721 □□□

obvious 🌱

[ɑ́:bviəs]

2021 국가직 9급 외 34회

형 분명한, 확실한　　　　■ clear

어원 ob[맞서] + vi[길] + ous[형·접] = 길 앞에 맞서 있어 분명한

Everyone immediately noticed the **obvious** mistake in the report.

모두가 그 보고서의 분명한 실수를 즉시 알아차렸다.

➕ **obviously** 분 분명히

2722 □□□

stereotype

[stériətàip]

2020 지방직 7급 외 19회

명 고정관념, 정형화된 생각　　　■ cliché

동 고정관념을 만들다, 정형화하다

A classic **stereotype** is that men are better at math than women. (기출변형)

고전적인 고정관념은 남자가 여자보다 수학을 잘한다는 것이다.

➕ **stereotypical** 형 진부한

2723 □□□

finding

[fáindiŋ]

2018 국회직 8급 외 18회

명 (조사·연구 등의) 결과, 발견　　■ discovery

Scientific **findings** about climate change were confirmed as true. (기출변형)

기후변화에 대한 과학적 연구 결과가 사실로 확인됐다.

2724 □□□

distribution

[dìstrəbjúːʃən]

2020 국회직 8급 외 18회

명 분배, 배포, 배급　　　　■ issue

명 분포, 유통

어원 dis[떨어져] + tribut(e)[나눠주다] + ion[명·접] = 따로 떨어진 여럿에게 나눠줌, 즉 분배

Rome was dominated by men who won support through the **distribution** of free food. (기출변형)

로마는 공짜 음식의 분배를 통해 지지를 얻은 남성들에 의해 지배되었다.

➕ **distribute** 동 분배하다

2725 ☐☐☐

exaggerate

[igzǽdʒərèit]

2024 지방직 9급 외 16회

图 과장하다, 허풍떨다   ▣ overstress

图 악화시키다

The Mongols **exaggerated** the tales of their cruelty to appear more frightening to their enemies. (기출변형)
몽골족들은 그들의 적에게 더 무서워 보이기 위해서 그들의 잔인한 설화들을 과장했다.

➕ **exaggeration** 图 과장

2726 ☐☐☐

psychology

[saikάːlədʒi]

2020 지방직 9급 외 14회

图 심리학

어원 psycho[정신, 심리] + log[말] + y[명·접] = 심리에 대해 말하는 것, 즉 심리에 대한 학문인 심리학

Recent work in **psychology** suggests that reading books is important to know who we are. (기출변형)
심리학에서의 최근의 연구는 책을 읽는 것은 우리가 누구인지를 알기 위해 중요하다는 것을 시사한다.

➕ **psychologist** 图 심리학자

2727 ☐☐☐

strain

[strein]

2019 국가직 9급 외 14회

图 부담, 긴장, 압박   ▣ stress, tension

图 염좌, 좌상

图 잡아당기다   ▣ tighten

Domesticated animals took the **strain** off the human back and arms. (기출변형)
가축은 사람의 허리와 팔에서 부담을 덜어 주었다.

2728 ☐☐☐

attachment

[ətǽtʃmənt]

2020 지방직 7급 외 11회

图 애착   ▣ fondness

图 믿음, 지지

어원 at[~에(ad)] + tach[들러붙게 하다] + ment[명·접] = 어떤 것에 들러붙게 붙이는 것, 즉 애착

Elderly people let go of their **attachment** to what they had built up. (기출변형)
노인들은 그들이 쌓아온 것에 대한 그들의 애착을 놓아준다.

↔ **aversion** 图 반감

DAY 35

해커스공무원 기출 보카 4000+

2729 □□□

equip

[ikwíp]

2018 국회직 8급 외 11회

동 장비를 갖추다 · = prepare

The solution to assist travel agents is to **equip** them with computer technology. (기출변형)

여행사 직원들을 돕기 위한 해결책은 그들에게 컴퓨터 기술로 장비를 갖추어 주는 것이다.

➕ **equipment** 명 장비, 용품

2730 □□□

aesthetic 🌱

[esθétik]

2020 법원직 9급 외 10회

형 미적인, 심미적인

명 미학 · = decorative

The type of clay used has a big impact on the **aesthetic** quality of the pottery. (기출변형)

사용되는 점토의 종류는 도자기의 미적 품질에 큰 영향을 미친다.

➕ **aesthetically** 부 미학적으로

빈출 단어

2731 □□□

longevity 🌱

[lɑːndʒévəti]

2017 국회직 8급 외 6회

명 장수, 수명 · = durability

어원 long[긴] + ev[생애] + ity[명·접] = 생애가 길게 이어짐, 즉 장수

The company has proven its **longevity**, staying in business for more than 100 years.

그 회사는 100년 이상 사업을 지속하면서, 그것의 장수를 증명했다.

2732 □□□

lodge

[lɑːdʒ]

2020 지방직 9급 외 6회

명 오두막, 산장 · = cabin

동 제기하다

The small hunting **lodge** was transformed into an enormous palace. (기출변형)

그 작은 사냥 오두막은 거대한 궁전으로 변했다.

2733 □□□

underpin

[ʌndərpín]

2019 서울시 9급 외 5회

동 뒷받침하다, 근거를 주다 · = ground

동 (벽을) 보강하다, 지지물을 받치다

Myths **underpinned** many of the ceremonies that were performed by kings and priests in ancient Greece. (기출변형)

신화들은 고대 그리스에서 왕과 사제들에 의해 행해진 많은 의식들을 뒷받침했다.

2734 ☐☐☐

inactive

[inǽktiv]

2020 국가직 9급 외 5회

형 활동하지 않는, 소극적인　　　■ idle

When it is hot outside, the government warns people to remain as **inactive** as possible. (기출변형)

바깥이 더우면, 당국은 사람들에게 가능한 한 활동을 하지 않는 상태로 있으라고 경고한다.

2735 ☐☐☐

strand

[strænd]

2018 국회직 8급 외 5회

명 (한) 가닥, 끈　　　■ string, thread

동 오도 가도 못하게 하다

Theseus got out of the maze by following a **strand** of wool. (기출변형)

Theseus는 양털 한 가닥을 따라 미로에서 빠져나왔다.

2736 ☐☐☐

drawback

[drɔ́bæk]

2017 지방직 9급 외 5회

명 단점, 결점　　　■ disadvantage

Seattle's only **drawback** is the high cost of living. (기출변형)

시애틀의 유일하게 단점은 높은 생활비뿐이다.

↔ **advantage** 명 이점

2737 ☐☐☐

nomadic

[noumǽdik]

2017 국회직 8급 외 5회

형 유목의, 방랑의　　　■ wandering

Most farmers lived in permanent settlements, and only a few were **nomadic** shepherds. (기출변형)

대부분의 농부들은 영구적인 정착지에 살았으며, 오직 몇 명만이 유목 양치기들이었다.

➕ **nomad** 명 유목민

2738 ☐☐☐

bestow

[bistóu]

2018 국회직 8급 외 3회

동 부여하다, 주다　　　■ present to

The Person of the Year award was **bestowed** on the company's accounting manager.

올해의 인물상은 회사의 회계 책임자에게 부여되었다.

↔ **deprive** 동 빼앗다

2739 ☐☐☐

respectively

[rispéktivli]
2017 국회직 8급 외 3회

부 각각, 각자   **⊟** individually

Situations can be evaluated differently in terms of one's optimism or pessimism **respectively**. 기출변형

상황들은 한 사람의 낙관주의나 비관주의의 관점에서 각각 다르게 평가될 수 있다.

➕ respective 형 각자의, 각각의

2740 ☐☐☐

exacerbate

[igzǽsərbèit]
2012 지방직 7급 외 3회

동 악화시키다   **⊟** aggravate

동 (사람을) 격분시키다

A decrease in fertile lands caused by global warming could **exacerbate** existing conflicts. 기출변형

지구온난화로 인한 비옥한 토지의 감소는 기존의 갈등을 악화시킬 수 있다.

2741 ☐☐☐

setback

[sétbæ̀k]
2019 서울시 9급 외 3회

명 실패, 차질   **⊟** problem, difficulty

After years of **setbacks**, the first electric cars were delivered to customers. 기출변형

수년간의 실패 끝에, 첫 전기차들이 고객들에게 전달되었다.

⊟ breakthrough 명 (문제 해결의) 돌파구

2742 ☐☐☐

ambassador

[æmbǽsədər]
2020 법원직 9급 외 3회

명 대사, 대표   **⊟** representative

The Embassy of Spain invited people to a dinner to welcome the new **ambassador**. 기출변형

스페인 대사관은 신임 대사를 환영하기 위한 만찬에서 사람들을 초대했다.

2743 ☐☐☐

antiquity

[æntíkwəti]
2015 서울시 7급 외 2회

명 고대, 아주 오래됨   **⊟** antique

명 유물

Since **antiquity**, paintings and literature have portrayed dance. 기출변형

고대로부터, 그림과 문학은 무용을 묘사해 왔다.

⊟ modernity 명 현대성
➕ antiquate 동 ~을 한물가게 하다

해커스공무원 기출 보카 4000+

2744 ☐☐☐

discreet

[diskríːt]

2020 지방직 9급 외 2회

형 신중한, 사려 깊은　■ tactful

It's important for us to be **discreet** when discussing the sensitive matter.

민감한 문제를 논의할 때 우리가 신중한 것은 중요하다.

⬌ **careless** 형 부주의한

2745 ☐☐☐

illegible

[ilédʒəbl]

2015 서울시 7급 외 2회

형 알아볼 수 없는, 읽기 어려운　■ indecipherable

The old coin's date had become worn and **illegible**. 기출변형

오래된 동전의 날짜가 닳아서 알아볼 수 없게 되었다.

⬌ **clear** 형 알아보기 쉬운

2746 ☐☐☐

sap

[sæp]

2019 국가직 9급 외 2회

동 약화시키다　■ weaken

Feedback should be not so frequent that it **saps** high performers' ambition. 기출변형

피드백이 너무 잦아서 고성과자들의 포부를 약화시켜서는 안 된다.

2747 ☐☐☐

frank

[fræŋk]

2020 국가직 9급 외 1회

형 솔직한　■ candid

The board of directors had a **frank** discussion about the company's future.

이사회는 회사의 장래에 대해 솔직한 논의를 했다.

⬌ **dishonest** 형 정직하지 못한

➕ **frankly** 부 솔직히

2748 ☐☐☐

surrogate

[sə́ːrəgèt]

2017 지방직 9급

명 대리인　■ substitute

형 대리의, 대용의

Some of the newest laws allow a person to appoint a **surrogate**. 기출변형

몇몇 최신 법률들은 개인이 필요할 때 대리인을 지정하는 것을 허기한다.

빈출 숙어

2749 ☐☐☐
rely on
의존하다

■ depend on

2020 국회직 9급 외 24회

Polar bears **rely on** their front paws for swimming. 기출
북극곰은 수영을 하기 위해 그들의 앞발에 의존한다.

2750 ☐☐☐
give rise to 🌱
~을 일으키다, 유발하다

■ cause

2020 지방직 9급 외 6회

Ingredients in coffee can **give rise to** some diseases in our bodies. 기출변형
커피의 몇몇 재료는 우리 신체에 몇몇 질병을 일으킬 수 있다.

2751 ☐☐☐
have no choice but to
~할 수밖에 없다

2020 국가직 9급 외 5회

She **had no choice but to** give up her goal because of the accident. 기출
그녀는 사고 때문에 목표를 포기할 수밖에 없었다.

2752 ☐☐☐
make a point of 🌱
강조하다, 중요시하다

■ put emphasis on

2009 법원직 8급 외 4회

반드시 ~하다, ~하기로 정하다

Americans, in general, do not **make a point of** their personal honor. 기출변형
일반적으로, 미국인들은 그들의 개인적 명예를 강조하지 않는다.

2753 ☐☐☐
pave the way
길을 마련하다, 상황을 조성하다

2014 서울시 9급 외 3회

The article helped to **pave the way** for major changes in women's lives. 기출변형
그 기사는 여성들의 생활에 있어 주요한 변화들로의 길을 마련하는 데 도움이 되었다.

2754 ☐☐☐
make do with 🌱
~으로 견디다, 임시변통하다

■ manage with

2018 지방직 7급 외 2회

The military will have to **make do with** a lower defense budget. 기출변형
군대는 더 적은 방위 예산으로 견뎌야 할 것이다.

완성 어휘

2755	unflinching ✔	형 위축되지 않는, 단호한
2756	tackle	동 다루다, ~에게 덤벼들다
2757	rambling	명 횡설수설
2758	demeanor ✔	명 처신, 행실, 품행
2759	irredeemable ✔	형 바로잡을 수 없는
2760	stroll	동 산책하다, 거닐다
2761	unearth	동 발굴하다, 파내다
2762	fixate	동 정착시키다
2763	obliging	형 친절한, 도와주는
2764	simulated ✔	형 가장된
2765	overhear	동 엿듣다
2766	derelict ✔	형 버려진, 태만한; 명 노숙자
2767	hallmark	명 특징, 품질 보증
2768	nuance	명 미묘한 차이, 뉘앙스
2769	textual	형 원문의, 본문의
2770	pessimism	명 비관주의
2771	statute	명 법령
2772	angst	명 불안
2773	hygiene	명 위생
2774	favorable ✔	형 호의적인, 유리한
2775	delinquent	형 비행의, 범죄 성향을 보이는
2776	biography	명 전기, 일대기
2777	blur	동 흐릿하게 만들다

2778	converge	동 수렴하다, 모이다
2779	insolvent	형 파산한
2780	beneficent	형 친절한, 선행을 하는
2781	congenial	형 마음이 맞는
2782	germinate	동 싹트다, 시작되다
2783	procrastinate	동 미루다, 질질 끌다
2784	placid ✔	형 차분한
2785	defenseless	형 무방비의
2786	arousal	명 각성, 자극
2787	impoverish	동 빈곤하게 하다
2788	categorically	부 절대로, 단호하게
2789	lucid ✔	형 명료한
2790	far-flung	형 먼, 멀리 떨어진
2791	object to	~에 반대하다
2792	mingle with	~와 섞다, 어울리다
2793	mull ~ over ✔	~에 대해 숙고하다
2794	on the fast track	고속 승진하는
2795	a slew of	많은
2796	play havoc with	~을 아수라장으로 만들다
2797	out of one's wits	제정신을 잃고
2798	in praise of	~을 칭찬하여
2799	have difficulty ~ing	~을 하는 데 곤란을 느끼다
2800	follow in ~ footsteps	~의 뒤를 잇다

✔ = 어휘 영역 출제

Review Test DAY 31-35

1. 각 어휘의 알맞은 뜻을 찾아 연결하세요.

01. mandatory	•	•	ⓐ 고집이 센; 다루기 힘든
02. burnout	•	•	ⓑ 부여하다, 주다
03. stubborn	•	•	ⓒ 해산시키다; 묵살하다
04. susceptible to	•	•	ⓓ ~에 민감한, 취약한
05. bestow	•	•	ⓔ 의무적인, 강제적인
06. dismiss	•	•	ⓕ 극도의 피로, 쇠진
07. utility	•	•	ⓖ 폄하하다, 헐뜯다
08. disparage	•	•	ⓗ 파문, (좋지 못한) 결과
09. longevity	•	•	ⓘ (가스·수도 등의) 공공시설
10. ramification	•	•	ⓙ 장수, 수명

2. 다음 영단어의 뜻을 우리말로 쓰세요.

01. pending _____

02. destitute _____

03. deleterious _____

04. literacy _____

05. sanction _____

06. disobedient _____

07. damp _____

08. skeptical _____

09. convoluted _____

10. abide by _____

11. coincidence _____

12. suppleness _____

13. entice _____

14. tenacity _____

15. calumny _____

16. germane _____

17. derelict _____

18. surrogate _____

19. exacerbate _____

20. impoverish _____

3. 다음 빈칸에 들어갈 말로 가장 적절한 것은?

> Airplanes are designed to stay _____ by gliding even if their engines lose power.

① chronic   ② immense   ③ prime   ④ aloft

4. 다음 밑줄 친 부분과 의미가 가장 가까운 것은?

> Investors accused the company's CEO of <u>squandering</u> profits on unnecessary personal expenses.

① wasting   ② cultivating   ③ toiling   ④ deluding

5. 다음 밑줄 친 단어의 의미와 가장 가까운 것은?

> The coastal area will experience <u>sporadic</u> thunderstorms for the next few days as the hurricane approaches.

① deliberate   ② banal   ③ discreet   ④ occasional

정답

1. 01. ⓔ   02. ⓕ   03. ⓐ   04. ⓓ   05. ⓑ   06. ⓒ   07. ①   08. ⑨   09. ①   10. ⓗ

2. 01. 미결인; 임박한   02. 빈곤한, 가난한   03. 해로운, 유해한
04. (글을) 읽고 쓸 줄 아는 능력   05. 제재; 허가; 허가하다
06. 복종하지 않는, 반항하는   07. 습기 찬, 축축한   08. 회의적인; 무신론자의
09. 복잡한; 나선형의   10. 준수하다, 지키다   11. 우연의 일치   12. 유연함, 유순함
13. 유인하다, 유혹하다   14. 끈기, 고집   15. 비방, 명예훼손   16. 밀접한 관련이 있는
17. 버려진, 태만한   18. 대리인; 대리의   19. 악화시키다   20. 빈곤하게 하다

3. ④ 공중에 **[해석]** 비행기는 그것의 엔진이 동력을 잃더라도 활공하며 공중에 머무르도록 설계되어 있다. **[오답]**
① 만성의 ② 엄청난 ③ 주된

4. ① 낭비한 것 **[해석]** 투자자들은 그 회사의 CEO를 불필요한 개인 경비에 이익을 낭비한 것으로 비난했다. **[오답]**
② 재배한 것 ③ 애쓰는 것 ④ 속이는 것

5. ④ 가끔의 **[해석]** 그 해안 지역은 허리케인이 접근함에 따라 다음 며칠 동안은 산발적인 뇌우를 겪을 것이다.
[오답] ① 의도적인 ② 따분한 ③ 신중한

DAY 36

■ 1회독 ■ 2회독 ■ 3회독

최빈출 단어

DAY36 음성 바로 듣기

2801 ☐☐☐

adapt

[ədǽpt]

2020 국가직 9급 외 33회

동 적응하다   **=** adjust

동 맞추다, 조정하다

어원 ad[~에] + apt[적합한] = 어떤 것에 적합하게 조정하다, 적합하게 적응하다

Some travelers **adapt** themselves so well to foreign customs that they feel no cultural differences. (기출변형)

어떤 여행자들은 외국 관습에 너무 잘 적응해서 문화적 차이를 느끼지 않는다.

➕ adaptability 명 적응성

2802 ☐☐☐

separate

[동][sépərèit]
[형][sépərət]

2020 국회직 8급 외 28회

동 분리하다, 나누다   **=** divide, detach

형 분리된, 별개의   **=** divided, isolated

어원 se[떨어져] + par[준비하다] + ate[동·접] = 따로 준비하도록 떨어뜨리다, 즉 분리하다

Some scholars **separate** myths from other types of traditional tales. (기출변형)

일부 학자들은 신화와 다른 유형의 전통 설화를 분리한다.

↔ combine 동 결합하다

2803 ☐☐☐

fundamental

[fʌ́ndəméntl]

2020 국회직 8급 외 27회

형 근본적인, 본질적인   **=** basic, rudimentary

형 핵심적인, 필수적인   **=** crucial, essential

어원 fund(a)[기반] + ment[명·접] + al[형·접] = 기반을 이루는, 즉 근본적인

Fundamental happiness depends upon a friendly interest in people and things. (기출변형)

근본적인 행복은 사람들과 사물에 대한 우호적인 관심에 달려있다.

↔ secondary 형 이차적인, 부수적인

➕ fundamentally 부 근본적으로, 완전히

2804 ☐☐☐

declare

[diklέər]

2020 지방직 9급 외 19회

통 **선언하다, 선포하다**　　　　■ proclaim

어원 de[아래로] + clar(e)[명백한] = 위에 올라서서 아래로 명백하게 선언하다

The current constitution **declares** South Korea a democratic republic. (기출변형)

현행 헌법은 대한민국을 민주공화국으로 선언한다.

2805 ☐☐☐

fatal

[féitl]

2020 국회직 8급 외 17회

형 **치명적인, 죽음을 초래하는**　　　■ deadly

형 **돌이킬 수 없는**

Most of the **fatal** accidents happen because of speeding. (기출변형)

치명적인 사고의 대부분은 과속 때문에 일어난다.

↔ **harmless** 형 무해한

➕ **fatality** 명 사망자, 치사율

2806 ☐☐☐

attraction

[ətrǽkʃən]

2020 국가직 9급 외 15회

명 **매력, 끌림**　　　　　■ appeal

명 **명소**

어원 at[~쪽으로(ad)] + tract[끌다] + ion[명·접] = 관심을 어떤 쪽으로 끄는 것, 즉 매력

The actors are the main **attraction** of the movie.

그 배우들은 그 영화의 주된 매력이다.

➕ **attractive** 형 매력적인

2807 ☐☐☐

resemble

[rizémbl]

2020 국회직 8급 외 13회

통 **닮다, 유사하다**　　　　■ be similar to

어원 re[다시] + sembl(e)[비슷한] = 다시 볼 정도로 비슷하게 닮다

She closely **resembles** her mother. (기출변형)

그녀는 자신의 어머니를 똑 닮았다.

↔ **differ from** ~과 다르다

➕ **resemblance** 명 닮음

2808 ☐☐☐

port

[pɔːrt]

2018 국회직 8급 외 11회

명 **항구**　　　　　■ harbor, dock

Factories were built close to **ports** where raw materials could be shipped. (기출변형)

공장들은 원료가 선적될 수 있는 항구에 더 가까이 지어졌다.

2809 ☐☐☐

colonial

[kəlóuniəl]

2019 서울시 7급 외 10회

| 톙 식민지의, 식민지 시대의 |

During **colonial** days, he printed newspaper stories that criticized the workers' exploitation. (기출변형)

식민지 시절, 그는 노동자들의 수탈을 비판하는 신문 기사를 발행했다.

➕ **colonization** 몡 식민지화

빈출 단어

2810 ☐☐☐

refugee

[rèfjudʒíː]

2016 지방직 7급 외 9회

| 몡 난민 | ⬛ exile |

The government will open a new **refugee** camp for people fleeing the war. (기출변형)

정부는 전쟁에서 도망친 사람들을 위한 새로운 난민 수용소를 열 것이다.

➕ **refuge** 몡 피난, 피신처

2811 ☐☐☐

compelling

[kəmpéliŋ]

2018 국회직 9급 외 9회

You're right.

| 톙 설득력 있는 | ⬛ convincing |
| 톙 강렬한, 아주 흥미로운 | ⬛ fascinating |

Scientists say that it is not easy to come up with **compelling** explanations for difficult problems. (기출변형)

과학자들은 어려운 문제들에 대해 설득력 있는 설명을 제시하기가 쉽지 않다고 말한다.

➕ **compel** 동 강요하다

2812 ☐☐☐

exotic

[igzá:tik]

2017 서울시 9급 외 7회

| 톙 외국산의, 이국적인, 외국의 | ⬛ unusual |

어원 exo[밖으로] + tic[형·접] = 나라 밖에서 온, 즉 외국산의

People tend to think that superfoods should be **exotic** and imported from overseas. (기출)

사람들은 슈퍼 푸드가 외국산이며 해외에서 수입되어야 한다고 생각하는 경향이 있다.

⬛ **standard** 톙 일반적인

2813 ☐☐☐

theoretical

[θìːərétikəl]

2018 지방직 7급 외 6회

| 톙 이론적인, 이론상의 | ⬛ conceptual |

Although I have **theoretical** knowledge, I don't have much actual experience. (기출변형)

비록 나는 이론적 지식을 갖고 있지만, 실제 경험이 많지는 않다.

⬛ **practical** 톙 실질적인

➕ **theoretically** 뭐 이론상

2814 ☐☐☐

undoubtedly

[ʌ̀ndáutidli]

2018 서울시 9급 외 6회

🔢 의심할 여지 없이, 확실히   🔲 unquestionably

The discovery of roasted coffee fruit was **undoubtedly** the key moment in coffee history. (기출변형)
볶은 커피 열매의 발견은 커피 역사에서 의심할 여지 없이 중대한 순간이었다.

🔁 **possibly** 🔢 아마

➕ **doubtfully** 🔢 미심쩍게

2815 ☐☐☐

lurk

[ləːrk]

2019 국가직 9급 외 6회

🔵 숨어 있다, 도사리다   🔲 hide

🔴 잠복, 밀행

A shark was **lurking** behind the coral reef to hunt fish. (기출변형)
상어는 물고기를 사냥하기 위해 산호 뒤에 숨어 있었다.

🔁 **come out** 나오다

2816 ☐☐☐

scarcely

[skéərsli]

2020 지방직 7급 외 6회

🔢 거의 ~하지 않다, 겨우   🔲 hardly

The basic design of the car has **scarcely** changed in 20 years.
그 자동차의 기본 디자인은 20년 동안 거의 변하지 않았다.

2817 ☐☐☐

affluent

[ǽfluənt]

2016 국가직 9급 외 5회

🔵 부유한, 풍족한, 풍부한   🔲 wealthy, prosperous

🔴 지류

His father was **affluent** enough to support his education. (기출변형)
그의 아버지는 그의 교육을 지원해 줄 정도로 충분히 부유했다.

🔁 **poor** 🔵 가난한

➕ **affluence** 🔴 풍족, 부유

2818 ☐☐☐

multitude

[mʌ́ltətjùːd]

2020 국가직 9급 외 5회

🔴 다량, 다수   🔲 great number

어원 multi[여럿, 많은] + tude[명·접] = 여럿, 많은 수가 있음, 즉 다량

Coral reefs contain a **multitude** of marine species. (기출변형)
산호초는 다량의 해양 종을 포함한다.

🔁 **handful** 🔴 몇 안 되는 수

2819 ☐☐☐

exile

[égzɑil]
2019 국회직 8급 외 4회

명 유배, 추방, 망명　　　　　■ expulsion

동 추방하다, 유배하다

Napoleon arrived in Paris after escaping from **exile** on Elba. (기출변형)
나폴레옹은 엘바섬에서의 유배로부터 탈출한 후 파리에 도착했다.

2820 ☐☐☐

supplementary

[sÀpləméntəri]
2023 지방직 9급 외 4회

형 추가의, 보충의　　　　　■ additional

The National Assembly passed a **supplementary** budget bill to boost the economy. (기출변형)
국회가 경제를 부양하기 위해 추가 예산안을 통과시켰다.

2821 ☐☐☐

incumbent

[inkÁmbənt]
2020 국회직 8급 외 3회

명 현직자, 재직자　　　　　■ holder, occupant

형 재임 중인

The **incumbent**, who has been mayor for years, is expected to lose the election.
수년간 시장이었던 그 현직자는 이번 선거에서 질 것으로 예상된다.

2822 ☐☐☐

aristocrat

[ərístəkræt]
2017 지방직 9급 외 3회

명 귀족　　　　　■ noble

Political power in Rome had traditionally rested with the **aristocrats**. (기출변형)
로마의 정치적 권력은 전통적으로 귀족의 책임이었다.

➕ **aristocracy** 명 귀족

2823 ☐☐☐

inferior

[infíəriər]
2014 국회직 9급 외 3회

형 못한, 열등한　　　　　■ minor

형 질이 떨어지는, 열악한

Most artists' early work is **inferior** to their later pieces.
대부분 예술가의 초기 작품은 그들의 후기 작품보다 못하다.

↔ **superior** 형 뛰어난
➕ **inferiority** 명 열등함

2824 ☐☐☐

attentive

[əténtiv]

2017 국가직 9급 외 3회

형 주의를 기울이는　　　≡ alert

The hotel's staff are **attentive** to the needs of all of their guests.

그 호텔의 직원들은 그들의 손님 모두의 요구에 주의를 기울인다.

↔ **inattentive** 형 주의를 기울이지 않는

2825 ☐☐☐

taciturn

[tǽsətə̀:rn]

2016 서울시 7급 외 2회

형 말수가 적은　　　≡ reticent

He was **taciturn**, and he loved his violin because while playing, he didn't have to speak. (기출변형)

그는 말수가 적었고, 연주하는 동안에 말을 할 필요가 없었기 때문에 그의 바이올린을 좋아했다.

↔ **talkative** 형 수다스러운

2826 ☐☐☐

souvenir

[sùːvəníər]

2013 법원직 9급 외 2회

명 기념품, 선물　　　≡ reminder

어원 sou[아래에(sub)] + ven(ir)[오다] = 의식 아래에 있던 옛 추억을 의식 위로 올라오게 하는 기념품

You shouldn't buy **souvenirs** that are made from endangered plants or animals. (기출변형)

멸종 위기에 처한 식물이나 동물로 만든 기념품을 사서는 안 된다.

2827 ☐☐☐

excavate

[ékskəvèit]

2019 지방직 9급 외 1회

동 발굴하다, 파다　　　≡ dig up

The researchers **excavated** the ground and found some old bones.

연구원들은 그 땅을 발굴하여 오래된 뼈들을 발견했다.

2828 ☐☐☐

disintegration

[disìntəgréiʃən]

2019 국회직 8급 외 1회

명 붕괴, 분열　　　≡ dissolution

The **disintegration** of the Soviet Union led to instability across the region.

소비에트 연방의 붕괴는 지역 전체의 불안정으로 이어졌다.

➕ **disintegrate** 동 붕괴시키다, 분열시키다

2829 ☐☐☐

desultory

[désəltɔ̀:ri]

2017 서울시 7급

형 두서없는, 일관성 없는　　　≡ disconnected

After three years of **desultory** travel, the old man came to Spain. (기출변형)

3년간의 두서없는 방랑 후, 그 노인은 스페인에 왔다.

2830 ☐☐☐

merger 🌿

[mə́ːrdʒər]

2013 서울시 9급

명 합병

■ union

Two banks underwent a **merger** and combined into one huge operation. 〔기출〕

두 은행은 합병을 겪었고 하나의 큰 사업체로 결합하였다.

빈출 숙어

2831 ☐☐☐

be the case

2019 국가직 9급 외 12회

실제로 그러하다

Noise pollution is temporary, but that **is** not **the case** with air pollution. 〔기출변형〕

소음 공해는 일시적이지만, 대기 오염의 경우는 실제로 그렇지 않다.

2832 ☐☐☐

bring oneself to 🌿

2020 국회직 9급 외 8회

~할 마음이 나다, ~으로 이끌다

I could not **bring myself to** dissect a frog in the lab. 〔기출변형〕

나는 연구실에서 개구리를 해부할 마음이 나지 않았다.

2833 ☐☐☐

make ends meet 🌿

2019 지방직 7급 외 4회

먹고 살 만큼 벌다, 간신히 연명하다

He couldn't **make ends meet** so he asked his parents to pay his rent. 〔기출변형〕

그는 먹고 살 만큼 벌 수 없었기 때문에 부모님에게 그의 집세를 내달라고 부탁했다.

2834 ☐☐☐

cross one's mind 🌿

2013 법원직 9급 외 1회

생각이 나다, 생각이 떠오르다

■ come into one's mind

I knew that restaurant was popular, but it didn't **cross my mind** to make reservations. 〔기출〕

나는 그 식당이 인기가 있다는 것을 알고 있었지만, 예약해야겠다는 생각이 나지 않았다.

완성 어휘

2835	infiltration	몡 침입, 침투
2836	illicit	톙 불법의
2837	deploy	동 (전략적으로) 배치하다
2838	itinerant	톙 떠돌아다니는
2839	stupendous	톙 거대한, 굉장한
2840	taxation	몡 세금, 조세
2841	cautionary	톙 경고의
2842	flimsy	톙 조잡한, 얇은
2843	odium	몡 증오, 비난
2844	simultaneous	톙 동시의
2845	paralyze	동 마비시키다
2846	ecstatic	톙 황홀한; 몡 무아지경
2847	prod	동 찌르다, 자극하다
2848	expiable	톙 보상할 수 있는
2849	fawn	동 아첨하다, 비위 맞추다
2850	objection	몡 이의
2851	unleash	동 불러일으키다, 해방하다
2852	prolong	동 연장하다, 연기하다
2853	vaccinate	동 예방 접종을 하다
2854	clientele	몡 고객, 소송 의뢰인
2855	revolutionize	동 혁신을 일으키다
2856	detention	몡 구금
2857	predicate	동 단정하다

2858	commuter	몡 통근자
2859	cramped	톙 비좁은
2860	interlock	동 서로 맞물리다
2861	cumbersome	톙 크고 무거운, 다루기 힘든
2862	enunciate	동 (생각을 명확히) 밝히다
2863	auditory	톙 청각의
2864	inverted	톙 반대의, 거꾸로 된
2865	deciduous	톙 매년 잎이 떨어지는
2866	faceless	톙 익명의, 정체불명의
2867	impunity	몡 처벌을 받지 않음
2868	pliancy	몡 유순함
2869	reign	동 다스리다; 몡 통치 기간
2870	anecdote	몡 일화
2871	oversee	동 감독하다
2872	at odds	다투는, 불화하는
2873	get cold feet	무서워하다, 갑자기 초조해지다
2874	bring down	~을 줄이다, 붕괴시키다
2875	be serviceable to	~에 도움이 되다
2876	screw up	~을 망치다, 고정시키다
2877	be prepared for	~을 각오하고 있다
2878	get through	~을 빠져나가다
2879	fed up with	~에 진저리가 난
2880	be disposed of	처리되다

✔ = 어휘 영역 출제

최빈출 단어

DAY37 음성 바로 듣기

2881 ☐☐☐

variety

[vəráiəti]

2020 법원직 9급 외 64회

명 **다양성, 여러 가지**　　　■ diversity

명 **종류, 품종**　　　■ sort, kind

There's not a lot of **variety** in the men's clothing department. 기출

남성복 매장에는 다양성이 많지 않다.

➊ **variation** 명 변화, 차이

2882 ☐☐☐

imply

[implái]

2020 국회직 8급 외 32회

동 **암시하다, 시사하다**　　　■ suggest, hint

동 **의미하다**　　　■ signify

어원 im[안에(in)] + ply[접다] = 하고픈 말을 접어서 몰래 안에 싣다, 즉 암시하다

Certifications **imply** that a process of evaluation was carried out to guarantee certain skills. 기출변형

증명서는 특정한 기술을 보증하기 위해 검토 절차가 수행되었다는 것을 암시한다.

➊ **implication** 명 암시, 영향

2883 ☐☐☐

perceive

[pərsíːv]

2020 국가직 9급 외 23회

동 **감지하다, 인식하다**　　　■ detect, recognize

동 **~으로 여기다**　　　■ see, regard

When the brain **perceives** a threat, it initiates certain reactions in the body. 기출변형

뇌가 위협을 감지하면, 신체에 특정한 반응을 일으킨다.

➊ **perception** 명 지각, 자각

2884 ☐☐☐

seemingly

[síːmiŋli]

2018 지방직 9급 외 13회

📗 부 겉보기에는　　　　　　　📗 apparently

Seemingly straightforward questions can lead to more questions. (기출변형)

겉보기에 간단한 질문들도 더 많은 질문으로 이어질 수 있다.

🔁 **genuinely** 부 진정으로

2885 ☐☐☐

emission

[imíʃən]

2020 국회직 9급 외 11회

📗 명 배출　　　　　　　📗 release

어원 e[밖으로] + mis(s)[보내다(mit)] + ion[명·접] = 안에서 밖으로 내보냄, 즉 배출

Carbon **emissions** are a result of burning fossil fuels such as gas, coal, or oil. (기출)

탄소 배출은 가스, 석탄, 또는 석유와 같은 화석 연료를 태운 결과이다.

2886 ☐☐☐

versatile

[vɚ́ːrsətl]

2017 국회직 8급 외 11회

📗 형 다재다능한, 다용도의　　　　　　　📗 multifaceted

This camera is so **versatile** that it can be used for any type of shootings.

이 카메라는 아주 다재다능해서 그 어떠한 종류의 촬영에도 사용될 수 있다.

➕ **versatility** 명 다재, 다능

2887 ☐☐☐

arrogant

[ǽrəgənt]

2021 국가직 9급 외 10회

📗 형 거만한　　　　　　　📗 conceited, haughty

Some people with low self-esteem use **arrogant** behavior to cover up their sense of unworthiness. (기출변형)

낮은 자존감을 가진 몇몇 사람들은 자신을 하찮게 느끼는 것을 숨기기 위해 거만한 태도를 이용한다.

🔁 **modest** 형 겸손한, 보통의

2888 ☐☐☐

lest

[lest]

2019 지방직 9급 외 10회

📗 접 ~할까 봐, ~하지 않도록　　　　　　　📗 in case

The old patient has been discouraged from hugging, **lest** he break a rib. (기출변형)

그 나이 든 환자는 갈비뼈가 부러질까 봐 껴안는 것을 단념해왔다.

2889 ☐☐☐

pioneer

[pàiəníər]

2019 지방직 7급 외 10회

📗 명 개척자, 선구자　　　　　　　📗 innovator

📗 동 개척하다

Nikola Tesla was a **pioneer** in the field of electrical research.

니콜라 테슬라는 전기 연구 분야의 개척자였다.

🌿 = 어휘 영역 출제

빈출 단어

2890 ☐☐☐

consistent

[kənsístənt]
2022 서울시 9급 외 9회

혱 **한결같은, 일관된**   = steady, constant

혱 **(의견 따위가) 일치하는, 양립하는**   = congruous

Sarah's **consistent** efforts in her studies have resulted in excellent grades throughout the semester.
Sarah의 학업에 대한 한결같은 노력은 그 학기 내내 우수한 성적으로 이어졌다.

↔ **inconsistent** 혱 일관성 없는, 모순되는
⊕ **consistently** 뷔 일관되게, 끊임없이

2891 ☐☐☐

individualistic

[ìndəvìdʒuəlístik]
2019 서울시 9급 외 8회

혱 **개인주의의**   = independent

In **individualistic** cultures, it is easier to consider leaving one job to another. (기출변형)
개인주의 문화에서는, 다른 직장을 위해 한 직업을 떠나는 것을 고려하기가 더 쉽다.

⊕ **individually** 뷔 개별적으로, 각각 따로

2892 ☐☐☐

uphold

[ʌphóuld]
2020 국가직 9급 외 7회

통 **지지하다, 격려하다**   = endorse, sustain

통 **받치다, 들어 올리다**   = support

어원 up[위로] + hold[떠받치다] = 위로 떠받쳐 지지하다

The Supreme Court **upheld** the right of states to regulate guns. (기출변형)
대법원은 총기를 규제하기 위한 주의 권리를 지지했다.

↔ **oppose** 통 반대하다

2893 ☐☐☐

provoke ✔

[prəvóuk]
2019 법원직 9급 외 7회

통 **유발하다**   = arouse, evoke

통 **화나게 하다, 도발하다**   = anger, irritate

어원 pro[앞으로] + voke[부르다] = 어떤 반응이 앞으로 나오게 불러서 유발하다

The surprising study **provoked** scientific debate. (기출변형)
그 놀라운 연구는 과학적인 논쟁을 유발했다.

↔ **allay** 통 가라앉히다
⊕ **provocative** 혱 도발하는, 자극적인

2894 ☐☐☐

revolve

[riváːlv]

2020 국회직 8급 외 7회

| 통 (축을 중심으로) 돌다, 회전하다 | 🔁 rotate, circle |

| 통 순환하다, 주기적으로 되풀이하다 |

Cordless drills do not **revolve** as fast as cable drills. (기출변형)
무선 드릴은 유선 드릴만큼 빠르게 돌지 않는다.

2895 ☐☐☐

allocate 🌱

[ǽləkèit]

2020 지방직 9급 외 6회

| 통 분배하다, 할당하다 | 🔁 allot, assign |

어원 al[~에(ad)] + loc[장소] + ate[동·접] = 여러 장소에 나누어 두다, 즉 할당하다

Fairness is important in **allocating** access to a university. (기출변형)
공정성은 대학에 접근할 기회를 분배하는 데 있어서 중요하다.

2896 ☐☐☐

blend

[blend]

2018 서울시 9급 외 6회

| 통 섞이다, 어우러지다 | 🔁 mix, combine |

Polar bears' white fur helps them **blend** in with the snow. (기출변형)
북극곰들의 흰 털은 그들이 눈에 섞여 들게 돕는다.

2897 ☐☐☐

expire

[ikspáiər]

2020 지방직 9급 외 6회

| 통 만료되다, 만기 되다 | 🔁 terminate |

| 통 숨을 거두다, 죽다 | 🔁 die, perish |

어원 ex[밖으로] + (s)pir(e)[숨 쉬다] = 숨이 밖으로 달아나 생명이 다하다, 즉 만기 되다

Since the warranty had **expired**, the repairs were not free.
보증기간이 만료되었기 때문에, 수리는 무료가 아니었다.

➕ **expiration** 명 만기, 만료

2898 ☐☐☐

deteriorate 🌱

[ditíəriərèit]

2018 서울시 9급 외 6회

| 통 악화되다 | 🔁 aggravate |

The lawmakers had to deal with **deteriorating** economic conditions and depressed job market. (기출변형)
그 입법자들은 악화되는 경제 상황과 침체된 취업 시장을 다뤄야 했다.

🔄 **improve** 통 개선되다

2899 □□□

timid
형 소심한, 자신감이 없는 ■ shy, reserved

[tímid]
2018 지방직 9급 외 5회

Despite people considering him outgoing and courageous, he is actually **timid**. (기출변형)
사람들이 그가 외향적이고 용감하다고 여기는 것과 다르게, 그는 사실 소심하다.

↔ **bold** 형 대담한, 용감한
↔ **courageous** 형 용감한, 용기 있는
⊕ **timidly** 부 소심하게

2900 □□□

enlighten
동 깨우치게 하다, 계몽하다 ■ civilize, educate

[inláitn]
2024 국가직 9급 외 4회

I'm hoping this book will **enlighten** me on things I didn't learn in school.
나는 이 책이 내가 학교에서 배우지 않은 것들에 대해 깨우치게 할 것이라고 바란다.

↔ **confound** 동 혼란에 빠뜨리다
⊕ **enlightenment** 명 깨우침, 계몽

2901 □□□

communal
형 공동의, 공동체의 ■ collective, mass

[kəmjúːnəl]
2019 서울시 9급 외 4회

어원 com[함께] + mun[의무] + al[형·접] = 소속 구성원들 스스로 함께 의무를 지는, 즉 공동의

The agriculture development program is about converting the **communal** land into private holdings. (기출변형)
그 농업 발전 프로그램은 공동 토지를 사유재산으로 전환하는 것에 대한 것이다.

↔ **individual** 형 개인의, 개별적인
⊕ **community** 명 지역 사회, 공동체

2902 □□□

mutation
명 돌연변이 ■ alteration

[mjuːtéiʃən]
2015 국가직 9급 외 4회

어원 mut[바꾸다] + ation[명·접] = 형태나 성질이 바뀐 돌연변이

A species undergoes gene **mutation** while adapting to its environment. (기출변형)
한 종은 그것의 환경에 적응하는 동안 유전자 돌연변이를 겪는다.

⊕ **mutant** 명 변종; 형 돌연변이의

2903 □□□

pause
명 멈춤, 휴지 ■ stop, halt

[pɔːz]
2015 법원직 9급 외 4회

동 잠시 멈추다, 정지하다 ■ cease

In the Japanese style of conversation, there is always a suitable **pause** between turns. (기출변형)
일본식 대화에서는, 대화의 순서 사이에 항상 적당한 멈춤이 있다.

2904 ☐☐☐

torment

[동][tɔːrmént]
[명][tɔ́ːrment]

2020 국회직 9급 외 3회

| 동 | 고통을 주다, 괴롭히다 | **目** afflict, torture |
| 명 | 고통, 괴로움 | **目** misery, distress |

어원 tor[비틀다] + ment[명·접] = 비틀어져서 생기는 고통, 고통을 주다

The needy family tried to find ways to escape from their life **tormented** with poverty. (기출변형)

그 궁핍한 가족은 가난으로 고통받는 삶에서 탈출하기 위한 방법을 찾으려 노력했다.

2905 ☐☐☐

esteem

[istíːm]

2015 서울시 7급 외 2회

| 명 | 존경 | **目** admiration |
| 동 | 높이 평가하다, 존경하다 | **目** think highly of |

어원 esteem[평가하다] = 누군가를 중요하게 평가하여 존경함, 존경

The doctor is held in high **esteem** for his great work on cancer research.

그 박사는 암 연구에 대한 그의 굉장한 업적으로 많은 존경을 받고 있다.

➕ **self-esteem** 명 자존감, 자부심

2906 ☐☐☐

combat

[동][kəmbǽt]
[명][kámbæt]

2013 서울시 9급 외 2회

| 동 | 싸우다, 전투를 벌이다 | **目** fight, resist |
| 명 | 전투, 싸움 | **目** battle |

어원 com[함께] + bat[치다] = 상대와 함께 치고받으며 싸우다, 전투를 벌이다

Meditation is an effective way of **combating** insomnia as it relaxes the patient. (기출변형)

명상은 환자가 휴식을 취하게 하므로 불면증과 싸우도록 하는 효과적인 방법이다.

➕ **combative** 형 전투적인

2907 ☐☐☐

exhort

[igzɔ́ːrt]

2013 국가직 7급 외 1회

| 동 | 촉구하다, 열심히 권하다 | **目** urge, spur |

Doctors **exhort** overweight people to go on diets. (기출)

의사들은 과체중인 사람들에게 다이어트를 할 것을 촉구한다.

⬌ discourage 동 열의를 꺾다, 좌절시키다
➕ **exhortative** 형 권고적인, 타이르는

2908 ☐☐☐

detest

[ditést]

2017 국가직 9급 외 1회

| 동 | 혐오하다, 몹시 싫어하다 | **目** abhor, loathe |

Doctors have found that a gene can cause people to **detest** cilantro.

의사들은 유전자가 사람들이 고수를 혐오하게 할 수 있다는 것을 발견했다.

⬌ admire 동 존경하다

= 어휘 영역 출제

2909 □□□

misguided

[misgáidid]
2018 서울시 9급 외 1회

형 잘못 판단한, 엉뚱한

≡ erroneous

The police were criticized for their **misguided** approach to track down the criminal.
경찰은 범인을 추적하는 데 잘못 판단한 접근으로 비판을 받았다.

↔ **appropriate** 형 적절한

빈출 숙어

2910 □□□

no doubt

2019 서울시 9급 외 23회

분명 ~할 것이다, 틀림없는

No doubt his ability to listen contributed to his capacity to write. (기출)
그의 경청하는 능력이 분명 그의 집필 능력에 기여했을 것이다.

2911 □□□

at the moment

2019 서울시 7급 외 8회

바로 지금, 그때

≡ now

She is not available **at the moment** because she is in a meeting. (기출변형)
그녀는 회의 중이기 때문에 바로 지금 전화를 받을 수 없다.

2912 □□□

over the course of

2019 국가직 9급 외 6회

~ 동안

≡ during

Most people felt that their spouses had grown more interesting **over the course of** the marriage. (기출변형)
대부분의 사람이 그들의 배우자들이 결혼생활 동안 더 흥미로워졌다고 느꼈다.

2913 □□□

heat up

2020 지방직 9급 외 4회

가열되다

≡ warm up

(분위기 등이) 달아오르다

When the temperatures begin to rise, water also **heats up.** (기출변형)
온도가 올라가기 시작하면, 물 또한 가열된다.

↔ **cool down** 서늘해지다, 가라앉다

2914 □□□

melt away

2016 사회복지직 9급 외 1회

차츰 사라지다

≡ disappear

Due to greenhouse gas, ice sheets on the top of Mt. Everest are **melting away.** (기출변형)
온실가스 때문에, 에베레스트산 정상의 빙상들이 차츰 사라지고 있다.

완성 어휘

2915	quell	동 진압하다
2916	improbable	형 사실 같지 않은
2917	marital	형 결혼의, 부부의
2918	upend	동 뒤집다, 거꾸로 세우다
2919	guild	명 조합, 협회
2920	disorganize	동 무질서하게 하다
2921	deride ✔	동 조롱하다
2922	adhere	동 부착되다
2923	submissive ✔	형 순종적인, 고분고분한
2924	ceaseless ✔	형 끊임없는, 끝이 없는
2925	template ✔	명 본보기
2926	malicious	형 악의적인
2927	blast	명 폭발
2928	flammable	형 불에 잘 타는, 가연성의
2929	offset	동 상쇄하다, 벌충하다
2930	magnitude	명 규모
2931	stagnant	형 고여 있는
2932	belongings	명 소유물, 재산
2933	denial	명 부인, 부정
2934	devour	동 게걸스레 먹다
2935	rapture	명 황홀감, 환희
2936	concurrent	형 동시에 발생하는
2937	jaunty	형 의기양양한, 쾌활한

2938	hustle	동 거칠게 밀다; 명 소동
2939	frugal	형 절약하는, 간소한
2940	copious	형 엄청난, 방대한
2941	quest ✔	명 탐색, 추구; 동 탐구하다
2942	hostage	명 인질
2943	immovable	형 고정된, 요지부동인
2944	authorship	명 원저자, 원작자
2945	effuse	동 발산시키다
2946	polarize	동 양극화하다
2947	breach	동 위반하다; 명 위반
2948	burrow	동 파고들다
2949	pin down	꼼짝 못 하게 하다
2950	drop by	잠깐 들르다
2951	run for	~에 입후보하다
2952	in the face of	~에 직면하여
2953	in harm's way	위험에 처한, 위험을 무릅쓰고
2954	all the rest	그 밖의 모든 것
2955	side with	~의 편에 서다
2956	broadly speaking	대체로, 대략 말하자면
2957	stave off ✔	(안 좋은 일을) 피하다
2958	get one's feet wet	(처음) 해보다, 시작하다
2959	as a matter of fact	사실은
2960	to good purpose	아주 효과적으로

✔ = 어휘 영역 출제

DAY 38

DAY38 음성 바로 듣기

최빈출 단어

2961 ☐☐☐

mainly

[méinli]

2020 국회직 8급 외 34회

⬚ 주로, 대개

≡ mostly, largely

Many people avoid kohlrabi **mainly** because of its strange name. (기출변형)

많은 사람들이 콜라비를 주로 그것의 이상한 이름 때문에 피한다.

2962 ☐☐☐

recall

[rikɔ́:l]

2020 국회직 8급 외 26회

⬚ 떠올리다, 기억해 내다

≡ remember, evoke

Many believe that sudden memory loss causes the inability to **recall** one's identity. (기출변형)

많은 사람들은 갑작스런 기억상실이 누군가의 정체를 떠올리지 못하게 한다고 믿는다.

⬌ forget 동 잊다

2963 ☐☐☐

democratic

[dèməkrǽtik]

2020 국회직 8급 외 24회

⬚ 민주주의의, 민주주의적인

≡ representative

In **democratic** countries, any effort to restrict the freedom of the press is widely condemned. (기출변형)

민주주의 국가들에서, 언론의 자유를 제한하는 그 어떠한 활동도 널리 규탄받는다.

⬌ totalitarian 형 전체주의의

➕ democratically 부 민주적으로

2964 ☐☐☐

classify

[klǽsəfài]

2020 국회직 8급 외 19회

⬚ 분류하다, 등급별로 나누다

≡ categorize, grade

⬚ (공문서 따위를) 기밀 취급하다

어원 class[종류] + ify[동·접] = (종류별로) 분류하다

Some scholars **classify** human beings into a handful of types. (기출변형)

몇몇 학자들은 인간을 소수의 유형으로 분류한다.

➕ classification 명 분류

2965 ☐☐☐

permanent

[pə́ːrmənənt]

2020 국회직 9급 외 19회

형 영구적인, 불변의   🔁 lasting, perpetual

어원 per[완전히] + mane[남다] + (e)nt[형·접] = 없어지거나 변하지 않고 완전히 남아 있는, 즉 영구적인

Consuming lead can have a **permanent** impact on health. (기출변형)

납을 섭취하는 것은 건강에 영구적인 영향을 끼칠 수 있다.

↔ **temporary** 형 일시적인

➕ **permanently** 부 영구적으로, 불변으로

2966 ☐☐☐

innovation

[ìnəvéiʃən]

2019 서울시 9급 외 19회

명 혁신, 쇄신   🔁 change, revolution

어원 in[안에] + nov[새로운] + ation[명·접] = 안에 있던 묵은 관습 등을 새롭게 함, 즉 혁신

TV debates between candidates were a significant **innovation** in presidential campaigns. (기출변형)

후보자들의 TV 토론은 대통령 선거 유세에서 상당한 혁신이었다.

➕ **innovative** 형 혁신적인, 획기적인

2967 ☐☐☐

shortage

[ʃɔ́ːrtidʒ]

2019 법원직 9급 외 18회

명 부족, 결핍   🔁 scarcity, lack

The New York City Blood Center has experienced a constant **shortage** in blood donation. (기출)

뉴욕시 혈액센터는 끊임없는 헌혈 부족을 겪어왔다.

↔ **abundance** 명 풍부함

2968 ☐☐☐

flourish

[flə́ːriʃ]

2019 서울시 7급 외 12회

동 잘 자라다, 번성하다   🔁 multiply

동 번창하다, 성공하다   🔁 thrive, prosper

어원 flour[꽃] + ish[동·접] = 꽃이 활짝 핀 것과 같이 번성하다

The bushes were **flourishing** in the garden. (기출변형)

덤불이 정원에서 잘 자라고 있었다.

↔ **decline** 동 쇠퇴하다, 하락하다

2969 ☐☐☐

anticipate

[æntísəpèit]

2020 국회직 8급 외 11회

동 예상하다, 예측하다   🔁 expect, predict

동 기대하다, 고대하다   🔁 look forward to

어원 anti[전에] + cip[잡다(cap)] + ate[동·접] = 일이 일어나기 전에 미리 감을 잡다, 즉 예상하다

The more we try to **anticipate** problems, the better we can prevent them. (기출변형)

우리가 문제들을 예상하려고 더 많이 노력하면 할수록, 우리는 그 문제들을 더 잘 방지할 수 있다.

➕ **anticipation** 명 예상, 예측, 기대

2970 □□□

supplement

[명] [sʌ́pləmənt]
[동] [sʌ́pləmènt]

2019 서울시 7급 외 10회

[명] 보충제, 보충물 ■ addition, extra

[동] 보충하다, 추가하다 ■ add to, augment

어원 sup[아래에(sub)] + ple[채우다] + ment[명·접] = 기존의 것 아래에 더 채워 추가하는 보충제

Supplements on the market today use natural herbs or synthetic ingredients. (기출변형)
오늘날 시중에 나와 있는 보충제는 천연 허브 혹은 합성 성분을 사용한다.

➕ supplementary [형] 보충의, 추가의

빈출 단어

2971 □□□

assure

[əʃúər]

2018 국회직 9급 외 9회

[동] 보장하다, 장담하다 ■ confirm, guarantee

어원 as[~에(ad)] + sure[확신하다] = 어떤 것에 대해 확신하다, 장담하다

The safe disposal of nuclear waste should be **assured**. (기출변형)
핵폐기물의 안전한 처분이 보장되어야 한다.

➖ contradict [동] 부정하다, 반박하다
➕ assurance [명] 확언, 보증

2972 □□□

induce

[indjúːs]

2017 지방직 9급 외 9회

[동] 유발하다, 유도하다 ■ bring about, cause

어원 in[안에] + duc(e)[이끌다] = 상대를 이끌어 어떤 것 안에 들어오도록 설득하다, 유도하다

Some toxic materials have a chance of **inducing** cancer. (기출변형)
어떤 독성 물질들은 암을 유발할 가능성을 가지고 있다.

➖ prevent [동] 방지하다, 예방하다

2973 □□□

discrimination

[dìskrìmənéiʃən]

2018 서울시 7급 외 9회

[명] 차별 ■ prejudice

[명] 식별, 판별

One expert feels that age is a major factor in employment **discrimination** today. (기출변형)
한 전문가는 나이가 오늘날 고용 차별의 주된 요소라고 생각한다.

➕ discriminate [동] 차별하다, 식별하다

2974 □□□

vanish

[vǽniʃ]

2020 국가직 9급 외 8회

동 사라지다, 없어지다　　　　■ disappear

어원 van[빈]+ ish[동]= 있던 자리를 비우고 사라지다

The missing plane had **vanished** that night. (기출변형)

실종된 그 여객기는 그날 밤 사라졌다.

↔ **appear** 동 나타나다, 출현하다

2975 □□□

evaporate 🌱

[ivǽpərèit]

2013 국회직 9급 외 6회

동 증발하다　　　　■ dry up

어원 e[밖으로] + vapor[증기] + ate[동·접] = 증기가 밖으로 날아가 마르다, 즉 증발하다

Not every single drop of water that falls into the forest **evaporates** back into the atmosphere. (기출)

숲으로 떨어지는 모든 물방울이 다시 대기로 증발하지는 않는다.

↔ **condense** 동 응결시키다

➕ **evaporation** 명 증발

2976 □□□

traumatic

[trəmǽtik]

2019 서울시 9급 외 6회

형 정신적 충격을 주는　　　　■ stressful

Stress reactions begin at the scene of a **traumatic** event. (기출변형)

스트레스 반응은 정신적 충격을 주는 큰 사건의 현장에서 시작된다.

↔ **soothing** 형 달래는, 진정시키는

➕ **trauma** 명 정신적 외상, 트라우마

2977 □□□

frivolous 🌱

[frívələs]

2018 지방직 9급 외 5회

형 경박한, 경솔한　　　　■ shallow

His parents thought being an artist was **frivolous** and that he should get a real job.

그의 부모님은 예술가가 되는 것이 경박하고 그가 진짜 일자리를 구해야 한다고 생각했다.

↔ **serious** 형 진지한

2978 □□□

robust

[roubʌ́st]

2016 지방직 9급 외 4회

형 튼튼한, 강건한　　　　■ vigorous, sturdy

형 (견해·의지가) 확고한　　　　■ strong

Although my grandfather is 85 years old, he is still in **robust** health.

비록 나의 할아버지는 85세이지만, 그는 여전히 아주 튼튼하시다.

↔ **frail** 형 노쇠한, 약한

➕ **robustly** 부 억세게, 건장하게

2979 ☐☐☐

flee

[fliː]

2017 법원직 9급 외 3회

동 도피하다, 도망치다 — run away

Refugees **flee** to nearby countries to escape harsh conditions. (기출변형)

난민들은 가혹한 상황에서 탈출하기 위해 인접국으로 도피한다.

2980 ☐☐☐

disposition

[dìspəzíʃən]

2019 국회직 8급 외 3회

명 성향, 기질 — nature

명 의향, 경향 — inclination

Some pushy parents tend to view poor grades as the sign of a low intelligence **disposition**. (기출변형)

몇몇 강압적인 부모들은 나쁜 성적을 낮은 지능의 성향으로 보는 경향이 있다.

↔ **disinclination** 명 내키지 않음

➕ **dispose** 동 경향을 갖게 하다

2981 ☐☐☐

flattering

[flǽtəriŋ]

2018 국회직 9급 외 3회

형 아첨하는 — obsequious

어원 flat(ter)[바람을 불어넣다] + ing[형·접] = 좋은 말로 상대의 마음에 바람을 불어넣는, 즉 아첨하는

He is a **flattering** man, since he accepts whatever his superiors suggest. (기출변형)

그는 자신의 상사가 제안한 것은 무엇이든지 수락하기 때문에, 아첨하는 사람이다.

➕ **flattery** 명 아첨

2982 ☐☐☐

consistency

[kənsístənsi]

2014 사회복지직 9급 외 3회

명 일관성, 한결같음 — constancy

The golfer was known for his **consistency** in great performance.

그 골프 선수는 좋은 성적에 대한 그의 일관성으로 알려져 있다.

↔ **inconsistency** 명 일관성이 없음, 불일치

➕ **consistent** 형 일관된

2983 ☐☐☐

cradle

[kréidl]

2015 법원직 9급 외 3회

명 요람 — crib

명 발상지 — origin

I found the baby sleeping in the **cradle**. (기출변형)

나는 그 아기가 요람에서 자는 것을 발견했다.

2984 ☐☐☐

scorn

[skɔ:rn]

2013 국회직 8급 외 2회

[동] 경멸하다, 멸시하다   [=] contempt, disdain

[명] 경멸, 멸시

Families with old wealth **scorned** the newly rich industrialists and speculators. (기출변형)

유서 깊은 부를 가진 가문들은 새로이 등장한 부유한 기업가들과 투기꾼들을 경멸했다.

[↔] **respect** [동] 존경하다

[+] **scornful** [형] 경멸하는

2985 ☐☐☐

dilute

[dilú:t]

2024 지방직 9급 외 3회

[동] 약화시키다, 희석하다   [=] attenuate, weaken

어원 di[떨어져(dis)] + lute[씻다] = 물로 씻어 뭉쳐 있던 것을 떨어뜨려 희석하다

The votes of minority groups will be **diluted** by those of the majority unless protected by law. (기출변형)

법에 따라 보호받지 않으면, 소수 집단의 표가 대다수의 표에 의해 약화될 것이다.

[↔] **intensify** [동] 강화하다

2986 ☐☐☐

compassionate

[kəmpǽʃənət]

2013 서울시 7급 외 2회

[형] 동정적인, 연민 어린   [=] sympathetic

Charity workers are **compassionate**, devoting their lives to helping others.

자선 단체에서 일하는 사람들은 동정적이고, 다른 사람들을 돕는데 자신의 삶을 헌신한다.

[↔] **indifferent** [형] 무관심한, 냉담한

[+] **compassion** [명] 연민, 동정

2987 ☐☐☐

nadir

[néidər]

2014 지방직 7급 외 1회

[명] 최악의 순간, 밑바닥   [=] lowest point

During the pandemic, many companies were at their **nadir**.

전 세계적 유행병 동안, 많은 회사가 그들의 최악의 순간에 있었다.

[↔] **zenith** [명] 정점, 절정

2988 ☐☐☐

upright

[ʌ́pràit]

2016 국가직 9급 외 1회

[형] 수직의, 똑바른   [=] vertical, erect

[형] (사람이) 강직한, 곧은   [=] righteous

어원 up[위로] + right[정확한] = 정확하게 위로 똑바른

You can find the chicken in the **upright** freezer next to the sink.

당신은 싱크대 옆에 있는 수직 냉동고에서 치킨을 찾을 수 있다.

[↔] **crooked** [형] 비뚤어진

 = 어휘 영역 출제

빈출 숙어

2989 ☐☐☐
get to
2019 서울시 9급 외 30회

~에 이르다

▣ come to

You fight less when you **get to** the break-up point in a relationship. (기출변형)
관계에서 이별하는 지점에 이르면 당신은 덜 싸우게 된다.

2990 ☐☐☐
make sure
2020 지방직 7급 외 19회

반드시 ~하다

▣ ensure

I **make sure** to get a medical checkup once a year. (기출변형)
나는 일 년에 한 번 건강 검진을 반드시 받도록 한다.

2991 ☐☐☐
in particular
2020 국회직 8급 외 17회

특히

▣ specifically

The president's speech focused on Latin America, and **in particular**, its drug problem. (기출변형)
그 대통령의 연설은 라틴 아메리카에 초점을 두었는데, 특히 그곳의 마약 문제에 초점을 두었다.

▣ in general 일반적으로, 보통

2992 ☐☐☐
hand in
2019 서울시 7급 외 11회

~을 제출하다, 건네주다

▣ turn in

Can you **hand in** the report as soon as possible? (기출)
보고서를 가능한 한 빨리 제출해 줄 수 있나요?

2993 ☐☐☐
pay tribute to
2020 국가직 9급 외 3회

~에게 경의를 표하다

▣ pay homage to

Everyone gathered to **pay tribute to** their co-worker who was retiring after years of service. (기출변형)
모두가 수년간의 근무 후에 퇴직하는 동료에게 경의를 표하기 위해 모였다.

2994 ☐☐☐
pore over

세세히 보다

▣ examine, scrutinize

2015 국가직 7급 외 1회

I was told to **pore over** the computer printouts to check for errors. (기출변형)
나는 오류 사항을 확인하기 위해서 컴퓨터 출력물을 세세히 보라는 지시를 받았다.

완성 어휘

2995 □□□ **asthma**	명 천식	3018 □□□ **rash**	명 (피부의) 발진
2996 □□□ **sumptuousness**	명 호화로움, 화려함	3019 □□□ **deference**	명 존중, 경의
2997 □□□ **surly**	형 못된, 무례한	3020 □□□ **uptake**	명 섭취
2998 □□□ **articulate**	형 논리정연한 통 분명히 표현하다	3021 □□□ **diffuse**	통 퍼지다, 발산하다
2999 □□□ **inanimate**	형 무생물의, 죽은	3022 □□□ **limp**	통 절뚝거리다
3000 □□□ **morose**	형 침울한, 시무룩한	3023 □□□ **impulsive**	형 충동적인
3001 □□□ **unrivaled**	형 무적의, 비할 데가 없는	3024 □□□ **scenic**	형 경치가 좋은
3002 □□□ **extol**	통 칭찬하다, 격찬하다	3025 □□□ **aviation**	명 항공, 항공술
3003 □□□ **toxicant**	명 독약, 독극물 형 유독한	3026 □□□ **retribution**	명 응징, 징벌
3004 □□□ **unify**	통 통일하다, 통합하다	3027 □□□ **influx**	명 쇄도, 밀어닥침
3005 □□□ **compute**	통 계산하다, 산출하다	3028 □□□ **hungrily**	부 탐욕스럽게
3006 □□□ **conglomerate**	명 집단, 대기업	3029 □□□ **on the fence**	애매한 태도를 취하여
3007 □□□ **kindle**	통 불을 붙이다, 부추기다	3030 □□□ **run into**	~를 맞닥뜨리다
3008 □□□ **fracture**	통 균열되다 명 균열	3031 □□□ **keep ~ posted**	~에게 최신 정보를 전하다
3009 □□□ **otherworldly**	형 내세의, 저승의	3032 □□□ **hold off**	~을 미루다
3010 □□□ **snobbish**	형 속물적인	3033 □□□ **on the face of it**	겉으로 보기에는
3011 □□□ **petal**	명 꽃잎	3034 □□□ **with open arms**	쌍수를 들고, 대환영하여
3012 □□□ **naive**	형 순진한	3035 □□□ **rest with**	~의 책임이다
3013 □□□ **dauntless**	형 불굴의, 용감한	3036 □□□ **in fits and starts**	간헐적으로
3014 □□□ **attenuate**	통 약화시키다	3037 □□□ **shake up**	~를 일깨우다
3015 □□□ **inauguration**	명 취임식	3038 □□□ **at the height of**	~의 절정에
3016 □□□ **majesty**	명 장엄함, 폐하	3039 □□□ **bustle in and out**	사방으로 돌아다니다
3017 □□□ **limb**	명 팔다리	3040 □□□ **beat around the bush**	둘러대다, 요점을 피하다

= 어휘 영역 출제

DAY39 음성 바로 듣기

최빈출 단어

3041 ☐☐☐

efficient 🌱
[ifíʃənt]
2020 국회직 8급 외 30회

형 **효율적인, 능률적인**　　　　　■ effective, productive

어원 ef[밖으로] + fic(i)[만들다] + ent[형·접] = 만든 것의 효과가 밖으로 잘 나오는, 즉 효율적인

The inventor's engine was more **efficient** than the existing model at powering machines. 〔기출변형〕
그 발명가의 엔진은 기계를 작동하는 데 기존 모델보다 더 효율적이었다.

■ **inefficient** 형 비능률적인, 무능한
➕ **efficiency** 명 효율, 능률

3042 ☐☐☐

extent
[ikstént]
2020 국회직 8급 외 28회

명 **규모, 정도**　　　　　■ magnitude, scale

어원 ex[밖으로] + tent[뻗다] = 밖으로 뻗은 범위, 정도

The **extent** of her knowledge on various subjects astounds me. 〔기출변형〕
그녀가 여러 가지 주제에 대해 가진 지식의 규모가 나를 놀라게 한다.

3043 ☐☐☐

mutual
[mjúːtʃuəl]
2020 국회직 8급 외 16회

형 **상호 간의, 서로의**　　　　　■ reciprocal

어원 mut[교환하다] + ual[형·접] = 상대와 서로 교환하는, 즉 상호 간의

The government should be based on **mutual** confidence, not on the domination of the ruling party. 〔기출변형〕
정부는 집권당의 지배를 통해서가 아니라, 상호 간의 신뢰를 바탕으로 해야 한다.

➕ **mutually** 부 서로

3044 ☐☐☐

welfare
[wélfɛər]
2020 국가직 9급 외 13회

명 **복지, 후생**　　　　　■ social security

명 **(개인·단체의) 안녕, 행복**　　　　　■ well-being

어원 wel(l)[잘] + fare[가다] = 사회나 개인의 삶이 잘 돌아가게 하는 복지

Welfare services provide care to people in need. 〔기출변형〕
복지 서비스는 도움이 필요한 사람들에게 치료를 제공한다.

➕ **social welfare** 사회 복지

3045 ☐☐☐

compound

[명] [kάːmpaund]
[동] [kəmpáund]

2020 법원직 9급 외 13회

[명] 혼합물, 화합물　■ amalgamation

[동] 혼합하다　■ mix

[동] 악화시키다　■ aggravate

어원 com[함께] + pound[놓다] = 서로 다른 것을 함께 섞어 놓은 혼합물

Cherries have **compounds** that can alleviate pain. (기출변형)
체리는 통증을 완화할 수 있는 혼합물을 가지고 있다.

3046 ☐☐☐

retirement

[ritáiərmənt]

2020 지방직 9급 외 11회

[명] 은퇴, 퇴직

어원 re[뒤로] + tir(e)[끌다] + ment[명·접] = 뒤로 끌어 자리에서 물러나는 것, 즉 은퇴

In order to live well after you stop working, you should begin saving for **retirement** early. (기출변형)
당신이 일을 그만둔 후에도 제대로 살기 위해서는, 은퇴를 위한 저축을 빨리 시작해야 한다.

3047 ☐☐☐

territory

[térətɔ̀ːri]

2018 국회직 8급 외 11회

[명] 영토, 영역　■ area, region

어원 terr(it)[땅] + ory[명·접(장소)] = 일정한 범위의 땅, 즉 영역 또는 영토

As a given animal population increases, the competition for available **territory** rises. (기출)
특정 동물의 개체 수가 증가함에 따라, 이용 가능한 영토를 위한 경쟁이 일어난다.

➕ **territorial** [형] 영토의, 영역의

3048 ☐☐☐

habitat

[hǽbitæt]

2017 사회복지직 9급 외 11회

[명] 서식지, 거주지　■ home

어원 hab(it)[가지다] + at[명·접] = 생물들이 자신의 영역으로 가지고 살아가는 서식지

Without plants to eat, most animals leave their **habitat**. (기출변형)
먹을 식물이 없으면, 대부분의 동물은 그들의 서식지를 떠난다.

➕ **habitation** [명] 거주, 주거

3049 ☐☐☐

governor

[gʌ́vərnər]

2020 지방직 7급 외 11회

[명] 주지사, 총독　■ administrator

어원 govern[다스리다] + or[명·접(사람)] = 다스리는 사람, 즉 주지사

She was elected governor in 1974, the nation's first woman to be elected state **governor**. (기출)
그녀는 1974년에 주지사로 당선되었는데, 주지사로 선출된 국내 최초의 여성이었다.

3050 ☐☐☐

accommodate

[əká:mədèit]

2018 국가직 9급 외 10회

동 **수용하다, 공간을 제공하다** ≡ hold, take

동 **적응시키다, 조절하다** ≡ adapt, adjust

어원 ac[~에(ad)] + com[모두] + mod(e)[기준] + ate[동·접] = 모두 기준에 맞게 적응시키다, 기준에 맞는 양을 수용하다

The newly built conference room **accommodates** fewer people than the old one. (기출)

새로 지어진 회의실은 이전 것보다 더 적은 사람을 수용한다.

➕ **accommodation** 명 거처

3051 ☐☐☐

resign

[rizáin]

2016 국가직 9급 외 9회

동 **체념하다, 감수하다**

동 **사임하다, 물러나다** ≡ leave

The protagonists of the play fight destiny only to **resign** themselves to fate. (기출변형)

그 연극의 주인공들은 운명에 저항하여 싸우지만 결국 운명에 체념한다.

➕ **resignation** 명 체념, 사임, 물러남

빈출 단어

3052 ☐☐☐

implicit

[implísit]

2020 국가직 9급 외 8회

형 **내포된, 암시적인** ≡ implied

형 **절대적인, 무조건적인** ≡ definite

There was an **implicit** threat in his warning.

그의 경고에는 내포된 위협이 있었다.

3053 ☐☐☐

infrastructure

[ìnfrəstrʌ́ktʃər]

2020 법원직 9급 외 7회

명 **공공 기반 시설**

The improvement in the transport **infrastructure** promoted social welfare. (기출변형)

교통 공공 기반 시설의 개선은 공공복지를 증진했다.

3054 ☐☐☐

vanity

[vǽnəti]

2020 법원직 9급 외 6회

명 **허영심, 자만심** ≡ pride, arrogance

I lied about my property for the sake of **vanity.** (기출변형)

나는 허영심 때문에 나의 재산에 대해 거짓말했다.

3055 ☐☐☐

assign

[əsáin]

2019 지방직 9급 외 5회

- Room 101
- Room 102

⑧ 배정하다, 할당하다   ▣ allot

어원 as[~에(ad)] + sign[표시] = 각각의 것에 누구의 것인지 표시하여 그 사람에게 할당하다

The hotel manager rejected the man, refusing to **assign** him a room. 기출변형

그 호텔 지배인은 그에게 방을 배정하는 것을 거부하며 그를 받아주지 않았다.

➕ **assignment** ⑲ 과제, 임무

3056 ☐☐☐

audacious

[ɔːdéiʃəs]

2018 국회직 9급 외 4회

⑱ 대담한   ▣ bold, intrepid

Her decision to quit her job was both risky and **audacious**. 기출변형

직장을 그만두기로 한 그녀의 결정은 위험하고 대담했다.

↔ **timid** ⑱ 소심한

➕ **audacity** ⑲ 대담함

3057 ☐☐☐

indulge

[indʌ́ldʒ]

2020 국회직 8급 외 3회

⑧ 푹 빠지다   ▣ relish, enjoy

Once people start smoking, they are likely to **indulge** in it. 기출

사람들은 한 번 흡연하기 시작하면, 그것에 푹 빠지기 쉽다.

➕ **indulgent** ⑱ 하고 싶은 대로 놔두는, 관대한

3058 ☐☐☐

augment

[ɔːgmént]

2014 국가직 9급 외 3회

⑧ 늘리다, 증가시키다   ▣ increase

Some people **augment** their income by working part-time jobs.

어떤 사람들은 부업으로 그들의 수입을 늘린다.

↔ **decrease** ⑧ 줄이다, 감소시키다

➕ **augmentative** ⑱ 증가하는, 말뜻을 확장하는

3059 ☐☐☐

generosity

[dʒènərɑ́ːsəti]

2018 서울시 7급 외 3회

⑲ 관대함, 너그러움   ▣ benevolence

The CEO is known for her **generosity** in donating to charities.

그 CEO는 자선 단체에 기부하는 것에 대한 그녀의 관대함으로 알려져 있다.

3060 ☐☐☐

turmoil

[tə́:rmɔil]

2019 국가직 9급 외 3회

명 혼란, 소란　　　　　**유** tumult, unrest

The global economic **turmoil** caused a decline in sales for the automobile industry. (기출변형)

국제적인 경제 혼란은 자동차 산업에서의 매출 하락을 유발했다.

반 peace **명** 평화

3061 ☐☐☐

tow

[tou]

2015 국가직 7급 외 3회

동 견인하다, 끌다　　　　　**유** drag, pull

I'm having your car **towed** away for illegal parking. (기출)

당신이 불법 주차한 차를 견인하도록 할 것입니다.

3062 ☐☐☐

authentic

[ɔ:θéntik]

2020 국가직 9급 외 3회

형 진짜의, 진품인　　　　　**유** genuine

어원 aut[스스로(auto)] + hent[되다] + ic[형·접] = 자기 스스로 원본이 되는, 즉 진짜인

An expert has determined that the painting is **authentic**.

전문가는 그 그림이 진짜라고 결론을 내렸다.

반 fake **형** 가짜의

➕ authenticity **명** 진품임, 확실성

3063 ☐☐☐

disseminate

[disémənèit]

2017 국가직 9급 외 3회

동 전파하다, 퍼뜨리다　　　　　**유** disperse, diffuse

European artists **disseminated** Dadaist ideas into American culture. (기출변형)

유럽의 예술가들이 다다이즘 사상을 미국 문화에 전파했다.

반 concentrate **동** 모으다, 집중시키다

➕ dissemination **명** 전파, 퍼뜨림

3064 ☐☐☐

needy

[ní:di]

2017 국가직 9급 외 2회

형 어려운, 궁핍한　　　　　**유** poor, deprived

Homeless shelters provide **needy** people with a place to stay. (기출변형)

노숙자 쉼터들은 어려운 사람들에게 머무를 곳을 제공해 준다.

반 affluent **형** 부유한

➕ needs **명** 필요, 도구

3065 ☐☐☐

exemplary

[igzémpləri]

2016 서울시 7급 외 2회

형 모범적인, 전형적인　　　　　　■ ideal, model

The student did an **exemplary** job on the test, receiving a perfect score.

그 학생은 완벽한 점수를 받으며 시험에서 모범적인 일을 보였다.

🔁 deplorable 형 유감스러운

➕ exemplar 명 모범, 전형

3066 ☐☐☐

discordant

[diskɔ́:rdənt]

2019 서울시 7급 외 2회

형 일치하지 않는, 조화되지 않는　　　■ at odds

The two political parties had **discordant** opinions and disagreed constantly.

양쪽 정당은 일치하지 않는 의견을 가졌고 계속해서 이의를 제기했다.

🔁 in agreement ~과 일치하여

3067 ☐☐☐

outgoing

[áutgòuiŋ]

2023 국가직 9급 외 1회

형 외향적인　　　　　　　　　　■ sociable, extrovert

Having an **outgoing** personality is an asset in the business world.

외향적인 성격을 가지는 것은 비즈니스 세계에서 자산이다.

🔁 reserved 형 내성적인

3068 ☐☐☐

immaculate

[imǽkjulət]

2018 서울시 7급 외 1회

형 티 하나 없이 깔끔한　　　　　　■ clean, neat

The room was so **immaculate** that not even a speck of dust could be seen.

그 방은 티 하나 없이 너무 깔끔해서 먼지 하나 보이지 않았다.

🔁 dirty 형 더러운

빈출 숙어

3069 ☐☐☐

so far

2019 서울시 9급 외 17회

지금까지, 현재까지　　　　　　　■ up to now

The evidence collected **so far** suggests that the origin of humankind was in Africa.

지금까지 수집된 증거는 인류의 기원이 아프리카에 있었다는 것을 보여준다.

3070 ☐☐☐

at times

때때로

■ sometimes

2018 서울시 9급 외 7회

At times, emotional problems can be avoided with daily exercise. (기출변형)

때때로, 감정적 문제는 매일 하는 운동으로 피할 수 있다.

3071 ☐☐☐

settle down

정착하다

2016 서울시 7급 외 5회

진정하다

■ calm down

After selling his farm, he **settled down** with his family in England. (기출변형)

그의 농장을 판 후에, 그는 자신의 가족과 함께 영국에 정착했다.

➡ **move away from** ~로부터 이사 가다

3072 ☐☐☐

by nature

천성적으로, 본래

■ innately

2019 서울시 7급 외 3회

She was **by nature** a talented singer with a fine voice. (기출변형)

그녀는 멋진 목소리를 가진 천성적으로 재능 있는 가수였다.

3073 ☐☐☐

move on to

~으로 넘어가다

2016 국회직 8급 외 3회

After completing the first experiment, the researchers **moved on to** the second study. (기출변형)

첫 번째 실험이 끝난 후, 연구원들은 두 번째 연구로 넘어갔다.

3074 ☐☐☐

persist in 🌿

~을 계속하다

■ carry on

2017 국가직 9급 외 2회

The opposition party leaders promised to **persist in** their efforts despite losing the election. (기출변형)

야당 지도자들은 비록 선거에서 졌지만 그들의 노력을 계속하겠다고 약속했다.

➡ **abandon** 图 그만두다, 버리다

완성 어휘

3075	obsequious ✔	형 아부하는
3076	tout ✔	동 선전하다, 장점을 내세우다
3077	untapped	형 손대지 않은, 미개척의
3078	upscale	형 평균 이상의, 상위의
3079	variant	형 다른; 명 변형
3080	balmy	형 아늑한, 훈훈한
3081	trite	형 진부한
3082	markedly ✔	부 현저하게, 뚜렷하게
3083	considerate ✔	형 사려 깊은, 배려하는
3084	frail	형 노쇠한
3085	selfhood	명 자아
3086	jubilance	명 환희
3087	legality	명 합법성
3088	consortium	명 연합
3089	snuff	동 끄다
3090	devout ✔	형 독실한
3091	suffuse ✔	동 가득 차게 하다
3092	rigid	형 엄격한, 융통성 없는
3093	prairie	명 대초원
3094	illumination	명 빛, 조명
3095	fling	동 내던지다
3096	roam	동 돌아다니다
3097	raucous	형 귀에 거슬리는, 시끄러운

3098	petty	형 사소한, 옹졸한
3099	portent	명 징후
3100	fallout	명 낙진, 부산물
3101	salutary	형 유익한
3102	demolish	동 철거하다
3103	ego	명 자부심, 자아
3104	custody	명 유치, 구류, 양육권
3105	gratuitous	형 쓸데없는
3106	avid	형 열심인
3107	spooky	형 으스스한
3108	loathing	명 혐오감, 증오
3109	bliss	명 더없는 행복
3110	out in left field ✔	별난, 이상한
3111	pass a bill	법안을 통과시키다
3112	catch ~ out ✔	~를 곤란하게 만들다
3113	hit ~ hard	~를 심하게 치다
3114	fret over	걱정하다
3115	make one's way	나아가다
3116	place a strain on	~에 부담을 가하다
3117	go on the air	방송되다
3118	under one's nose	코앞에서
3119	get through with	~을 끝내다, 완료하다
3120	in the least	조금도 ~않다

✔ = 어휘 영역 출제

DAY 40

DAY40 음성 바로 듣기

최빈출 단어

3121 ☐☐☐

highly

[háili]

2020 지방직 7급 외 47회

- 🔢 아주, 매우 · ■ very, really
- 🔢 높이 평가하여 · ■ favorably

Brainstorming is an effective method for developing **highly** creative solutions. (기출변형)
브레인스토밍은 아주 창의적인 해결책을 생각하는 데 효과적인 방법이다.

3122 ☐☐☐

confirm

[kənfə́ːrm]

2020 국가직 9급 외 26회

- 🔢 (사실임을) 확인하다, 보여주다 · ■ corroborate, verify
- 🔢 (결심·습관 등을) 굳히다 · ■ establish

어원 con[함께(com)] + firm[확실한] = 여럿이 함께 확실하다고 확인해 주다

The cause of the fire was not **confirmed**. (기출변형)
화재의 원인은 확인되지 않았다.

↔ **contradict** 图 반박하다, 모순되다
➕ **confirmation** 图 확인, 확정

3123 ☐☐☐

contemporary

[kəntémpərèri]

2020 지방직 9급 외 21회

→ NOW

- 🔢 현대의 · ■ modern, present
- 🔢 동시대의 · ■ concurrent, coexisting
- 🔢 동시대 사람 · ■ peer, fellow

어원 con[함께(com)] + tempo(r)[시대] + ary[형·접] = 같은 시대 또는 지금 시대에 함께하는, 즉 현대의 또는 동시대의

Contemporary political debate deals with issues such as the environment and gender. (기출변형)
현대의 정치적 논의는 환경이나 성별과 같은 주제들을 다룬다.

↔ **out of date** 구식의, 뒤떨어진

3124 ☐☐☐

regulation

[règjuléiʃən]

2018 서울시 9급 외 17회

명 규제, 규정　　　■ rule, act

어원 reg(ul)[바르게 이끌다] + at(e)[동·접] + ion[명·접] = 바르게 이끌기 위해 제한을 두는 규제

Tighter **regulations** on products have restricted consumer choices and made goods more expensive. (기출변형)

제품에 대한 더 강화된 규제는 소비자들의 선택을 제한하고 상품을 더 비싸게 만들었다.

✚ **regulate** 동 규제하다, 통제하다

3125 ☐☐☐

complexity

[kəmpléksəti]

2021 국가직 9급 외 17회

명 복잡함　　　■ intricacy

어원 com[함께] + plex[꼬다] + ity[명·접] = 여럿이 함께 꼬여 복잡함

The new visa policy minimizes the **complexity** related to applying for travel visas. (기출변형)

새로운 비자 정책은 여행 비자를 신청하는 것에 관련된 복잡함을 최소화한다.

◼ **simplicity** 명 간단함

✚ **complex** 형 복잡한

3126 ☐☐☐

apparent

[əpǽrənt]

2019 지방직 7급 외 17회

형 명백한, 눈에 띄는　　　■ conspicuous

형 ~인 것처럼 보이는, 여겨지는　　　■ seeming, alleged

어원 ap[~쪽으로(ad)] + par[보이는] + ent[형·접] = 보이는 쪽으로 있어 분명히 잘 보이는, 즉 명백한

The value of tradition today is more **apparent** in modern society. (기출변형)

오늘날 전통의 가치는 현대 사회에서 더욱 명백하다.

◼ **obscure** 형 애매한, 모호한

✚ **apparently** 부 겉보기에는, 명백하게

3127 ☐☐☐

urgent

[ə́:rdʒənt]

2019 국가직 9급 외 16회

형 시급한, 긴급한　　　■ dire, immediate

어원 urg(e)[재촉하다] + ent[형·접] = (재촉할 만큼) 긴급한

Urgent action is needed to encourage people to have more children. (기출변형)

사람들이 더 많은 아이를 갖도록 장려하기 위해서 시급한 조치가 필요하다.

✚ **urgency** 명 시급함, 긴급함

3128 ☐☐☐

respiratory

[réspərətɔ̀:ri]

2019 서울시 9급 외 14회

형 호흡기관의　　　■ breathing

MERS is a **respiratory** disease that is caused by the MERS Coronavirus. (기출변형)

메르스는 메르스 코로나바이러스로 인해 야기되는 호흡기 질병이다.

✚ **respire** 동 호흡하다

3129 ☐☐☐

postpone 🌱

[poustpóun]

2024 서울시 9급 외 13회

图 미루다, 연기하다　　　　　**圓 put off, delay**

Staff members were asked to **postpone** any vacations until after the project. (기출변형)

직원들은 프로젝트 이후까지 그 어떤 휴가도 미루라고 요청받았다.

➕ **postponement** 圐 뒤로 미룸, 연기

3130 ☐☐☐

committee

[kəmíti]

2020 국가직 9급 외 10회

圐 위원회　　　　　**圓 board**

어원 commit[이행하다] + ee[사람] = (일을 이행하기 위한) 위원회

The **committee** consists of ten members, all of whom are leading figures in the industry. (기출변형)

위원회는 10명으로 구성되어 있는데, 그들은 모두 업계에서 거물급이다.

3131 ☐☐☐

asset

[ǽset]

2018 국회직 9급 외 10회

圐 재산, 자산　　　　　**圓 property, estate**

The only **asset** he had when he died was the house he lived in. (기출변형)

그가 사망할 때 가지고 있던 유일한 재산은 그가 살던 집이었다.

↔ **liability** 圐 빚, 부채

빈출 단어

3132 ☐☐☐

condemn 🌱

[kəndém]

2020 국회직 8급 외 8회

图 비난하다　　　　　**圓 criticize, denounce**

어원 com[모두(com)] + demn[비난] = 상대의 모든 것을 비난하다

The country was **condemned** for interfering with another's domestic affairs. (기출변형)

그 나라는 타국의 내정에 간섭한다는 비난을 받았다.

↔ **commend** 图 칭찬하다

➕ **condemnation** 圐 비난

3133 ☐☐☐

thrive

[θraiv]

2018 국회직 8급 외 7회

图 번성하다, 번영하다　　　　　**圓 prosper, flourish**

Plants **thrive** in the fertile soil and humid atmosphere of the rainforest.

식물들은 열대우림의 비옥한 토양과 습한 대기에서 번성한다.

↔ **decline** 图 쇠퇴하다

3134 ☐☐☐

repetition

[rèpətíʃən]

2020 국회직 8급 외 7회

명 반복 　　　　　　　≡ recurrence

어원 re[다시] + pe(a)t[추구하다] + ition[명·접] = 추구하는 것을 얻기 위해 하는 행동의 반복

Some advertisements impress customers by **repetition** of the same slogan with a catchy song. (기출변형)
어떤 광고들은 기억하기 쉬운 노래와 함께 같은 구호의 반복으로 고객들에게 인상을 준다.

➕ **repetitive** 형 반복적인

3135 ☐☐☐

conform

[kənfɔ́ːrm]

2018 서울시 7급 외 6회

동 (행동이나 의견을) 같이하다 　　　≡ fit in

동 (규칙·법 등에) 따르다, 순응하다

어원 con[함께(com)] + form[형태] = 여럿이 함께 형태를 똑같이 하다

The tendency to follow the actions of others can occur because individuals prefer to **conform**. (기출변형)
사람들은 행동을 같이하는 것을 선호하기 때문에 다른 사람들의 행동을 따르려는 경향이 발생할 수 있다.

↔ **rebel** 동 반란을 일으키다
➕ **conformity** 명 순응, 따름

3136 ☐☐☐

incidence

[ínsədəns]

2012 국가직 7급 외 5회

명 발생률, 발병률 　　　　　　≡ frequency

어원 in[안에] + cid[떨어지다] + ence[명·접] = 본래 있어서는 안 될 범위 안에 떨어진 것, 즉 사건 또는 사고의 발생률

The city shows a low **incidence** of heart disease. (기출변형)
그 도시는 낮은 심장병 발생률을 보인다.

3137 ☐☐☐

energize

[énərdʒàiz]

2018 국가직 9급 외 5회

동 활력을 북돋다 　　　　　　≡ invigorate

동 동력을 공급하다 　　　　　≡ enliven, animate

어원 en[안에] + erg[일하다] + ize[동·접] = 일을 하기 위해 안에 필요한 활력을 북돋다

Exercise can **energize** you and make you feel fresh. (기출변형)
운동은 당신에게 활력을 북돋고 상쾌함을 느끼도록 할 수 있다.

3138 ☐☐☐

scatter

[skǽtər]

2021 국회직 9급 외 4회

동 뿌리다, 분산시키다 　　　　≡ disperse, dissipate

The gardener **scattered** grass seeds around the yard.
그 정원사는 마당 주위에 잔디 씨를 뿌렸다.

3139 ☐☐☐

ruling

[rúːliŋ]

2020 국가직 9급 외 4회

| 형 우세한, 지배하는 | = dominating |
| 명 판결, 결정 | = decree, verdict |

The conflict between the **ruling** and opposition parties lasted three weeks. (기출변형)

우세한 당과 그 반대 측 당 사이의 갈등은 3주 동안 계속됐다.

3140 ☐☐☐

evade

[ivéid]

2019 서울시 7급 외 4회

형 피하다, 모면하다   = avoid, elude

통 떠오르지 않다

어원 e[밖으로(ex)] + vade[가다] = 밖으로 나가서 어떤 것을 피하다

The suspect **evaded** capture, despite police officers' best efforts.

용의자는 경찰관들의 최선의 노력에도 불구하고 포획을 피했다.

➡ **confront** 통 닥치다, 맞서다

➕ **evasive** 형 얼버무리는

3141 ☐☐☐

noticeable

[nóutisəbl]

2020 국가직 9급 외 3회

형 뚜렷한, 눈에 잘 띄는   = conspicuous

There was a **noticeable** drop in temperature after the rainstorm.

폭풍우 후에 기온의 뚜렷한 감소가 있었다.

➡ **inconspicuous** 형 눈에 띄지 않는

➕ **noticeably** 부 눈에 띄게, 두드러지게

3142 ☐☐☐

pacify

[pǽsəfài]

2017 국가직 9급 외 3회

통 진정시키다, 달래다   = appease

The riot was eventually **pacified** by the police. (기출변형)

그 폭동은 결국 경찰에 의해 진정되었다.

➡ **provoke** 통 유발하다

➕ **pacifier** 명 (갓난아이의) 고무젖꼭지

3143 ☐☐☐

divulge

[diνʌ́ldʒ]

2015 국회직 9급 외 3회

통 폭로하다, 누설하다   = disclose, expose

The horrific crime scenes were enough to **divulge** what had happened. (기출변형)

그 끔찍한 범죄 현장은 무슨 일이 있었는지를 폭로하기에 충분했다.

➡ **conceal** 통 숨기다

3144 ☐☐☐

assault

[əsɔ́:lt]

2012 국회직 8급 외 2회

명 폭행, 공격　　　　　■ attack

동 폭행하다

He was removed from the position following an **assault** charge. (기출변형)

그는 폭행 혐의로 직책에서 해임되었다.

3145 ☐☐☐

diverge

[daivə́:rdʒ]

2012 서울시 9급 외 2회

동 나뉘다, 갈라져 나오다　　　■ separate, divide

Because opinions **diverge**, people need access to a wide range of viewpoints. (기출변형)

의견들이 나뉘기 때문에, 사람들은 넓은 범위의 관점에 대한 접근이 필요하다.

🔁 **converge** 동 모여들다

➕ **divergent** 형 갈라지는, 다른

3146 ☐☐☐

nominate

[nά:mənèit]

2014 지방직 9급 외 2회

동 지명하다, 추천하다　　　■ propose, recommend

어원　nomin[이름] + ate[동·접] = 어떤 직책의 이름을 붙여주어 그 자리에 지명하다

The politician missed being **nominated** for vice president by a few votes. (기출변형)

그 정치인은 몇 표 차이로 부통령에 지명되지 못했다.

➕ **nomination** 명 지명, 추천

3147 ☐☐☐

dictate

[díkteit]

2017 서울시 9급 외 2회

동 지시하다, 명령하다　　　■ command

동 받아쓰게 하다

어원　dict[말하다] + ate[동·접] = 말한 것을 하도록 지시하다, 받아 쓰게 시키다

The company's handbook **dictates** how employees have to dress.

그 회사의 안내서는 직원들이 어떻게 옷을 입어야 하는지를 지시한다.

➕ **dictator** 명 독재자

3148 ☐☐☐

migrant

[máigrənt]

2016 지방직 7급 외 2회

명 이주자

형 이주하는

The center provides language classes as well as job opportunities to **migrant** workers. (기출변형)

그 센터는 이주 노동자들에게 구직 기회뿐만 아니라 언어 수업도 제공한다.

🌱 = 어휘 영역 출제

3149 □□□

uncanny

[ʌ́nkæni]

2017 국가직 9급

형 이상한, 묘한　　　　　　　　■ unnatural, eerie

I had an **uncanny** feeling that I had seen this scene somewhere before. (기출)

나는 이 장면을 이전에 어디선가 본 적이 있는 것 같은 이상한 기분이 들었다.

↔ **ordinary** 형 보통의, 평범한

빈출 숙어

3150 □□□

be designed to

2020 법원직 9급 외 24회

~하도록 설계되다

The ancient Olympic events **were designed to** eliminate the weak. (기출변형)

고대 올림픽 종목들은 약자를 배제하도록 설계되었다.

3151 □□□

put up with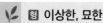

2022 지방직 9급 외 7회

~을 참다　　　　　　　　　　■ tolerate, stand

Residents of the building **put up with** the construction noise for 8 months.

그 건물의 거주자들은 8달 동안 공사 소음을 참았다.

3152 □□□

come about

2019 국가직 9급 외 5회

일어나다, 발생하다　　　　　　■ happen, take place

Physiological changes, such as muscle strength, **come about** through training. (기출변형)

근력 강화와 같은 생리적인 변화들은 훈련을 통해 일어난다.

3153 □□□

fit into

2018 서울시 7급 외 4회

~에 꼭 들어맞다, 적합하다

Helmets are thick and don't **fit into** bags, so they are hard to carry around. (기출변형)

헬멧은 두껍고 가방에 꼭 들어맞지 않아, 가지고 다니기 힘들다.

3154 □□□

inside out

2020 국가직 9급 외 3회

철저하게, 안팎으로　　　　　　■ thoroughly

(안팎을) 뒤집어

He's the best person to give you directions because he knows the city **inside out**. (기출변형)

그는 이 도시를 철저하게 알기 때문에 너에게 길을 알려줄 최적의 사람이다.

완성 어휘

3155	discontent	몡 불만
3156	inversion	몡 도치, 전도
3157	inclusivity	몡 포용력, 포용 정책
3158	underestimate ✔	동 과소평가하다; 몡 과소평가
3159	monarch	몡 군주, 황제
3160	falsification	몡 위조, 반증
3161	laconic ✔	혱 말수가 적은, 간결한
3162	transcribe	동 기록하다, 베끼다
3163	decidedly	톼 확실히, 단호히
3164	swindle ✔	동 속이다
3165	fondness	몡 취미, 애호
3166	gruesome	혱 끔찍한, 섬뜩한
3167	overload	몡 과부하
3168	garner	동 모으다, 얻다
3169	stipend ✔	몡 급료, 봉급, 장학금
3170	instantaneous	혱 즉각적인, 순간적인
3171	pejorative ✔	혱 경멸적인
3172	civility	몡 예의, 공손함
3173	functionary ✔	몡 공무원
3174	somber ✔	혱 칙칙한
3175	dim	혱 어둑한
3176	flop	동 드러눕다
3177	palate	몡 미각

3178	sedentary	혱 앉아서 하는
3179	barbarity	몡 만행
3180	indelible	혱 잊을 수 없는
3181	execution	몡 사형, 실행
3182	expediency	몡 편의
3183	malevolent	혱 악의적인
3184	sewage	몡 하수, 오수
3185	haughty	혱 거만한
3186	garrulous	혱 수다스러운
3187	unassertive	혱 내성적인, 단정적이 아닌
3188	inclement	혱 좋지 못한
3189	rise up	봉기하다, 일어서다
3190	put ~ into action	~을 실행에 옮기다
3191	pace oneself ✔	속도를 유지하다
3192	cater to ✔	~의 구미에 맞추다
3193	take charge of	맡다, ~의 책임을 지다
3194	opt for	~을 선택하다
3195	delve into ✔	~을 철저하게 조사하다
3196	in sync with	~과 맞춰서
3197	teem with	~으로 풍부하다
3198	cling to	~을 고수하다
3199	that said	그렇긴 하지만
3200	ease into	~에 친숙해지다

Review Test DAY 36-40

1. 각 어휘의 알맞은 뜻을 찾아 연결하세요.

01. merger	•	•	ⓐ 경박한, 경솔한
02. condemn	•	•	ⓑ 합병
03. affluent	•	•	ⓒ 최악의 순간, 밑바닥
04. audacious	•	•	ⓓ 소심한, 자신감이 없는
05. enlighten	•	•	ⓔ 일치하지 않는, 조화되지 않는
06. delve into	•	•	ⓕ 부유한; 지류
07. timid	•	•	ⓖ 비난하다
08. discordant	•	•	ⓗ 대담한
09. frivolous	•	•	ⓘ ~을 철저하게 조사하다
10. nadir	•	•	ⓙ 깨우치게 하다, 계몽하다

2. 다음 영단어의 뜻을 우리말로 쓰세요.

01. multitude _____	11. compassionate _____
02. desultory _____	12. catch ~ out _____
03. taciturn _____	13. indulge _____
04. simultaneous _____	14. exemplary _____
05. allocate _____	15. demolish _____
06. oversee _____	16. robust _____
07. submissive _____	17. uncanny _____
08. deride _____	18. pejorative _____
09. morose _____	19. swindle _____
10. dilute _____	20. transcribe _____

3. 다음 빈칸에 들어갈 말로 가장 적절한 것은?

> After many delays, the airline was forced to provide refunds to _____ the angry passengers.

① resemble   ② nominate   ③ tout   ④ pacify

4. 다음 밑줄 친 부분과 의미가 가장 가까운 것은?

> Despite being over 200 years old, the historic home was <u>immaculate</u>.

① neat   ② stagnant   ③ constructive   ④ trite

5. 다음 밑줄 친 단어의 의미와 가장 가까운 것은?

> Attorneys <u>exhort</u> their clients not to answer any questions without checking with them first.

① lurk   ② vanish   ③ urge   ④ detest

정답

1. 01. ⓑ   02. ⓖ   03. ⓕ   04. ⓗ   05. ⓘ   06. ⓘ   07. ⓓ   08. ⓔ   09. ⓐ   10. ⓒ

2. 01. 다량, 다수   02. 두서없는, 일관성 없는   03. 말수가 적은   04. 동시의
   05. 분배하다, 할당하다   06. 감독하다   07. 순종적인, 고분고분한   08. 조롱하다
   09. 침울한, 시무룩한   10. 약화시키다, 희석하다   11. 동정적인, 연민 어린   12. ~를 곤란하게 만들다
   13. 폭 빠지다   14. 모범적인, 전형적인   15. 철거하다
   16. 튼튼한; (견해·의지가) 확고한   17. 이상한, 묘한   18. 경멸적인
   19. 속이다   20. 기록하다, 베끼다

3. ④ 달래다 [해석] 많은 연착 후에, 그 항공사는 화가 난 승객들을 <u>달래기</u> 위해 어쩔 수 없이 환불을 제공해 주게 되었다. [오답] ① 닮다 ② 지명하다 ③ 선전하다

4. ① 깔끔한 [해석] 200년이 더 넘었음에도 불구하고, 그 역사적인 집은 <u>티 하나 없이 깔끔</u>했다. [오답] ② 고여 있는 ③ 건설적인 ④ 진부한

5. ③ 촉구하다 [해석] 변호사는 그의 고객에게 그와 먼저 확인하는 것 없이 그 어떤 질문에도 대답하지 않는 것을 <u>촉구한</u>다. [오답] ① 숨어 있다 ② 사라지다 ④ 혐오하다

DAY 41

■ 1회독 ■ 2회독 ■ 3회독

DAY41 음성 바로 듣기

최빈출 단어

3201 ☐☐☐

sentence

[séntəns]

2020 법원직 9급 외 33회

명 문장

명 선고, 형벌

동 선고하다　　　 ⊟ condemn

Sometimes a **sentence** is hard to understand because its elements don't make proper connections. (기출변형)

때때로 문장은 그 요소들이 제대로 연결되지 않기 때문에 이해하기 어렵다.

3202 ☐☐☐

priority

[praiɔ́:rəti]

2019 국회직 8급 외 29회

명 우선 사항, 우선권　　　 ⊟ precedence

Protecting the health of everyone in the facility is the first **priority**. (기출변형)

시설 내에 있는 모두의 건강을 보호하는 것이 첫 번째 우선 사항이다.

➕ prioritize 동 우선순위를 매기다

3203 ☐☐☐

variation

[vɛəriéiʃən]

2018 지방직 9급 외 16회

명 차이, 변화　　　 ⊟ variety, change

명 변이, 변주곡

The tribal **variations** enter into the oral literature as well. (기출변형)

부족의 차이는 구비문학에도 또한 들어가 있다.

➕ various 형 여러 가지의

3204 ☐☐☐

humanity

[hjuːmǽnəti]

2018 법원직 9급 외 16회

명 인류　　　 ⊟ mankind

어원 hum[땅] + an[형·접] + ity[명·접] = 땅에 사는 사람들, 즉 인류

Fire is a great friend of **humanity** when used in a safe way. (기출변형)

불은 안전한 방법으로 사용될 때 인류의 훌륭한 친구이다.

3205 ☐☐☐

assist

[əsíst]

2019 국회직 9급 외 15회

동 돕다, 도움이 되다   ■ support

어원 as[~쪽으로(ad)] + sist[서다] = 돕고자 하는 쪽으로 서서 그쪽을 돕다

Teaching is more like **assisting** than forcing information. 기출
가르치는 것은 정보를 억지로 집어넣는 것보다는 오히려 도와주는 것에 더 가깝다.

🔁 hinder 동 방해하다
➕ assistance 명 도움

3206 ☐☐☐

trigger

[trígər]

2020 국회직 8급 외 15회

동 유발하다, 일으키다   ■ precipitate, prompt

명 (어떤 일을 촉발한) 계기   ■ starting point

One person's yawn can **trigger** yawning among an entire group. 기출
한 사람의 하품은 전체 집단의 하품을 유발할 수 있다.

3207 ☐☐☐

ritual

[rítʃuəl]

2015 지방직 9급 외 10회

명 의식, 의례   ■ ceremony, rite

형 의식 절차상의   ■ ritualistic

There is a wedding **ritual** where couples jump over a broom to celebrate their union. 기출변형
결합을 축하하기 위해 부부가 빗자루 위를 뛰어넘는 결혼 의식이 있다.

3208 ☐☐☐

voluntary

[vá:ləntèri]

2018 국가직 9급 외 9회

형 자발적인   ■ at one's discretion

형 자원봉사로 하는   ■ unpaid

어원 vol(unt)[의지] + ary[형·접] = 의지를 가지고 스스로 하는, 즉 자발적인

The experiment was conducted to verify the role of motivation in **voluntary** work. 기출변형
그 실험은 자발적인 일에 있어서 동기부여의 역할을 검증하기 위해 시행되었다.

🔁 compulsory 형 의무적인, 강제적인
➕ voluntarily 부 자발적으로, 자진해서

3209 ☐☐☐

overwhelm

[òuvərhwélm]

2019 국가직, 지방직 9급 외 9회

동 압도하다, 뒤엎다   ■ overcome

Many people are **overwhelmed** by financial difficulties and other personal problems. 기출변형
많은 사람들이 경제적 어려움과 다른 개인적 문제들에 의해 압도된다.

3210 ☐☐☐

pulse

[pʌls]

2020 국회직 9급 외 7회

명 **맥박, 맥**　　　　　　　　■ heartbeat

동 **맥박치다, 고동치다**

어원 pul(se)[끌어내다] = 혈액을 끌어내기 위해 뛰는 맥박

During the lie detector test, the **pulse** and changes in heartbeat are recorded. (기출변형)

거짓말탐지기 검사 중에는, 맥박과 심장 박동의 변화가 기록된다.

3211 ☐☐☐

compatible

[kəmpǽtəbl]

2016 국가직 7급 외 6회

형 **(뜻이) 잘 맞는, 양립될 수 있는**　　■ suited

형 **호환이 되는**　　　　　　　　■ adaptable

They found they were **compatible** and began to date. (기출변형)

그들은 서로 잘 맞는다는 것을 알고 만나보기 시작했다.

⇄ **incompatible** 형 양립할 수 없는

➕ **compatibility** 명 양립 가능성

3212 ☐☐☐

usage

[júːsidʒ]

2019 국가직 9급 외 6회

명 **용법, 사용법**　　　　　　　■ parlance, terminology

The speed of modern communication allows new words and **usages** to spread quickly. (기출변형)

현대 정보통신의 속도는 새로운 단어들과 용법들을 빠르게 퍼지게 한다.

➕ **use** 동 사용하다

3213 ☐☐☐

shrink

[ʃriŋk]

2021 국가직 9급 외 6회

동 **줄어들다, 줄어들게 하다**　　　■ decrease

The poverty rate **shrunk** to 22 percent, due to gains made in the economy. (기출변형)

빈곤율은 경제에서 얻은 이익 때문에 22퍼센트로 줄어들었다.

3214 ☐☐☐

translation

[trænsléiʃən]

2017 국가직 9급 외 4회

명 **번역, 번역물**

명 **해석**

어원 trans[가로질러] + lat(e)[나르다] + ion[명·접] = 바다를 가로질러 나르기 위해 다른 언어로 번역함

This device provides real-time speech **translation** from one language to another. (기출변형)

이 기기는 하나의 언어에서 다른 언어로의 실시간 말 번역을 제공한다.

➕ **translate** 동 번역하다

3215 ☐☐☐

analogous

[ənǽləgəs]

2019 서울시 7급 외 4회

형 유사한　　　　　　　　■ similar, corresponding

A monkey's brain structure is **analogous** to a human's. 기출변형

원숭이의 뇌 구조는 인간의 것과 유사하다.

🔄 **dissimilar** 형 다른

3216 ☐☐☐

credibility

[krèdəbíləti]

2020 국회직 8급 외 4회

명 신뢰도, 신뢰성　　　　　　■ plausibility

The **credibility** of the government is often linked to effective economic performance. 기출변형

정부에 대한 신뢰도는 종종 효과적인 경제적 성과와 관련되어 있다.

➕ **creditable** 형 칭찬할 만한

3217 ☐☐☐

benign

[bináin]

2019 국회직 9급 외 4회

형 상냥한, 유순한　　　　　　■ benevolent

형 (종양 등이) 양성의

As we are used to **benign** fairies, it is hard for us to understand the fairies of the past. 기출변형

우리는 상냥한 요정에 익숙하기 때문에, 과거의 요정을 이해하기가 어렵다.

3218 ☐☐☐

optimal

[ɑ́ptəməl]

2020 법원직 9급 외 3회

형 최적의, 최상의　　　　　　■ ideal

Greenhouses provide the **optimal** growing conditions for crops all year round.

온실은 일 년 내내 농작물에 최적의 재배 조건을 제공한다.

3219 ☐☐☐

nonexistent

[nɑ́nəgzìstənt]

2016 법원직 9급 외 3회

형 존재하지 않는　　　　　　■ absent, vacant

Birth order differences in personality were **nonexistent** in the social scientists' sample. 기출변형

성격에 있어 태어난 순서의 차이는 사회과학자들의 표본에서는 존재하지 않았다.

3220 ☐☐☐

vague

[veig]

2014 국가직 7급 외 3회

형 모호한　　　　　　　　　■ unclear

어원 vag(ue)[빈] = 비어 있는 것처럼 실체가 잘 안 보이는, 즉 모호한

She was a little **vague** but said she would repay the loan very soon. 기출변형

그녀는 약간 모호하게나마 빠른 시간 안에 부채를 상환할 것이라고 말했다.

🌱 = 어휘 영역 출제

3221 □□□

preposterous

[pripástərəs]
2021 국가직 9급 외 3회

형 터무니없는

■ exorbitant, absurd

The kids thought building a plane was **preposterous**, so they built a wagon instead.
아이들은 비행기를 만드는 것이 터무니없다고 생각해서, 대신 마차를 만들었다.

↔ reasonable 형 타당한

3222 □□□

inventory

[ínvəntɔ̀:ri]
2020 국가직 9급 외 2회

명 목록

■ list, record

You can try making an **inventory** of the things you enjoy doing. (기출변형)
당신은 당신이 즐겨 하는 일들의 목록을 작성해 볼 수 있다.

3223 □□□

divergent

[divə́:rdʒənt]
2018 법원직 9급 외 2회

형 (의견 등이) 다른

■ different

형 갈라지는, 나뉘는

The two rivals had **divergent** opinions about what policies should be supported.
그 두 경쟁자들은 어떤 정책이 지지되어야 할지에 대해 다른 의견을 가지고 있었다.

↔ similar 형 비슷한

3224 □□□

impetus

[ímpətəs]
2014 국회직 9급 외 2회

명 추진력, 자극

■ motivation, impulse

The **impetus** for this act was the population increase during the Industrial Revolution. (기출변형)
이 법률의 추진력은 산업혁명 동안의 인구 증가였다.

3225 □□□

eccentric

[ikséntrik]
2011 국회직 8급 외 2회

형 별난, 괴짜인

■ idiosyncratic

The **eccentric** old man's yard was filled with strange decorations.
그 별난 노인의 마당에는 이상한 장식이 가득했다.

↔ ordinary 형 평범한
⊕ eccentricity 명 기행

해커스공무원 기출 보카 4000+

3226 ☐☐☐

omnipresent

[àmniprézənt]

2018 서울시 9급

형 편재하는, 어디에나 있는   ⬛ ubiquitous

The feeling of terror was **omnipresent** during the war.

그 전쟁 중에는 공포감이 편재했다.

3227 ☐☐☐

unerring

[ʌnέ:riŋ]

2014 국가직 9급

형 정확한, 틀림이 없는   ⬛ faultless

She gave **unerring** answers, each completely flawless, on the test.

그녀는 시험에서 각각 완전히 흠잡을 데 없는, 정확한 대답을 했다.

⬛ **imperfect** 형 불완전한

3228 ☐☐☐

diffident

[dífidənt]

2013 서울시 9급

형 조심스러운, 소심한   ⬛ timid

He had a **diffident** and reserved nature, and was hesitant to speak to new people.

그는 조심스럽고 내성적인 성격을 가지고 있었으며, 새로운 사람들에게 말하는 것을 주저했다.

빈출 숙어

3229 ☐☐☐

suffer from

2021 국가직 9급 외 34회

~으로 고통받다   ⬛ be affected by

More than two-thirds of all astronauts **suffer from** motion sickness while traveling in space. (기출)

모든 우주 비행사들 중 3분의 2 이상은 우주에서 여행하는 동안 멀미로 고통받는다.

3230 ☐☐☐

go wrong

2018 국가직 9급 외 5회

(일이) 잘못되다, 잘못하다   ⬛ slip

The more you allow yourself to worry, the more likely things are to **go wrong**. (기출변형)

당신이 스스로를 더 걱정되게 할수록, 일들이 잘못될 가능성이 더 커진다.

3231 ☐☐☐

with regard to

2019 서울시 9급 외 4회

~과 관련해서   ⬛ regarding

Some people have neurological problems that inhibit proper brain function **with regard to** speech. (기출변형)

몇몇 사람들은 말하기와 관련한 뇌의 적절한 작동을 방해하는 신경계 문제들을 가지고 있다.

☘ = 어휘 영역 출제

3232 □□□

keep abreast of 🌿
~에 뒤떨어지지 않게 하다　　　■ keep up with

2019 지방직 9급 외 2회

Doctors study hard to **keep abreast of** all the developments in medicine. (기출변형)

의사들은 의학에서의 모든 발전에 뒤떨어지지 않기 위해서 열심히 공부한다.

3233 □□□

be hard on
~에게 매정하게 굴다, ~를 심하게 대하다

2020 법원직 9급 외 1회

~에 나쁘다

The top student **is** often **hard on** herself when it comes to school performance. (기출변형)

그 우등생은 학교 성적에 관해서는 종종 자신에게 매정하게 군다.

3234 □□□

stay away from
~을 끊다, 가까이하지 않다

2018 지방직 9급 외 1회

We should **stay away from** alcoholic beverages for a couple of days after excessive drinking. (기출변형)

우리는 과음 후 며칠 동안은 알코올음료를 끊어야 한다.

완성 어휘

3235 fume	몡 연기; 동 연기가 나다	3258 pitfall	몡 함정, 위험
3236 lawsuit	몡 소송, 고소	3259 liability	몡 법적 책임
3237 systemicity ✔	몡 체계성, 계통성	3260 downfall	몡 몰락
3238 sniff	동 냄새를 맡다	3261 recondite	몡 많이 알려지지 않은
3239 insatiable ✔	몡 만족시킬 수 없는	3262 captive	몡 사로잡힌
3240 ascetic ✔	몡 금욕적인; 몡 금욕주의자	3263 responsive ✔	몡 즉각 반응하는
3241 exempt ✔	몡 면제된; 동 면제하다	3264 heed	동 주의를 기울이다
3242 disassemble	동 분해하다	3265 infancy	몡 유아기, 초창기
3243 regression	몡 퇴행, 퇴보	3266 incursion	몡 급습
3244 thereafter	부 그 후에	3267 prosecution	몡 기소, 소추
3245 following ✔	몡 그다음의	3268 majestic	몡 장엄한
3246 initiative	몡 주도권, 진취성	3269 contestation	몡 논쟁, 주장
3247 treacherous ✔	몡 신뢰할 수 없는	3270 throw away	버리다
3248 expound ✔	동 자세히 설명하다	3271 out of curiosity	호기심에서
3249 contravention	몡 위반	3272 to some extent	어느 정도까지, 얼마간
3250 completion	몡 완료, 완성	3273 do without ✔	없이 견디다
3251 flamboyant	몡 눈부신, 이색적인	3274 ring a bell ✔	들어본 적이 있는 것 같다
3252 incite	동 조장하다	3275 feel blue	우울하다
3253 heir	몡 상속인	3276 come through	(메시지 등이) 들어오다
3254 blue-collar	몡 육체노동자의	3277 at the cost of	~을 희생하여
3255 diagnose	동 진단하다	3278 emerge from	~에서 벗어나다
3256 refuge	몡 피난처	3279 cast doubt on	의구심을 제기하다
3257 rejection	몡 거절, 폐기	3280 put one's finger on	~을 확실히 지적하다

✔ = 어휘 영역 출제

DAY 42

■ 1회독 ■ 2회독 ■ 3회독

최빈출 단어

DAY42 음성 바로 듣기

3281 ☐☐☐

citizen

[sítəzən]

2020 국회직 9급 외 65회

명 시민, 주민   ⊟ inhabitant

어원 citi(z)[시] + en[명·접] = 도시에 사는 시민

Police officers build relationships with the **citizens** of local neighborhoods. (기출변형)

경찰관들은 지역 시민들과 관계를 형성한다.

3282 ☐☐☐

literature

[lítərətʃər]

2020 법원직 9급 외 19회

명 문학   ⊟ literary work

어원 liter[글자] + at(e)[형·접] + ure[명·접] = 여러 형태의 예술 중 글자로 된 것, 즉 문학

American **literature** begins with the legends and songs of Native American cultures. (기출변형)

미국 문학은 북미 원주민 문화의 전설과 노래들에서 시작한다.

➕ **literary** 형 문학의

3283 ☐☐☐

transfer

동 [trænsfə́:r]
명 [trǽnsfər]

2020 지방직 9급 외 17회

동 옮기다, 이동하다   ⊟ move

명 이동, 이전

어원 trans[가로질러] + fer[나르다] = 길을 가로질러 다른 곳으로 날라서 옮기다

He received notice that he should **transfer** to the branch office in Brussels. (기출변형)

그는 브뤼셀에 있는 지사로 옮겨야 한다는 통지를 받았다.

3284 ☐☐☐

apparently

[əpǽrəntli]

2019 서울시 9급 외 15회

부 분명히, 명백히   ⊟ clearly

부 보기에, 외견상으로는   ⊟ seemingly

Physicists have discovered that unknown forces are **apparently** pushing the universe apart. (기출변형)

물리학자들은 알려지지 않은 힘이 분명히 우주를 갈라놓고 있다는 것을 발견했다.

➕ **apparent** 형 분명한

해커스공무원 기출 보카 4000+

3285 ☐☐☐

via

[váiə]

2019 국회직 9급 외 14회

전 (특정한 매개를) 통해, 거쳐　　**through**

어원 via[길] = 어딘가 가기 위해 길을 통해

I learn best **via** games and group discussions. (기출변형)
나는 게임과 집단 토론을 통해 가장 잘 배운다.

3286 ☐☐☐

distinctive

[distíŋktiv]

2019 법원직 9급 외 13회

형 독특한, 특색 있는　　**unique**

The company is known for using a **distinctive** style in its marketing materials.
그 회사는 마케팅 자료에 독특한 스타일을 사용하는 것으로 유명하다.

🔄 **common** 형 흔한

➕ **distinct** 형 뚜렷한

3287 ☐☐☐

remote

[rimóut]

2020 국회직 9급 외 12회

형 외딴, 외진　　**isolated**

형 멀리 떨어진, 먼　　**distant**

어원 re[뒤로] + mot(e)[움직이다(mob)] = 뒤로 움직여 멀리 떨어져 있는, 즉 외딴

These **remote** sites in national parks offer a wonderful view of the night sky.
국립공원에 있는 이 외딴 장소들은 멋진 밤하늘 광경을 제공한다.

➕ **remotely** 부 원격으로

3288 ☐☐☐

bargain

[báːrgən]

2019 법원직 9급 외 11회

명 합의, 흥정　　**agreement**

명 할인 상품, 이득을 본 매입　　**steal**

동 협상하다, 흥정하다　　**negotiate**

The Louisiana Purchase was one of the greatest real estate **bargains** in history.
루이지애나 구입지는 역사상 가장 엄청난 부동산 합의 중 하나다.

3289 ☐☐☐

sympathy

[símpəθi]

2020 국회직 9급 외 11회

명 동정, 연민　　**compassion**

명 동조, 공감

어원 sym[함께] + path[고통을 겪다] + y[명·접] = 상대의 고통을 함께 겪는 동정, 연민

The news coverage about the flood that devastated the country aroused **sympathy**. (기출변형)
그 나라를 황폐화한 홍수에 대한 뉴스 보도는 동정을 불러일으켰다.

🔄 **indifference** 명 무관심

3290 ☐☐☐

intact

[intǽkt]

2020 국가직 9급 외 9회

형 온전한, 완전한　　　　　**≡** whole, entire

어원 in[아닌] + tact[접촉하다] = 다른 것이 접촉하지 않아 원래 그대로 온전한

Throughout the forensic investigation, the chain of evidence must remain **intact**. (기출변형)

과학 수사 내내 일련의 증거들은 온전하게 남아 있어야 한다.

↔ broken 형 고장 난

빈출 단어

3291 ☐☐☐

transparent

[trænspɛ́ərənt]

2017 지방직 7급 외 8회

형 명백한, 알기 쉬운　　　**≡** obvious, explicit

형 투명한, 속이 비치는　　　**≡** clear

The lawsuit was a **transparent** attempt by the company to silence its critics.

그 소송은 비평가들을 조용하게 만들기 위한 그 회사의 명백한 시도였다.

↔ ambiguous 형 모호한

⊕ transparency 명 투명

3292 ☐☐☐

renewable

[rinjúːəbl]

2017 서울시 7급 외 8회

형 재생 가능한

어원 re[다시] + new[새로운] + able[형·접] = 다시 새롭게 할 수 있는, 즉 재생 가능한

These products are made from **renewable** resources, such as wood. (기출변형)

이 제품들은 목재와 같이 재생 가능한 자원으로 만들어졌다.

3293 ☐☐☐

sibling

[síbliŋ]

2013 법원직 9급 외 7회

명 형제자매

Mark was responsible for helping raise his six **siblings**.

Mark는 그의 여섯 명의 형제자매들을 양육하는 것을 돕는데 책임이 있었다.

3294 ☐☐☐

nutritious

[njuːtríʃəs]

2019 국가직 9급 외 6회

형 영양분이 많은　　　　　**≡** healthful

The National School Lunch Program provides a **nutritious** lunch to all students. (기출변형)

전국적 학교 점심 프로그램은 모든 학생들에게 영양분이 많은 점심을 제공한다.

⊕ nutrition 명 영양분

3295 ☐☐☐

avert

[əvə́ːrt]

2017 서울시 9급 외 6회

통 (고개를) 돌리다, 외면하다 　　　■ turn away

통 피하다, 방지하다 　　　■ avoid

The smell of ammonia makes infants **avert** their heads. (기출변형)
암모니아의 냄새는 유아들이 고개를 돌리게 만든다.

3296 ☐☐☐

occurrence

[əkə́ːrəns]

2020 법원직 9급 외 6회

명 존재, 나타남, 발생하는 것 　　　■ event

어원 oc[향하여(ob)] + cur(r)[달리다] + ence[명·접] = 어떤 일이 나를 향해 달려옴, 즉 발생함

Myths are attempts to explain **occurrences** that people cannot understand. (기출변형)
미신은 사람들이 이해하지 못하는 존재들을 설명하려는 노력이다.

➕ occur 통 일어나다, 발생하다

3297 ☐☐☐

disastrous

[dizǽstrəs]

2018 국회직 8급 외 6회

형 끔찍한, 처참한 　　　■ terrible, destructive

We are leaving our children and grandchildren with potentially **disastrous** climate changes. (기출변형)
우리는 아이들과 손주들에게 잠재적으로 끔찍한 기후 변화를 남겨주고 있다.

3298 ☐☐☐

enrich

[inrítʃ]

2020 지방직 7급 외 5회

통 질을 높이다, 부유하게 만들다 　　　■ enhance, develop

어원 en[하게 만들다] + rich[부유한] = 부유하게 만들다

Modern technology helps us to **enrich** our lives. (기출)
현대 과학기술은 우리가 삶의 질을 높일 수 있도록 돕는다.

↔ devalue 통 평가절하하다

➕ enrichment 명 풍부하게 함, 강화

3299 ☐☐☐

entail

[intéil]

2019 서울시 7급 외 5회

통 수반하다 　　　■ cause, involve

어원 en[하게 만들다] + tail[자르다] = 어떤 것을 잘라 다른 결과가 나오게 만들다, 즉 결과를 수반하다

The techniques appeal to students because they do not **entail** training. (기출변형)
이 기술들은 훈련을 수반하지 않기 때문에 학생들에게 매력적이다.

3300 ☐☐☐

constraint

[kənstréint]

2019 서울시 7급 외 5회

명 제약, 제한   **=** restriction

어원 con[함께(com)] + strain(t)[묶다] = 다른 것과 함께 묶어 두어 못 움직이게 억누르는 제약 또는 통제

There is no time **constraint**, so you may change your answers at any time. (기출변형)

시간 제약은 없고, 당신은 언제든지 답변을 변경할 수 있습니다.

3301 ☐☐☐

glimpse

[glimps]

2018 법원직 9급 외 5회

명 짧은 경험, 잠깐 봄   **=** glance, peek

동 언뜻 보다, 흘깃 보다

The book offers a **glimpse** of what space exploration might be one day. (기출변형)

그 책은 우주 탐험이 어떠할지에 대한 짧은 경험을 제공한다.

3302 ☐☐☐

aboard

[əbɔ́ːrd]

2016 지방직 7급 외 5회

전 ~을 타고   **=** on board

부 탑승한, 승차하여

Pope Francis went back to Rome **aboard** the plane. (기출변형)

프란치스코 교황은 비행기를 타고 로마로 돌아갔다.

3303 ☐☐☐

escalate

[éskəlèit]

2016 사회복지직 9급 외 4회

동 증가되다, 확대되다   **=** increase

The cost of building nuclear power plants **escalated** as the price of materials rose. (기출변형)

원자재 가격이 오르면서 원전 건설 비용이 증가되었다.

➕ **escalation** 명 (단계적인) 상승, 증대

3304 ☐☐☐

bilingual

[bailíŋgwəl]

2018 서울시 7급 외 3회

형 이중 언어를 사용하는

It turns out that being **bilingual** makes you smarter. (기출변형)

이중 언어를 사용하는 것은 당신을 더 똑똑하게 하는 것으로 밝혀졌다.

➕ **bilingualism** 명 2개 국어 상용

3305 ☐☐☐

intensify

[inténsəfài]

2017 국가직 9급 외 3회

동 심화시키다, 강화하다　　　**=** reinforce

어원 in[안에] + tens(e)[뻗다] + ify[동·접] = 안으로 신경이 완전히 뻗을 만큼 어떤 것이 강렬하고 치열하게 심화시키다

Standardizing children's success has **intensified** their fear of failure. (기출변형)

아이들의 성공을 표준화하는 것은 실패에 대한 그들의 두려움을 심화시켜왔다.

⊕ intensely 뷔 강렬하게

3306 ☐☐☐

degrade

[digréid]

2019 서울시 7급 외 2회

동 (질을) 저하시키다, (평판을) 떨어뜨리다　　**=** deteriorate

동 분해하다, 분해되다

Cutting down forests **degraded** the soil by enabling erosion. (기출변형)

삼림을 베는 것은 침식을 가능하게 함으로써 토양의 질을 저하시켰다.

3307 ☐☐☐

proscribe

[prouskráib]

2017 지방직 7급 외 2회

동 금지하다, 배척하다　　　**=** ban, forbid

The new law **proscribed** the use of cell phones while driving.

새 법은 운전 중 휴대폰 사용을 금지했다.

3308 ☐☐☐

indefinitely

[indéfənitli]

2018 국가직 9급 외 2회

뷔 무기한으로　　　**=** endlessly

Unfortunately, the teacher-in-space program was **indefinitely** delayed. (기출변형)

안타깝게도, 우주 교사 프로그램은 무기한으로 연기되었다.

⊕ indefinite 헹 무기한의

3309 ☐☐☐

turbulent

[tə́:rbjulənt]

2019 서울시 9급 외 1회

헹 격동의, 사납게 요동치는　　**=** unstable

헹 난기류의　　　**=** stormy

We should not ignore the importance of challenge, especially in these **turbulent** economic times. (기출변형)

우리는 특히 이렇게 격동의 경제적 시기에, 도전의 중요성을 무시하면 안 된다.

⊟ peaceful 헹 평화로운

⊕ turbulence 뎽 격동, 격변

3310 ☐☐☐

efface

동 삭제하다, 지우다　　　　　**目** erase

[iféis]

2014 서울시 9급 외 1회

David decided to **efface** some lines from his document. （기출변형）

David는 자신의 문서에서 몇 줄을 삭제하기로 결정했다.

빈출 숙어

3311 ☐☐☐

originate from[in]

~에서 비롯되다, ~이 원인이다　　　**目** stem from

2018 국가직 9급 외 5회

Jazz **originated from** other styles of popular music. （기출변형）

재즈는 대중음악의 다른 양식들에서 비롯되었다.

3312 ☐☐☐

attend to

~을 돌보다, 시중들다　　　　　**目** serve

2017 국회직 9급 외 4회

~에 전념하다

Maintaining good health requires that you **attend to** your mind as well as your body. （기출）

건강을 유지하는 것은 당신의 신체뿐만 아니라 정신을 돌보는 것을 필요로 한다.

3313 ☐☐☐

with ease

쉽게　　　　　　**目** easily, simply

2020 지방직 9급 외 3회

Thanks to your help, we fixed the problem **with ease**. （기출변형）

당신의 도움 덕분에, 우리는 그 문제를 쉽게 해결했다.

3314 ☐☐☐

stand up for

두둔하다, 옹호하다　　　　　**目** support

2020 지방직 9급 외 2회

She **stood up for** him when he was being blamed for the mistake. （기출변형）

그녀는 그가 실수에 대해 비난받을 때 그를 두둔했다.

완성 어휘

3315 □□□	rack	통 괴롭히다, 고통을 주다
3316 □□□	stroke	명 뇌졸중, 타격, 치기
3317 □□□	nursery	명 양육실, 양성소
3318 □□□	doctrine	명 교리, 원칙
3319 □□□	libel	명 명예훼손
3320 □□□	sanctuary	명 보호 구역, 안식처
3321 □□□	spectator	명 관중
3322 □□□	carelessness	명 부주의, 경솔함
3323 □□□	telltale	형 숨길 수 없는
3324 □□□	utilitarian	형 실용적인, 공리주의의
3325 □□□	digress	통 주제에서 벗어나다
3326 □□□	quarrelsome	형 다투기 좋아하는
3327 □□□	discernment	명 안목
3328 □□□	unquenchable	형 충족시킬 수 없는
3329 □□□	peerless	형 (뛰어나기가) 비할 데 없는
3330 □□□	payee	명 수취인
3331 □□□	parched	형 몹시 건조한
3332 □□□	meritorious	형 칭찬할 만한
3333 □□□	vocation	명 천직, 소명
3334 □□□	invoice	명 청구서
3335 □□□	sake	명 동기, 목적
3336 □□□	immortal	형 죽지 않는
3337 □□□	precarious	형 불안정한

3338 □□□	gist	명 요지
3339 □□□	remuneration	명 보수, 보상
3340 □□□	detractor	명 중상자, 명예 훼손자
3341 □□□	exterminate	통 몰살시키다
3342 □□□	ridicule	명 조롱, 조소
3343 □□□	incongruous	형 어울리지 않는
3344 □□□	proposition	명 제의
3345 □□□	blessing	명 축복, 승인
3346 □□□	inhumane	형 비인간적인
3347 □□□	antioxidant	명 산화 방지제
3348 □□□	evacuee	명 피난민
3349 □□□	disagreeable	형 불쾌한; 명 불쾌한 일
3350 □□□	run-in	명 언쟁, 싸움
3351 □□□	catch on	유행하다, 인기를 얻다
3352 □□□	stake out	~에 대해 의견을 분명히 밝히다
3353 □□□	take the crown	왕위에 오르다
3354 □□□	portion out	분배하다, 나눠주다
3355 □□□	reason with	~를 설득하다
3356 □□□	dwell on	~을 깊이 생각하다
3357 □□□	get down to	바로 본론으로 들어가다
3358 □□□	sprain one's ankle	발목을 삐다
3359 □□□	bring out	발휘하게 하다, 끌어내다
3360 □□□	clear away	청소하다, ~을 치우다

✔ = 어휘 영역 출제

DAY 43

DAY43 음성 바로 듣기

최빈출 단어

3361 ☐☐☐

potential 🌱
[pəténʃəl]
2021 국가직 9급 외 57회

형 **가능성이 있는, 잠재적인**　　　圓 possible

명 **가능성**

Through internships, companies find **potential** employees. (기출변형)
인턴십을 통해 회사들은 가능성이 있는 직원들을 찾는다.

➕ **potentially** 뷔 잠재적으로

3362 ☐☐☐

extremely
[ikstríːmli]
2020 지방직 7급 외 39회

뷔 **극도로, 아주, 대단히**　　　圓 very, severely

어원 extr[밖에] + eme[가장 ~한] + ly[부·접] = 가장 바깥쪽으로, 즉 극도로

An overcrowded place can be **extremely** dangerous in an emergency. (기출변형)
혼잡한 장소는 비상시에 극도로 위험할 수 있다.

↔ **mildly** 뷔 약간, 가볍게

3363 ☐☐☐

evolution
[èvəlúːʃən]
2019 국가직 9급 외 34회

명 **진화, 발전, 진전**　　　圓 development

어원 e[밖으로(ex)] + vol(ve)[말다] + (u)tion[명·접] = 말려 있던 것을 밖으로 펼쳐 점점 크게 발전시킴, 즉 진화

Evolution does not always mean visible change. (기출변형)
진화가 항상 뚜렷한 변화를 의미하지는 않는다.

➕ **evolutionary** 형 진화의, 점진적인

3364 ☐☐☐

merely
[míərli]
2018 서울시 7급 외 24회

뷔 **단지**　　　圓 only, solely

He wrote his three novels **merely** to pay the rent. (기출변형)
그는 단지 방세를 내기 위해 세 편의 소설을 썼다.

3365 ☐☐☐

innocent

[ínəsənt]

2020 국회직 8급 외 22회

형 악의 없는, 순진한 　■ innocuous

형 결백한, 무죄인

어원 in[아닌] + nocent[해로운, 유죄의] = 해를 끼치지 않는, 악의 없는

An **innocent** gesture could cause offense if you don't understand the culture. (기출변형)

만약 당신이 문화를 이해하지 못하면, 악의 없는 행동이 기분을 상하게 할 수 있다.

⬛ **guilty** 형 유죄의, 죄책감이 드는
➕ **innocence** 명 결백, 무죄

3366 ☐☐☐

destruction 🌱

[distrʌ́kʃən]

2019 국회직 9급 외 21회

명 붕괴, 파괴, 말살 　■ annihilation

어원 de[아래로] + struct[세우다] + ion[명·접] = 세운 것을 아래로 무너뜨리는 행위, 즉 붕괴

Firefighters saved the building from total **destruction**. (기출변형)

소방관들은 그 건물을 완전한 붕괴로부터 구했다.

➕ **destructive** 형 파괴적인, 해로운

3367 ☐☐☐

loan

[loun]

2018 서울시 7급 외 20회

명 대출, 융자 　■ credit, advance

동 빌려주다, 대출해주다 　■ lend, advance

I regret to inform you that your application for a **loan** was not approved. (기출변형)

당신의 대출 신청이 승인되지 않았다는 것을 알리게 되어 유감입니다.

3368 ☐☐☐

accessible

[æksésəbl]

2019 지방직 9급 외 15회

형 이용 가능한, 접근 가능한 　■ available, on hand

어원 ac[~에(ad)] + cess[가다] + ible[~할 수 있는] = ~에 가까이 갈 수 있는, 즉 이용 가능한

Today, virtual-reality technology has become widely **accessible**. (기출변형)

오늘날 가상현실 기술은 널리 이용 가능해졌다.

⬛ **inaccessible** 형 이용 불가능한
➕ **accessibility** 명 접근성

3369 ☐☐☐

arbitrary

[ɑ́ːrbətrèri]

2019 서울시 9급 외 13회

형 제멋대로인, 임의적인 　■ random, chance

Patients considered the hospital policies to be **arbitrary**, not based on patient need. (기출변형)

환자들은 병원의 정책들이 환자의 요구에 기초하지 않고 제멋대로라고 간주했다.

⬛ **logical** 형 논리적인

3370 □□□

arrival

[əráivəl]

2020 지방직 7급 외 11회

명 도착

= coming, entry

The heavy snow delayed the train, and I was worried about my **arrival** at home. (기출변형)

폭설이 기차를 지연시켰고, 나는 내가 집에 도착하는 것에 대해 걱정했다.

↔ departure 명 출발, 떠남

빈출 단어

3371 □□□

obligation

[àbləgéiʃən]

2019 서울시 9급 외 8회

명 의무, 마땅히 해야 할 일

= duty

어원 ob[향하여] + lig(e)[묶다] + ation[명·접] = 어떤 일을 향하도록 묶어두는 의무

You have no **obligation** to say what the other person wants to hear. (기출)

당신은 다른 사람이 듣고 싶은 말을 할 의무가 없다.

➕ obligatory 형 의무적인, 강제적인

3372 □□□

segment

명 [ségmənt]
동 [ségmént]

2019 국가직 9급 외 8회

명 부분, 조각

= section, piece

동 나누다, 분열시키다

= divide

어원 seg[자르다] + ment[명·접] = 전체에서 잘려 나온 부분, 조각

The printing press made information available to a much larger **segment** of the population. (기출변형)

인쇄기는 인구의 훨씬 더 많은 부분이 정보를 이용할 수 있게 만들었다.

3373 □□□

superstition

[sù:pərstíʃən]

2017 서울시 7급 외 7회

명 미신

= myth

어원 super[넘어서] + stit[서다] + ion[명·접] = 상식선을 넘어선 미신

In modern America, **superstitions** are seen as nothing more than the beliefs of a weak mind. (기출변형)

현대 미국에서, 미신은 심약한 사람들의 믿음에 불과한 것으로 간주된다.

↔ science 명 과학

➕ superstitious 형 미신적인

3374 □□□

deception

[disépʃən]

2023 지방직 9급 외 6회

명 속임수, 기만, 사기

= trick, fraud

어원 de[떨어져] + cep[취하다(ceive)] + tion[명·접] = 다른 이의 것을 몰래 취하여 도망쳐 떨어짐, 즉 속임수

A lack of eye contact is considered a sign of **deception**. (기출변형)

눈 맞춤의 부족은 속임수의 신호로 여겨진다.

➕ deceptive 형 속이는, 기만하는

3375 □□□

fulfill

[fulfíl]

2019 서울시 9급 외 6회

| 통 (소망·야심 등을) 달성하다, 성취하다 | ■ accomplish, achieve |

| 통 이행하다, 실행하다 | ■ implement |

어원 full[가득] + fill[채우다] = 요구받은 대로 가득 채워 임무를 달성하다

By opening a restaurant, she **fulfilled** a lifelong dream of owning her own business. 기출변형

식당을 개업함으로써, 그녀는 자신 소유의 사업을 운영하겠다는 평생의 꿈을 달성했다.

◀ neglect 통 방치하다

⊕ fulfillment 명 이행, 달성

3376 □□□

hamper 🌿

[hǽmpər]

2020 국회직 8급 외 5회

| 통 방해하다, 저지하다 | ■ hinder |

Irrational regulations are **hampering** free competition and the creativity of businesses. 기출변형

비합리적인 규제들이 자유 경쟁과 기업체들의 창의력을 방해하고 있다.

3377 □□□

stir

[stəːr]

2017 지방직 7급 외 5회

| 통 자극하다, 마음을 흔들다 | ■ stimulate |

| 통 휘젓다 | ■ mix, blend |

Some writers' messages may have moved people in the past, but they do not **stir** us today. 기출변형

몇몇 작가들의 메시지는 과거에는 사람들의 생각을 변화시켰을 수도 있지만, 오늘날 우리를 자극하지는 않는다.

3378 □□□

fusion

[fjúːʒən]

2019 지방직 7급 외 4회

| 명 융합, 결합 | ■ combination, bonding |

Ethnicity refers to the **fusion** of many traits that belong to the nature of any ethnic group. 기출변형

민족성은 어떤 민족 집단의 본성에 속하는 여러 특징들의 융합을 일컫는다.

3379 □□□

scope

[skoup]

2019 서울시 7급 외 4회

| 명 범위 | ■ range |

| 명 기회, 여지, 능력 | |

In some countries, society sets limits on the **scope** of action of the government. 기출변형

어떤 국가들에서는 사회가 정부의 행동 범위에 제한을 둔다.

3380 ☐☐☐

gregarious

[grigɛ́əriəs]

2017 서울시 9급 외 4회

형 사교적인, 남과 어울리기 좋아하는　■ sociable

형 무리의, 군집의　■ organized

Unlike his **gregarious** brother, Robert is a shy person, who does not like to make many friends. (기출변형)

그의 사교적인 형제와 달리, Robert는 친구들을 많이 만들기를 싫어하는 내성적인 사람이다.

↔ **reserved** 형 내성적인

3381 ☐☐☐

provisional ✔

[prəvíʒənl]

2020 지방직 7급 외 3회

형 잠정적인, 일시적인　■ tentative

Physical theories are **provisional**, in the sense that they can be changed in the future. (기출변형)

물리학 이론들은 미래에 바뀔 수 있다는 점에서 잠정적이다.

↔ **permanent** 형 영구적인, 불변의

＋ **provision** 명 공급, 제공

3382 ☐☐☐

irreversible

[ìrivə́ːrsəbl]

2018 국회직 9급 외 3회

형 되돌릴 수 없는　■ irrevocable

If a stroke is not treated promptly, damage to the brain can be **irreversible**.

만약 뇌졸중이 즉시 치료되지 않으면, 뇌의 손상은 되돌릴 수 없을 수 있다.

↔ **reversible** 형 되돌릴 수 있는

3383 ☐☐☐

tenacious ✔

[tənéiʃəs]

2012 지방직 7급 외 2회

형 끈질긴, 지속적인　■ persistent

형 집요한, 완강한　■ resolute

As a lawyer, he is **tenacious** in defending the innocent.

변호사로서, 그는 무고한 사람들을 변호하는데 있어 끈질기다.

↔ **irresolute** 형 결단력이 없는

＋ **tenacity** 명 끈기

3384 ☐☐☐

inexorable

[inéksərəbl]

2017 서울시 7급 외 2회

형 멈출 수 없는, 굽힐 수 없는　■ unstoppable

형 냉혹한, 무정한

It is **inexorable** that the economy will worsen because of the pandemic.

전염병으로 인해 경제가 나빠지는 것은 멈출 수 없다.

3385 □□□

uncover

[ʌnkʌ́vər]

2014 국가직 9급 외 2회

⑧ 알아내다, 폭로하다 · reveal, expose

⑧ 덮개를 벗기다

어원 un[아닌] + cover[덮다] = 덮여서 가려져 있던 것을 아닌 상태로 만들다, 즉 알아내다

Kepler **uncovered** three laws of planetary motion. 기출변형
케플러는 행성 운동의 세 가지 법칙을 알아냈다.

↔ **conceal** ⑧ 숨기다

3386 □□□

discharge

[distʃɑ́ːrdʒ]

2018 국회직 8급 외 2회

⑧ 해고하다, 방출하다 · dismiss

⑧ 석방하다 · release

The employee was **discharged** for making numerous errors.
그 직원은 수많은 오류를 범한 것 때문에 해고되었다.

3387 □□□

inconceivable

[ìnkənsíːvəbəl]

2021 국가직 9급 외 1회

⑱ 상상할 수 없는, 생각조차 할 수 없는 · unbelievable

It was **inconceivable** that the factory manager did not know about the safety problems.
그 공장장이 안전 문제들을 몰랐다는 것은 상상할 수도 없었다.

3388 □□□

visionary

[víʒənèri]

2018 법원직 9급

⑱ 선견지명이 있는, 예지력 있는 · insightful

⑱ 환영의, 환각의

⑲ 예언자

The **visionary** toy company bought the rights of a small object which later became known as the Frisbee. 기출변형
그 선견지명이 있는 장난감 회사는 나중에 Frisbee로 알려지게 된 작은 물체의 권리를 샀다.

빈출 숙어

3389 □□□

turn into 🌱

2022 지방직 9급 외 13회

~으로 바뀌다, 변하다 · convert into

Cruise tours **turned** the old town **into** a tourist spot. 기출변형
크루즈 투어는 그 오래된 도시를 관광지로 바꾸었다.

🌱 = 어휘 영역 출제

3390 ☐☐☐

be prone to

~ 하기 쉽다 ▪ likely to

2019 법원직 9급 외 10회

Faster vehicles **are** more **prone to** accidents than slower ones. (기출변형)

더 빠른 차량들은 더 느린 것들보다 사고가 나기 쉽다.

3391 ☐☐☐

by oneself

혼자서, 스스로 ▪ independently

2016 국가직 7급 외 6회

The paper was better than the one I would have written **by myself**. (기출변형)

그 논문은 내가 혼자서 썼을 논문보다 더 나았다.

3392 ☐☐☐

hand over

넘겨주다, 인도하다 ▪ give

2020 국회직 9급 외 5회

I'll **hand** it **over** to you as soon as the document is ready. (기출변형)

나는 서류가 준비되는 대로 그것을 당신에게 넘겨줄 것이다.

3393 ☐☐☐

break off

(말을) 멈추다, 중단하다

분리되다, 떨어져 나가다

She **broke off** near the end of the story, so we never learned the ending.

그녀가 이야기의 말미에서 말을 멈추었기 때문에, 우리는 결말을 결코 알지 못했다.

3394 ☐☐☐

get well

회복하다, 병이 나아지다 ▪ recover

2011 지방직 9급 외 1회

Patients **got well** much faster after taking the experimental medication.

환자들은 실험용 약을 복용한 후 훨씬 빨리 회복되었다.

3395	tumble	통 크게 추락하다
3396	withstand	통 견뎌내다, 이겨내다
3397	incipient	형 초기의, 발단의
3398	steadfast	형 변함없는
3399	orthodox	형 정통파의
3400	commotion	명 소동, 소란
3401	flexibility	명 융통성, 유연성
3402	persecution	명 박해, 학대
3403	abdicate	통 퇴위하다, 책무를 다하지 못하다
3404	resistive	형 저항력 있는, 저항성의
3405	precursor	명 전조, 선도자
3406	incremental	형 증가하는, 증대하는
3407	shudder	통 몸을 떨다, 몸서리치다
3408	justly	부 바르게, 공정하게
3409	applied	형 응용의
3410	borderline	명 경계
3411	imperishable	형 불멸의, 불후의
3412	outburst	명 (감정의) 분출
3413	humanely	부 자비롭게, 인도적으로
3414	self-sufficient	형 자급자족하는
3415	forge	통 위조하다
3416	outrageous	형 충격적인, 터무니없는
3417	abet	통 사주하다
3418	ornament	명 장식품; 통 장식하다
3419	cozy	형 아늑한
3420	rife	형 만연한, 가득 찬
3421	rob	통 강도질하다, 털다
3422	disembark	통 (배·비행기에서) 내리다
3423	glimmering	명 희미한 빛, 미광
3424	asteroid	명 소행성
3425	backer	명 후원자
3426	supple	형 유연한
3427	malpractice	명 위법 행위, 의료 과실
3428	repossess	통 회수하다, 압류하다
3429	tuck	통 밀어 넣다
3430	interracial	형 다른 인종 간의
3431	head-on	형 정면으로 대응하는
3432	take pride in	~을 자랑하다
3433	hard feelings	적의, 악감정
3434	put up money	(돈을) 마련하다, 치르다
3435	give ~ a break	~를 너그럽게 봐주다
3436	beat back	~을 격퇴하다
3437	come upon	우연히 떠오르다
3438	to the effect	~이라는 의미의
3439	in full	전부, 빠짐없이
3440	stick one's nose in	~에 참견하다, 간섭하다

✔ = 어휘 영역 출제

DAY 44

■ 1회독 ■ 2회독 ■ 3회독

DAY44 음성 바로 듣기

최빈출 단어

3441 ☐☐☐

consequence

[kάːnsəkwèns]

2019 서울시 9급 외 41회

명 결과　　　　　　　　　　　■ result, outcome

어원　con[함께(com)] + sequ[따라가다] + ence[명·접] = 어떤 행위를 함께 따라가서 나오는 결과

If we don't protect Antarctica from tourism, there may be serious **consequences** for us all. (기출)

우리가 남극 대륙을 관광으로부터 보호하지 않으면, 우리 모두에게 심각한 결과가 있을 수도 있다.

↔ **cause** 명 원인

⊕ **consequently** 부 그 결과, 따라서

3442 ☐☐☐

civilization

[sìvəlizéiʃən]

2019 서울시 7급 외 28회

명 문명, 문명사회　　　　　　　　■ culture, customs

The oldest known human **civilization** arose 6,000 years ago in Mesopotamia.

알려진 가장 오래된 인류 문명은 6,000년 전 메소포타미아에서 시작되었다.

⊕ **civilized** 형 문명화된, 교양 있는

3443 ☐☐☐

intellectual

[ìntəléktʃuəl]

2019 서울시 9급 외 23회

형 지적인, 지능의　　　　　　　　■ mental, cerebral

어원　intel[사이에(inter)] + lect[선택하다] + ual[형·접] = 여러 사이에서 맞는 답을 선택하는 지성의, 지적 능력의

The government uses several policy tools to protect **intellectual** property. (기출변형)

정부는 지적 재산권을 보호하기 위해 몇몇 정책 수단들을 이용한다.

↔ **physical** 형 물리적인, 신체의

3444 ☐☐☐

considerable

[kənsídərəbl]

2019 국회직 8급 외 21회

형 상당한, 많은　　　　　　　　■ substantial, significant

The environmental damage of the policy has caused **considerable** controversy. (기출변형)

그 정책으로 인한 환경 훼손은 상당한 논란을 초래했다.

↔ **minor** 형 작은, 사소한

⊕ **considerably** 부 상당히, 많이

3445 ☐☐☐

conference

[kάːnfərəns]

2020 지방직 7급 외 19회

명 학회, 회의   ■ congress, meeting

어원 con[함께(com)] + fer[나르다] + ence[명·접] = 여럿이 함께 안건을 날라와서 하는 학회

An engineer gave a talk at a glass technology conference. (기출변형)

공학자가 유리 기술 학회에서 강연했다.

3446 ☐☐☐

acceptable 🌱

[æksép təbl]

2020 국가직 9급 외 18회

형 용인되는, 허용되는   ■ satisfactory, adequate

The interview is a socially acceptable way of collecting information. (기출변형)

인터뷰는 사회적으로 용인되는 정보 수집 방법이다.

🔄 unacceptable 형 용납할 수 없는, 받아들일 수 없는

➕ acceptance 명 수락

3447 ☐☐☐

prompt

[prɑːmpt]

2020 국가직 9급 외 13회

동 자극하다, 촉진하다   ■ induce, motivate

형 재빠른, 날쌘, 기민한   ■ quick, swift

어원 pro[앞으로] + (e)mpt[취하다] = 생각, 자세 등을 취한 것이 앞으로 드러나게 자극하다

Fear of losing savings prompted many people to remove their funds from banks. (기출변형)

예금 손실에 대한 두려움은 많은 사람들이 은행으로부터 그들의 자금을 옮기도록 자극했다.

🔄 discourage 동 낙담시키다, 열의를 꺾다

➕ promptly 부 즉시, 지체 없이

3448 ☐☐☐

assess 🌱

[əsés]

2020 법원직 9급 외 9회

동 평가하다, 산정하다   ■ evaluate, rate

동 (세금·회비 따위를) 부과하다   ■ tax, levy

어원 as[~쪽으로(ad)] + sess[앉다(sid)] = 어떤 것 쪽으로 앉아 자세히 보고 그것을 평가하다

The public uses different measures to assess the state of the economy. (기출변형)

대중은 경제 상태를 평가할 때 서로 다른 기준들을 사용한다.

➕ assessment 명 평가

3449 ☐☐☐

deprive

[dipráiv]

2019 국회직 9급 외 9회

동 빼앗다, 박탈하다   ■ strip, rob

어원 de[떨어져] + priv(e)[떼어놓다] = 소유했던 것에서 떨어뜨려 떼어놓다, 즉 그것을 빼앗다

Plants under water for longer than a week are deprived of oxygen. (기출변형)

일주일 이상 물에 잠긴 식물은 산소를 빼앗긴다.

➕ deprivation 명 박탈

🌱 = 어휘 영역 출제

3450 ☐☐☐

integrity

[intégrəti]

2018 지방직 7급 외 9회

명 성실함, 진실성　≡ honesty, sincerity

명 (나뉘지 않고) 완전한 상태, 완전성　≡ unity

Regarding her work performance, I have no doubt about her **integrity**. 기출변형

그녀의 직무 실적과 관련하여, 나는 그녀의 성실함에 대해서 의심하지 않는다.

↔ **dishonesty** 명 불성실, 부정직

➕ **integrate** 동 통합시키다

빈출 단어

3451 ☐☐☐

despair

[dispέər]

2019 국가직 9급 외 7회

명 절망　≡ distress, anguish

동 절망하다, 체념하다　≡ be discouraged

어원 de[떨어져] + spair[희망] = 희망에서 떨어진 상태, 즉 절망

His hope changed to **despair** after he heard the news of his wife's death.

아내의 죽음 소식을 접한 후로, 그의 희망은 절망으로 바뀌었다.

↔ **hope** 명 희망, 기대

3452 ☐☐☐

involvement

[invá:lvmənt]

2016 국회직 8급 외 7회

명 개입, 관여　≡ participation

명 몰두, 열중

According to theories of capitalism, there is no need for government **involvement** in the marketplace. 기출변형

자본주의 이론들에 따르면, 시장에 정부의 개입은 필요 없다.

3453 ☐☐☐

interrupt

[ìntərʌ́pt]

2020 지방직 9급 외 5회

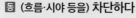

동 방해하다, 중단시키다　≡ obstruct, impede

동 (흐름·시야 등을) 차단하다　≡ halt, cease

어원 inter[사이에] + rupt[끼다] = 사이에 끼어들어 연결을 깨서 방해하다

It is not desirable to **interrupt** one's reading to look up unfamiliar words. 기출변형

낯선 단어를 찾아보기 위해 독서를 방해하는 것은 바람직하지 않다.

➕ **interruption** 명 중단, 방해

3454 ☐☐☐

outweigh

[àutwéi]

2020 법원직 9급 외 4회

동 능가하다, ~보다 중대하다　■ override

동 ~보다 더 무겁다　■ be heavier than

어원 out[더 ~한] + weigh[무게가 나가다] = 무게가 더 나가다, 즉 다른 것을 능가하다

The harmful effects of lying might possibly be **outweighed** by the benefits of it. 기출변형

거짓말하는 것의 해로운 영향은 어쩌면 그것의 이득에 의해 능가될 수도 있다.

3455 ☐☐☐

scrutinize

[skrú:tənàiz]

2019 서울시 7급 외 4회

동 자세히 보다, 세밀히 조사하다　■ inspect, survey

I zoomed in on the picture to **scrutinize** the details. 기출변형

나는 세부 사항을 자세히 보기 위해 사진을 확대했다.

↔ **glance at** 힐끗 보다

⊕ **scrutiny** 명 정밀 조사

3456 ☐☐☐

disclose

[disklóuz]

2019 국가직 9급 외 4회

동 밝히다, 폭로하다　■ reveal, divulge

어원 dis[반대의] + clos(e)[닫다] = 닫혀서 안 보이던 것을 반대 상태로 만들다, 즉 밝히다

The chef refused to **disclose** the trick to making his famous fried chicken.

그 주방장은 그의 유명한 프라이드치킨을 만드는 비법을 밝히는 것을 거부했다.

↔ **conceal** 동 숨기다, 가리다

⊕ **disclosure** 명 폭로

3457 ☐☐☐

obliterate

[əblítərèit]

2019 국회직 9급 외 3회

동 (흔적을) 없애다, 지우다　■ eradicate

The tornadoes **obliterated** everything in their path. 기출변형

토네이도들이 그들의 경로에 있는 모든 것을 없애버렸다.

↔ **create** 동 만들다, 창조하다

⊕ **obliteration** 명 말소, 삭제

3458 ☐☐☐

weary

[wíəri]

2020 국가직 9급 외 3회

형 지친, 피곤한　■ tired, exhausted

However **weary** you may be, you must finish your assignment. 기출변형

아무리 지쳤더라도, 당신은 당신의 과제를 끝마쳐야 한다.

↔ **energetic** 형 힘이 넘치는

⊕ **weariness** 명 피로, 권태

3459 ☐☐☐

conquest

[kάːŋkwest]

2018 서울시 7급 외 3회

명 정복

명 점령지

Germs from domestic animals played decisive roles in the European **conquests**. (기출변형)

가축에서 온 세균은 유럽인들의 정복에 결정적인 역할을 했다.

⇄ **victory** 명 승리

➕ **conqueror** 명 정복자

3460 ☐☐☐

invoke

[invóuk]

2019 국회직 8급 외 3회

동 (규칙 등을) 들먹이다, 적용하다　　■ apply, cite

Instead of talking to the police, the suspect **invoked** his right to remain silent.

경찰에게 말하는 것 대신, 그 용의자는 침묵을 유지할 권리를 들먹였다.

3461 ☐☐☐

handy 🌱

[hǽndi]

2016 국가직 7급 외 3회

형 유용한, 편리한　　■ useful, practical

형 가까운, 이용하기 편한 곳에 있는　　■ accessible

A kayak is a **handy** vehicle for traveling between small islands. (기출변형)

카약은 작은 섬들 사이를 여행하기에 유용한 운송 수단이다.

⇄ **useless** 형 쓸모없는

3462 ☐☐☐

illusion

[ilúːʒən]

2016 사회복지직 9급 외 3회

명 환상　　■ delusion, fantasy

어원 il[안에] + lus[놀다] + ion[명·접] = 머리 안에서 제멋대로 노는 것, 즉 환상

People hold on to the **illusion** that money will solve their problems.

사람들은 돈이 그들의 문제를 해결할 것이라는 환상을 고수한다.

➕ **illusive** 형 환상에 불과한, 착각의

3463 ☐☐☐

eloquent 🌱

[éləkwənt]

2015 법원직 9급 외 3회

형 말을 잘하는, 능변의　　■ persuasive, fluent

형 감정을 드러내는　　■ expressive

Though she was **eloquent**, she could not persuade him. (기출변형)

비록 그녀는 말을 잘했지만, 그를 설득할 수는 없었다.

➕ **eloquence** 명 웅변, 능변

3464 ☐☐☐

dimension

[diménʃən]
2021 국가직 9급 외 2회

명 관점, 차원　　　■ aspect

Maslach sees burnout as consisting of three interrelated **dimensions**. (기출)
Maslach는 번아웃 현상을 세 가지의 밀접하게 연관된 관점들을 포함하는 것으로 보았다.

3465 ☐☐☐

secretive 🌱

[síːkritiv]
2019 서울시 9급 외 2회

형 비밀스러운, 숨기는　　　■ secret

Dracula ants are **secretive** predators, as they prefer to hunt in underground tunnels. (기출변형)
드라큘라 개미는 지하 터널에서 사냥하는 것을 선호하기 때문에 비밀스러운 포식자들이다.

↔ **open** 형 공개된

3466 ☐☐☐

burglar

[bə́ːrglər]
2018 서울시 7급 외 2회

명 강도, 절도범　　　■ robber, intruder

The alarm rang when the **burglar** tried to open the door. (기출변형)
강도가 문을 열려고 할 때 경보 장치가 울렸다.

➕ **burglary** 명 절도

3467 ☐☐☐

infectious

[infékʃəs]
2015 국가직 9급 외 2회

형 전염성의　　　■ contagious

어원 in[안에] + fec(t)[만들다] + (i)ous[형·접] = 세균이 몸 안에서 병을 만든, 즉 전염성의

Infectious diseases like the flu developed as specialized germs. (기출변형)
독감과 같은 전염병들은 특수화된 세균으로 발달하기 시작했다.

➕ **infection** 명 감염

3468 ☐☐☐

quintessential 🌱

[kwintəsénʃəl]
2018 서울시 9급 외 1회

형 전형적인　　　■ archetypal

Hamburgers and French fries are the **quintessential** American meal. (기출변형)
햄버거와 감자튀김은 전형적인 미국식 식사이다.

3469 ☐☐☐

unveil 🌱

[ənvéil]
2017 국가직 9급 외 1회

동 공개하다, 발표하다　　　■ release, bring out

동 덮개를 벗기다　　　■ reveal

The shopping mall **unveiled** new luxury boutiques. (기출변형)
그 백화점은 새로운 고급 부티크를 공개했다.

🌱 = 어휘 영역 출제

3470 □□□

measurable

[méʒərəbl]

2017 국가직 9급 외 1회

형 측정 가능한

형 눈에 띄는, 주목할 만한　　　**= perceptible**

Numbers can be applied to **measurable** quantities such as length. 기출변형

숫자는 길이와 같은 측정 가능한 수량에 적용될 수 있다.

↔ imperceptible 형 알아차릴 수 없는, 미세한

⊕ measurably 부 주목할 정도로, 측정할 수 있게

빈출 숙어

3471 □□□

consist of

2020 국가직 9급 외 27회

~으로 구성되다　　　**= be composed of**

The building **consisted of** a wooden structure. 기출변형

그 건물은 목재 구조물로 구성되었다.

3472 □□□

look up to

2019 법원직 9급 외 5회

~를 존경하다　　　**= admire, cherish**

The soldiers all **looked up to** the general as their leader. 기출변형

군인들은 그들의 리더로서 그 장군을 존경했다.

↔ look down on ~를 낮춰 보다, 얕보다

3473 □□□

ward off

2014 국가직 7급 외 3회

~을 피하다　　　**= avert, stave off**

In the past, people used special decorations to **ward off** evil spirits.

과거에, 사람들은 악령을 피하기 위해 특별한 장식들을 사용했다.

3474 □□□

take notice of

2016 법원직 9급 외 1회

~을 알아차리다, 신경 쓰다　　　**= mark, note**

He doesn't **take notice of** anything except sports. 기출변형

그는 스포츠를 제외한 그 어느 것도 알아차리지 못한다.

↔ overlook 동 간과하다, 못 보고 넘어가다

완성 어휘

3475 □□□	lukewarm 🌱	형 열의가 없는, 미지근한
3476 □□□	inextricably 🌱	부 밀접하게, 불가분하게
3477 □□□	encapsulate 🌱	동 요약하다, 압축하다
3478 □□□	void	형 텅 빈, 공허한
3479 □□□	plasticity 🌱	명 탄력성, 유연성, 가소성
3480 □□□	loquacious 🌱	형 말이 많은, 수다스러운
3481 □□□	overturn	동 뒤엎다, 철회하다
3482 □□□	pinnacle 🌱	명 정점, 절정
3483 □□□	felicitous 🌱	형 아주 적절한
3484 □□□	stash 🌱	동 넣어 두다
3485 □□□	fragrant	형 향기로운, 향긋한
3486 □□□	compulsion	명 강요
3487 □□□	creditable	형 칭찬할 만한
3488 □□□	inhale	동 숨을 들이쉬다
3489 □□□	briskly	부 힘차게, 활발하게
3490 □□□	digestive	형 소화의
3491 □□□	derogate 🌱	동 폄하하다, 헐뜯다
3492 □□□	unintentional	형 고의가 아닌
3493 □□□	surreal	형 비현실적인, 꿈 같은
3494 □□□	quantification	명 수량화
3495 □□□	necessitate	동 필요로 하다
3496 □□□	sin	명 (종교·도덕상의) 죄악
3497 □□□	dispel	동 없애다, 떨쳐 버리다
3498 □□□	fortify	동 강화하다, 튼튼히 하다
3499 □□□	pledge 🌱	명 맹세; 동 맹세하다
3500 □□□	nuisance	명 성가신 것, 골칫거리
3501 □□□	proprietor	명 소유주
3502 □□□	indefatigable	형 지칠 줄 모르는
3503 □□□	stain	명 얼룩
3504 □□□	convene	동 소집하다
3505 □□□	midland	명 내륙부, 중부 지방
3506 □□□	burdensome	형 부담스러운, 힘든
3507 □□□	retrace	동 되짚어가다
3508 □□□	impersonal	형 인간미 없는
3509 □□□	economize	동 아끼다, 절약하다
3510 □□□	sacred	형 성스러운
3511 □□□	follow up on 🌱	~을 끝까지 하다
3512 □□□	come between	~ 사이에 오다
3513 □□□	impel A to B	A가 압박감에 B하게 만들다
3514 □□□	play up to 🌱	~에게 아부하다
3515 □□□	through thick and thin	좋을 때나 안 좋을 때나
3516 □□□	by and large	대체로
3517 □□□	count out	빼다, 배제하다
3518 □□□	cut off	차단하다
3519 □□□	stand aside	물러나다
3520 □□□	fight to the death	최후까지 싸우다

DAY 45

■ 1회독 ■ 2회독 ■ 3회독

최빈출 단어

DAY45 음성 바로 듣기

3521 ☐☐☐

factor

[fǽktər]

2020 국가직 9급 외 75회

명 요소, 요인　　　　　　　■ element

어원 fac(t)[행하다, 만들다] + or[명·접] = 어떤 일을 행하거나 어떤 것을 만드는 데 필요한 요소

A life-satisfaction survey included the four key **factors** of job satisfaction. (기출변형)

삶의 만족도 조사는 직업 만족도에 있어서 네 가지 주요 요소를 포함했다.

➕ **factor in** 고려하다, 감안하다

3522 ☐☐☐

genetic

[dʒənétik]

2020 법원직 9급 외 35회

형 유전의, 유전자의　　　　　■ inherited

어원 gene[유전자] + tic[형·접] = 유전의, 유전자의

The **genetic** patterns of the potato indicate where it originated from. (기출변형)

감자의 유전적 패턴은 그것이 어디에서 유래되었는지를 나타낸다.

➕ **genetically** 부 유전적으로

3523 ☐☐☐

construction

[kənstrʌ́kʃən]

2020 국가직 9급 외 33회

명 건설, 공사　　　　　　　■ establishment

어원 con[함께(com)] + struct[세우다] + ion[명·접] = 여러 재료를 함께 사용해 건물을 세움, 즉 건설

The committee decided to cease the **construction** of the building. (기출변형)

위원회는 그 건물의 건설을 멈추기로 결정했다.

3524 ☐☐☐

continuously

[kəntínjuəsli]

2020 국회직 8급 외 15회

부 계속해서, 연달아　　　　　■ consistently

Car exports have been **continuously** decreasing since last year. (기출변형)

자동차 수출은 작년 이후로 계속해서 감소하고 있다.

3525 ☐☐☐

irritate

[írətèit]

2019 서울시 7급 외 15회

통 (피부 등을) 자극하다　　■ hurt, aggravate

통 짜증 나게 하다　　■ annoy, vex

Bathing your pet too often can **irritate** its skin. 기출변형
당신의 애완동물을 너무 자주 목욕시키는 것은 그것의 피부를 자극할 수 있다.

➊ **irritable** 혱 짜증을 잘 내는

3526 ☐☐☐

justify

[dʒʌ́stəfài]

2023 지방직 9급 외 12회

통 정당화하다　　■ vindicate

어원 just[올바른] + ify[동·접] = 올바른 것으로 만들다, 즉 정당화하다

Sometimes, myths are used to **justify** the way a society lives. 기출변형

때때로, 신화는 한 사회가 살아가는 방식을 정당화하기 위해 사용된다.

➊ **justification** 몡 정당화

3527 ☐☐☐

bond

[bɑːnd]

2019 서울시 7급 외 12회

몡 유대, 결속　　■ attachment, tie

몡 채권

어원 bond[묶다] = 하나로 묶는 것, 사람들을 하나로 묶는 유대감

The program volunteers formed strong **bonds** of friendship. 기출변형
그 프로그램의 자원봉사자들은 단단한 우정의 유대를 형성했다.

➊ **bondage** 몡 구속

3528 ☐☐☐

deter

[dités:r]

2015 사회복지직 9급 외 11회

통 막다, 단념시키다　　■ dissuade

통 예방하다　　■ prevent

Economists have tried to calculate what **deters** criminals. 기출
경제학자들은 무엇이 범죄자들을 막는지를 계산하려고 노력했다.

■ **encourage** 통 격려하다
➊ **deterrent** 몡 걸림돌, 제지하는 것

3529 □□□

submit

[səbmít]

2024 지방직 9급 외 11회

통 제출하다 · present, hand in

통 항복하다, 복종하다 · yield, give in

Interested applicants must **submit** a cover letter by next Friday. (기출변형)

관심이 있는 지원자들은 다음 주 금요일까지 자기소개서를 제출해야 한다.

➕ submission 명 굴복, 항복

3530 □□□

invade

[invéid]

2019 서울시 7급 외 9회

통 침략하다, 침입하다 · raid, plunder

어원 in[안에] + vad(e)[가다] = 다른 대상의 영역 안에 쳐들어가다, 즉 침략하다

If the country hadn't **invaded** its neighboring countries, war might have been avoided. (기출변형)

만일 그 나라가 이웃 국가들을 침략하지 않았더라면, 전쟁을 피했을 수도 있었다.

빈출 단어

3531 □□□

sphere

[sfiər]

2018 서울시 9급 외 8회

명 구체 · globe

명 영역, 지역 · area

어원 sphere[구] = 구, 구체(구 모양의 물체)

The Moon is almost a perfect **sphere**, with its diameter differing about 1 percent in any direction. (기출변형)

달은 거의 완벽한 구체로, 그 지름이 어느 방향에서나 1퍼센트 정도만 다르다.

➕ spherical 형 구 모양의

3532 □□□

evoke

[ivóuk]

2019 국회직 8급 외 7회

통 일깨우다, 자아내다 · call up, invoke

통 (기억 따위를) 되살려내다, 환기하다 · recall

어원 e[밖으로(ex)] + vok(e)[부르다] = 기억, 감정 등을 밖으로 불러 일깨우다

Modern art focuses on what feelings each of its elements **evokes**. (기출변형)

현대 미술은 각각의 요소들이 일깨우는 감정이 무엇인지에 초점을 맞춘다.

해커스공무원 기출 보카 4000+

3533 ☐☐☐

decent

[díːsnt]

2016 법원직 9급 외 7회

| 형 제대로 된, 훌륭한 | ▪ proper, fitting |
| 형 품위 있는, 점잖은 | ▪ courteous |

The government should provide a **decent** quality of life for everyone.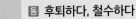
정부는 제대로 된 삶의 질을 모두에게 제공해야 한다.

3534 ☐☐☐

retreat 🌱

[ritríːt]

2021 국가직 9급 외 7회

| 통 후퇴하다, 철수하다 | ▪ withdraw |
| 명 후퇴, 퇴각 |

어원 re[뒤로] + treat[끌다] = 있던 자리에서 뒤로 끌어 물러나다, 즉 후퇴하다

The fact that the American Indian **retreated** is not necessarily evidence of inferiority.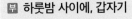
미국의 인디언이 후퇴했다는 사실이 반드시 열등함의 증거는 아니다.

↔ **advance** 통 나아가다

3535 ☐☐☐

stimulus

[stímjuləs]

2020 국회직 8급 외 6회

| 명 부양, 자극 | ▪ incentive |

The economic **stimulus** plan boosted the nation's economy.
그 경기 부양 대책은 국가 경제를 신장시켰다.

3536 ☐☐☐

overnight

[òuvərnáit]

2019 지방직 9급 외 6회

| 부 밤새도록, 밤사이에 |
| 부 하룻밤 사이에, 갑자기 |

On September 17, the volcano emitted tons of lava fragments **overnight**. 기출변형
9월 17일에, 그 화산은 밤새도록 수많은 용암 파편을 배출했다.

3537 ☐☐☐

qualification

[kwàːləfikéiʃən]

2016 국가직 9급 외 6회

| 명 자격, 자격증, 자질 | ▪ credential, quality |

어원 qual[어떤 종류의] + ifi(c)[동·접] + ation[명·접] = (어떤 종류에 속할) 자격

The ability to communicate effectively is listed as a required **qualification** in many job advertisements. 기출변형
효율적으로 소통하는 능력은 많은 구인 공고들에서 필수 자격으로 열거된다.

➕ **qualified** 형 자격이 있는

🌱 = 어휘 영역 출제

3538 ☐☐☐

erode

[iróud]

2017 지방직 9급 외 5회

동 부식시키다, 침식시키다 ▪ weather, undermine

Too much cortisol **erodes** the bones, causing them to break more easily. (기출변형)

지나친 코르티솔은 뼈를 부식시키면서, 더 쉽게 부러지게 한다.

➕ **erosion** 명 부식, 침식

3539 ☐☐☐

contagious

[kəntéidʒəs]

2019 지방직 7급 외 5회

형 전염성이 있는, 전염병에 걸린 ▪ infectious

어원 con[함께(com)] + tag(i)[접촉하다] + ous[형·접] = 함께 접촉하면 옮는, 즉 전염성이 있는

Yawning is so **contagious** that even dogs yawn after seeing their owners yawning.

하품은 전염성이 있어서, 심지어 개들도 주인이 하품하는 걸 보고 하품을 한다.

➕ **contagion** 명 (접촉성) 전염

3540 ☐☐☐

harness

[háːrnis]

2017 서울시 9급 외 5회

동 활용하다, 이용하다 ▪ exploit, utilize

Solar panels **harness** the energy of the Sun's rays to create electricity.

태양광 패널은 전기를 만들기 위해 태양 광선의 에너지를 활용한다.

3541 ☐☐☐

secondary

[sékəndèri]

2021 국가직 9급 외 5회

형 부수적인, 이차적인 ▪ subordinate

형 중등교육의

How humorous the commercial should be is **secondary** to how well we advertise the product.

광고가 얼마나 재미있어야 하는지는 우리가 그 제품을 잘 홍보하는 데 있어 부수적인 것이다.

3542 ☐☐☐

autonomous

[ɔːtáːnəməs]

2019 법원직 9급 외 4회

형 자주적인, 자율적인 ▪ sovereign

In the late 20th century, humans began to be seen as **autonomous** individuals. (기출변형)

20세기 말, 인간은 자주적인 개인으로 보여지기 시작했다.

➕ **autonomy** 명 자치권

3543 ☐☐☐

vow

[vau]

2020 국회직 9급 외 4회

동 단언하다, 맹세하다 ▪ swear, pledge

명 맹세, 서약 ▪ oath, promise

The candidate **vowed** to provide better tax breaks. (기출변형)

그 후보자는 더 나은 세금 우대 조치를 제공하겠다고 단언했다.

3544 ☐☐☐

shun

[ʃʌn]

2020 국가직 9급 외 3회

동 기피하다, 피하다　　　■ keep away from

Because people **shunned** the vaccine, their children are suffering the consequences. (기출변형)

사람들이 백신을 기피했기 때문에, 그들의 아이들이 그 결과를 겪고 있다.

↔ **welcome** 동 환영하다

➕ **shun away from** ~로부터 피하다

3545 ☐☐☐

intersect

[ìntərsékt]

2017 서울시 7급 외 2회

동 교차하다, 만나다　　　■ cross

동 가로지르다, 횡단하다　　　■ traverse

어원 inter[사이에] + sect[자르다] = 하나의 길이 다른 길을 자르고 들어가 교차하다

In this process, multiple, similar-sized waves **intersect** to create a much larger wave. (기출)

이 과정에서, 더 큰 파도를 만들기 위해 다수의 비슷한 크기의 파도가 교차한다.

➕ **intersection** 명 교차로

3546 ☐☐☐

redress

[ridrés]

2020 국회직 8급 외 1회

동 (부당한 것을) 바로잡다　　　■ make up for

The program was designed to **redress** past discrimination of women and minority group members. (기출변형)

그 프로그램은 여성과 소수 집단 구성원들에 대한 과거의 차별을 바로잡기 위해 고안되었다.

3547 ☐☐☐

discrepancy

[diskrépənsi]

2017 국회직 9급 외 1회

명 차이, 불일치　　　■ inconsistency

There was a **discrepancy** between what the witnesses said about the accident.

목격자들이 그 사건에 대해 말한 것에는 차이가 있다.

↔ **similarity** 명 유사성

3548 ☐☐☐

praiseworthy

[préizwərði]

2018 국회직 9급

형 훌륭한, 칭찬할 만한　　　■ laudable

The mayor was honored for his **praiseworthy** efforts to help the city.

그 시장은 도시를 돕기 위한 그의 훌륭한 노력으로 훈장을 받았다.

빈출 숙어

3549 □□□

be said to
~이라고 한다

2019 지방직 7급 외 16회

The Main Street Bank **is said to** give loans to any reliable customers. (기출변형)

Main Street 은행은 신뢰할 수 있는 그 어떤 고객들에게도 대출을 해 준다고 한다.

3550 □□□

from time to time 🌿 가끔
≡ sometimes

2019 국가직 9급 외 5회

As for their food, polar bears hunt and eat seals **from time to time**. (기출)

먹이에 대해 말하자면, 북극곰은 가끔 물개를 사냥해서 먹는다.

3551 □□□

with respect to 🌿 ~에 관하여
≡ regarding

2022 지방직 9급 외 5회

Shoppers today have many options **with respect to** the products they buy.

오늘날의 쇼핑객들은 그들이 구매하는 제품에 관하여 선택권이 많다.

3552 □□□

dispense with 🌿 ~없이 지내다, 없애다, 생략하다
≡ do away with

2020 지방직 7급 외 4회

Tellers in banks these days cannot **dispense with** computers. (기출변형)

요즘 은행 창구 직원들은 컴퓨터 없이 지낼 수 없다.

3553 □□□

shed light on
~을 명백히 하다, 해명하다
≡ clarify

2019 법원직 9급 외 2회

Research on child psychology sometimes helps **shed light on** children's behavior. (기출)

아동 심리학 연구는 아이들의 행동을 명백히 하는 데 종종 도움을 준다.

3554 □□□

trade on 🌿
~을 이용하다

2013 서울시 7급 외 1회

People with good looks naturally **trade on** their appearance.

잘생긴 용모를 가진 사람들은 자연스럽게 그들의 외모를 이용한다.

3555	propaganda	명 대중 선동, 선전
3556	despicable	형 비열한, 야비한
3557	skyrocket	동 (물가 등이) 급등하다
3558	dreadful	형 끔찍한
3559	stiff	형 뻣뻣한
3560	acme	명 절정, 정점
3561	utopian	형 이상적인
3562	wane	동 약해지다
3563	negate	동 무효화하다
3564	consonance	명 일치, 조화
3565	transpire	동 일어나다, 발생하다
3566	affiliative	형 친화적인
3567	acrimony	명 불화, 악감정
3568	beware	동 조심하다
3569	denotation	명 지시, 명시적 의미
3570	rocking	형 흔들리는
3571	neutralize	동 무효화시키다
3572	flippancy	명 경솔, 경박, 건방짐
3573	untiring	형 지치지 않는
3574	unannounced	형 예고 없는
3575	infuse	동 불어 넣다
3576	scrap	명 조각
3577	attest	동 입증하다, 증명하다

3578	slender	형 (몸이) 날씬한
3579	dissipate	동 소멸되다
3580	impairment	명 장애
3581	precaution	명 예방책
3582	shiver	동 (몸을) 떨다
3583	intrude	동 침범하다
3584	drench	동 흠뻑 적시다
3585	entrust	동 일을 맡기다
3586	illusory	형 가공의, 실체가 없는
3587	uproot	동 몰아내다, 뿌리째 뽑다
3588	jaywalk	동 무단 횡단하다
3589	despoil	동 약탈하다
3590	fad	명 일시적 유행
3591	gutless	형 배짱이 없는
3592	put forth	~을 발휘하다
3593	be engrossed in	~에 몰두해 있다
3594	cut back	축소하다, 삭감하다
3595	get on with	지속해 나가다
3596	settle the matter	해결하다
3597	cut corners	절차를 무시하다
3598	scrub away	없애다, 제거하다
3599	pursuant to	~에 따라
3600	be well on the way to	~을 거의 다 이루어가다

DAY 45

해커스공무원 기출 보카 4000+

Review Test DAY 41-45

1. 각 어휘의 알맞은 뜻을 찾아 연결하세요.

01. credibility   •

02. acrimony   •

03. persecution   •

04. transpire   •

05. eccentric   •

06. precaution   •

07. quintessential   •

08. assist   •

09. inextricably   •

10. proscribe   •

• ⓐ 별난, 괴짜인

• ⓑ 박해, 학대

• ⓒ 전형적인

• ⓓ 신뢰도, 신뢰성

• ⓔ 일어나다, 발생하다

• ⓕ 금지하다, 배척하다

• ⓖ 예방책

• ⓗ 불화, 악감정

• ⓘ 밀접하게, 불가분하게

• ⓙ 돕다, 도움이 되다

2. 다음 영단어의 뜻을 우리말로 쓰세요.

01. optimal _____

02. diffident _____

03. keep abreast of _____

04. arbitrary _____

05. distinctive _____

06. exterminate _____

07. turbulent _____

08. gist _____

09. provisional _____

10. incremental _____

11. compulsion _____

12. commotion _____

13. weary _____

14. hand over _____

15. hard feelings _____

16. burdensome _____

17. discrepancy _____

18. shiver _____

19. efface _____

20. gutless _____

3. 다음 빈칸에 들어갈 말로 가장 적절한 것은?

> The barriers built between the river and the city were able to _____ flooding during the storm.

① deprive ② encapsulate ③ disclose ④ avert

4. 다음 밑줄 친 부분과 의미가 가장 가까운 것은?

> Medical researchers were unable to confirm any of the preposterous claims made by the energy drink maker.

① absurd ② analogous ③ handy ④ utopian

5. 다음 밑줄 친 단어의 의미와 가장 가까운 것은?

> Even his political enemies praised the candidate for his gregarious, humorous demeanor.

① sociable ② compassionate ③ antagonistic ④ introvert

정답

1. 01. ⓓ 02. ⓗ 03. ⓑ 04. ⓔ 05. ⓐ 06. ⓖ 07. ⓒ 08. ⓙ 09. ⓘ 10. ⓕ

2. 01. 최적의, 최상의 02. 조심스러운, 소심한 03. ~에 뒤떨어지지 않게 하다
04. 제멋대로인, 임의적인 05. 독특한, 특색 있는 06. 몰살시키다 07. 격동의; 난기류의
08. 요지 09. 잠정적인, 일시적인 10. 증가하는, 증대하는 11. 강요
12. 소동, 소란 13. 지친, 피곤한 14. 넘겨주다, 인도하다 15. 적의, 악감정
16. 부담스러운, 힘든 17. 차이, 불일치 18. (몸을) 떨다 19. 삭제하다, 지우다
20. 배짱이 없는

3. ④ 방지하다 [해석] 강과 도시 사이에 지어진 그 장벽들은 폭풍우 동안 홍수를 방지할 수 있었다. [오답] ① 빼앗다 ② 요약하다 ③ 폭로하다

4. ① 터무니없는 [해석] 의학 연구자들은 그 에너지 드링크 제조사에 의해 제기된 그 어떠한 터무니없는 주장들도 입증할 수 없었다. [오답] ② 유사한 ③ 유용한 ④ 이상적인

5. ① 사교적인 [해석] 심지어 그 후보자의 정치적 적수들도 그의 사교적이고, 익살스러운 행실로 그 후보자를 칭찬했다. [오답] ② 연민 어린 ③ 적대적인 ④ 내성적인

DAY 46

■ 1회독 ■ 2회독 ■ 3회독

최빈출 단어

DAY46 음성 바로 듣기

3601 □□□

despite

[dispáit]

2020 법원직 9급 외 81회

전 ~에도 불구하고   = in spite of, regardless of

Despite the room's high temperature, the guests refused to remove their jackets. (기출변형)

방의 높은 온도에도 불구하고, 손님들은 재킷을 벗는 것을 거절했다.

3602 □□□

rarely 🌿

[réərli]

2020 지방직 9급 외 32회

부 거의 ~하지 않는, 드물게   = seldom, hardly

We **rarely** get tired when we are doing something interesting and exciting. (기출)

우리가 흥미롭고 신나는 무언가를 하고 있을 때, 우리는 거의 지치지 않는다.

3603 □□□

administration

[ədmìnistréiʃən]

2019 법원직 9급 외 19회

명 운영, 경영   = management

명 행정, 행정부   = government, cabinet

어원 ad[~에] + minist(e)r[장관, 각료] + ation[명·접] = 장관, 각료들에게 맡기는 운영, 행정

The local businesspeople's interests influence the municipal **administration**. (기출변형)

현지 사업가들의 이해관계는 시의 운영에 영향을 미친다.

➕ **administer** 동 관리하다

3604 □□□

rational

[ráʃənl]

2020 법원직 9급 외 18회

형 합리적인, 이성적인   = logical, reasonable

어원 rat[추론하다] + ion[명·접] + al[형·접] = 이성에 따라 추론이 가능한 상태인, 즉 합리적인

A **rational** person supports their views with adequate proof. (기출변형)

합리적인 사람은 충분한 증거로 자신의 신념을 지지한다.

🔄 **irrational** 형 비이성적인

➕ **rationality** 명 합리성, 순리성

해커스공무원 기출 보카 4000+

3605 ☐☐☐

embrace 🌿

[imbréis]

2019 국가직 9급 외 17회

| 동 받아들이다, 수용하다 | ≡ accept, adopt |

| 동 껴안다, 포옹하다 | ≡ hug |

어원 em[안에] + brace[팔] = 팔 안에 들어오게 껴안다, 즉 받아들이다

The wool industry suffered as people **embraced** the new fabric. (기출변형)

양모 산업은 사람들이 새로운 직물을 받아들이면서 악화되었다.

⇄ reject 동 거부하다, 거절하다

3606 ☐☐☐

disrupt

[disrápt]

2020 법원직 9급 외 12회

| 동 방해하다, 지장을 주다 | ≡ disturb, obstruct |

| 동 붕괴시키다, 분열시키다 | ≡ distort, damage |

Even mild heart damage can be fatal by **disrupting** the heart's beating. (기출변형)

가벼운 심장 손상조차도 심장의 박동을 방해함으로써 치명적일 수 있다.

➕ disruption 명 붕괴

3607 ☐☐☐

notorious 🌿

[noutɔ́riəs]

2022 서울시 9급 외 10회

| 형 악명 높은 | ≡ infamous |

I know someone who is **notorious** for his rudeness. (기출변형)

나는 무례하기로 악명 높은 사람을 안다.

⇄ moral 형 도덕적인

3608 ☐☐☐

competence

[kά:mpətəns]

2020 법원직 9급 외 10회

| 명 능력, 역량 | ≡ capability, ability |

어원 compete[경쟁하다] + (e)nce[명·접] = 경쟁에서 이길 능력

He became a top-ranked artist by his exceptional **competence**. (기출변형)

그는 자신의 특출한 능력으로 최상위의 예술가가 되었다.

➕ competent 형 능숙한

3609 ☐☐☐

orbit

[ɔ́:rbit]

2019 지방직 7급 외 9회

| 동 궤도를 돌다 | ≡ circle, revolve |

| 명 궤도 | ≡ pattern, rotation |

Astronomers have found more than 370 planets **orbiting** other stars. (기출변형)

천문학자들은 다른 항성 궤도를 도는 370개 이상의 행성을 발견했다.

🌿 = 어휘 영역 출제

3610 ☐☐☐

parliament

[pάːrləmənt]

2020 국회직 8급 외 9회

명 의회, 국회   ■ assembly, council

The UK **Parliament** slowly evolved from a council to an independent mediator. 기출변형

영국 의회는 서서히 자문 위원회에서 독립적인 중재자로 진화했다.

➕ **parliamentary** 형 의회의

빈출 단어

3611 ☐☐☐

arouse

[ərάuz]

2019 지방직 9급 외 8회

동 (감정 등을) 불러일으키다   ■ inspire

동 자극하다   ■ stimulate

어원 a[매우] + rouse[깨우다] = 잠재된 감정, 생각 등을 깨워서 매우 강하게 일으키다

A man brought his children into court to **arouse** the compassion of the judges. 기출변형

한 남자는 판사들의 동정심을 불러일으키기 위해 그의 아이들을 법정에 데려왔다.

↔ **quell** 동 진압하다

3612 ☐☐☐

jeopardize

[dʒépərdàiz]

2019 국회직 9급 외 7회

동 위태롭게 하다   ■ threaten, endanger

A heavy tax on cotton thread **jeopardized** the cotton industry. 기출변형

면사에 대한 무거운 세금은 면직물 산업을 위태롭게 했다.

↔ **safeguard** 동 보호하다

➕ **jeopardy** 명 위험

3613 ☐☐☐

durable

[djúərəbl]

2020 국회직 8급 외 6회

형 오래 가는, 내구성의   ■ long-lasting

어원 dur[지속적인] + able[할 수 있는] = 오래 지속될 수 있는, 내구성 있는

Bakelite is a **durable** material that can be formed into almost anything. 기출변형

베이클라이트는 거의 모든 것으로 만들어질 수 있는 오래 가는 물질이다.

➕ **duration** 명 지속, (지속되는) 기간

3614 ☐☐☐

undesirable

[ʌndizáirəbl]

2017 국회직 8급 외 6회

형 바람직하지 않은   ■ unpleasant

The book is **undesirable** from an educational point of view. 기출

그 책은 교육적인 관점에서 보면 바람직하지 않다.

↔ **desirable** 형 바람직한

3615 ☐☐☐

haste

[heist]

2019 서울시 9급 외 4회

| 명 서두름, 급함 | | 🔵 hurry, rapidity |

In his **haste**, he didn't realize that his teammates weren't anywhere near him. 기출

서두름 속에서, 그는 동료들이 자신의 주변의 어느 곳에도 없다는 것을 깨닫지 못했다.

🔴 delay 명 지연, 지체

➕ hasten 통 서둘러 하다

3616 ☐☐☐

vacancy

[véikənsi]

2019 법원직 9급 외 4회

| 명 공백, 결원 | | 🔵 opening |

| 명 빈 객실, 빈방 | | 🔵 room, space |

Women had to fill the **vacancies** in the labor force during the war. 기출변형

여성들은 전쟁 중에 노동력의 공백을 메워야 했다.

➕ vacate 통 비우다

3617 ☐☐☐

gigantic

[dʒaigǽntik]

2018 국회직 9급 외 4회

| 형 막대한, 대규모의 | | 🔵 huge, vast |

Data is piling up at a high speed and in a **gigantic** volume. 기출변형

정보는 빠른 속도와 막대한 양으로 쌓이고 있다.

🔴 tiny 형 아주 작은, 아주 적은

3618 ☐☐☐

enthusiasm

[inθú:ziæzm]

2018 서울시 9급 외 4회

| 명 열광 | | 🔵 passion |

어원 en[안에] + thus[신] + iasm[명·접(ism)] = 마음 안에 신이 불어 넣는 것, 즉 열광

The latest paintings of the artist were met with **enthusiasm** from his fans. 기출변형

그 예술가의 가장 최근 그림들은 팬들의 열광을 받았다.

🔴 apathy 명 무관심

➕ enthusiastic 형 열렬한, 열광적인

3619 ☐☐☐

detrimental

[dètrəméntl]

2020 국회직 9급 외 3회

| 형 해로운, 손해를 입히는 | | 🔵 harmful, inimical |

If batteries are not disposed of properly, they have **detrimental** impact on the environment. 기출변형

만약 건전지를 적절히 폐기하지 않으면, 그것들은 환경에 해로운 영향을 가진다.

🔴 beneficial 형 이로운, 유익한

➕ detriment 명 손상

3620 ☐☐☐

stingy 🌱

[stíndʒi]

2015 지방직 9급 외 3회

형 인색한, 쩨쩨한   ■ mean

형 적은, 근소한

형 쏘는, 날카로운

To call a person **stingy** is an insult while the word has a positive connotation. (기출변형)

단어에 긍정적인 함의가 있긴 하지만 사람을 인색하다고 말하는 것은 모욕이다.

↔ **generous** 형 너그러운

3621 ☐☐☐

aggregate 🌱

동 [ǽɡrigèit]
명 형 [ǽɡrigət]

2017 지방직 7급 외 3회

동 종합하다, 모으다   ■ assemble

명 합계, 총액   ■ amount

형 합계의, 총액의   ■ accumulated

The tournament judges **aggregated** their scores to determine the winner.

그 대회의 심판들은 우승자를 결정하기 위해 그들의 점수를 종합했다.

↔ **fraction** 명 부분, 일부

3622 ☐☐☐

abound

[əbáund]

2018 국회직 9급 외 3회

동 풍부하다   ■ be plentiful

Tales about elephants **abound** with examples of their loyalty. (기출변형)

코끼리에 관한 일화들은 그들의 충성심의 예시들로 풍부하다.

↔ **deficient** 형 부족한

⊕ **abundance** 명 풍부

3623 ☐☐☐

precede 🌱

[prisíːd]

2014 지방직 9급 외 3회

동 ~에 앞서다   ■ come before, predate

어원 pre[앞서] + cede[가다] = 다른 것보다 먼저 앞서가다

A quiet moment usually **precedes** a storm. (기출변형)

조용한 순간은 보통 폭풍에 앞선다.

↔ **follow** 동 뒤따르다

⊕ **precedence** 명 우선, 우선함

3624 ☐☐☐

lease

[liːs]

2017 서울시 7급 외 2회

명 임대계약, 임대　　　유 rent

Before moving out, I had to wait until the **lease** expired. (기출변형)

이사 나가기 전에, 나는 임대계약이 만료될 때까지 기다려야 했다.

3625 ☐☐☐

trespass

[tréspəs]

2019 서울시 7급 외 2회

동 (무단) 침입하다, 침해하다　　　유 intrude

동 폐를 끼치다

This is private property and you're **trespassing**. (기출변형)

여기는 사유지이고 당신은 무단 침입하고 있습니다.

반 retreat 동 후퇴하다

3626 ☐☐☐

cohesion

[kouhíːʒən]

2018 국회직 9급 외 1회

명 화합, 결합　　　유 bond, unity

명 응집력, 유대감

Globalization promotes social **cohesion**, not to mention economic benefits. (기출변형)

세계화는 경제적 이득은 말할 것도 없고, 사회적 화합을 촉진한다.

➕ coherent 형 일관성 있는

3627 ☐☐☐

clumsy

[klʌ́mzi]

2008 지방직 7급 외 1회

형 서투른, 어설픈　　　유 all thumbs

형 눈치 없는

The **clumsy** man was constantly dropping things.

그 서투른 남자는 끊임없이 물건을 떨어뜨리고 있었다.

3628 ☐☐☐

precipitate

[prisípitèit]

2015 국회직 9급

동 촉발하다, 재촉하다　　　유 hasten, advance

The misunderstanding **precipitated** a crisis between the two countries.

오해가 두 나라 사이의 위기를 촉발했다.

➕ precipitation 명 강수, 강수량

빈출 숙어

3629 ☐☐☐

be made up of

2017 국가직 9급 외 10회

~으로 이루어지다, 구성되다   ◨ be composed of

The turtle's shell **is made up of** hardened scales that are fused together. (기출)

거북의 등딱지는 서로 융합되어 단단해진 비늘로 이루어진다.

3630 ☐☐☐

stand out

2021 국가직 9급 외 8회

눈에 띄다, 두드러지다

Some people blend into the environment so that they don't **stand out** in the crowd. (기출변형)

어떤 사람들은 군중 속에서 눈에 띄지 않도록 환경에 섞여 든다.

3631 ☐☐☐

put off 🌱

2019 지방직 9급 외 8회

연기하다, 미루다   ◨ postpone, defer

I will **put off** my departure if it rains tomorrow. (기출변형)

내일 비가 오면 나는 출발을 연기할 예정이다.

3632 ☐☐☐

except for

2018 서울시 9급 외 7회

~을 제외하고   ◨ but for

Except for the king, no one was allowed to have a luxurious residence. (기출변형)

왕을 제외하고, 그 누구도 호화스러운 거처를 갖는 것이 허락되지 않았다.

3633 ☐☐☐

agree on

2020 국가직 9급 외 4회

~에 동의하다   ◨ settle

The biologists didn't **agree on** the universally acceptable definition. (기출변형)

그 생물학자들은 일반적으로 받아들여지는 그 정의에 동의하지 않았다.

3634 ☐☐☐

(every) now and then

2021 지방직 9급 외 1회

때때로, 가끔   ◨ from time to time

You can afford to take some time off from work **every now and then**. (기출변형)

당신은 때때로 일을 쉴 시간을 낼 수 있다.

완성 어휘

3635	outright	톙 노골적인; 틘 노골적으로
3636	dividual	톙 분리된
3637	obscurity	몡 모호함, 무명
3638	blatant	톙 노골적인
3639	sobriety	몡 절제, 맨정신
3640	discretion	몡 재량권, 신중함
3641	epitomize	톰 ~의 전형이다, 요약하다
3642	cranky	톙 까다로운, 불안정한
3643	momentum	몡 탄력, 추진력
3644	masquerade	톰 변장하다; 몡 겉치레
3645	stratify	톰 계층화하다
3646	laudatory	톙 감탄하는
3647	causation	몡 야기, 인과관계
3648	notable	톙 주목할 만한, 중요한
3649	perceptible	톙 인지할 수 있는
3650	nutritionist	몡 영양사, 영양학자
3651	temperament	몡 기질
3652	quota	몡 할당량, 한도
3653	gratuitously	틘 무료로
3654	enlarge	톰 확대하다, 확대되다
3655	pretense	몡 겉치레, 가식
3656	outdated	톙 구식인
3657	stipulation	몡 조항, 조건

3658	dissuade	톰 만류하다
3659	mortality	몡 사망률, 사망자 수, 죽을 운명
3660	locomotion	몡 운동, 이동
3661	innocuous	톙 악의 없는
3662	commend	톰 칭찬하다
3663	hind	톙 뒤의
3664	tactile	톙 촉각의
3665	clamor	몡 시끄러운 외침
3666	jocular	톙 익살스러운
3667	luxuriant	톙 무성한, 풍부한
3668	date back	(시기를) 거슬러 올라가다
3669	do away with	~을 그만두다
3670	wet behind the ears	미숙한, 풋내기인
3671	be booked up	(표가) 매진되다
3672	cover the cost	비용을 충당하다
3673	lap against	(물결 등이) 밀려오다, 철썩 치다
3674	common ground	공통점
3675	for the sake of	~을 위해서
3676	feast on	~을 마음껏 먹다
3677	put to use	~을 이용하다
3678	wrestle with	~와 씨름하다
3679	at stake	위태로운
3680	be short of	~이 부족하다

✔ = 어휘 영역 출제

DAY 47

■ 1회독 ■ 2회독 ■ 3회독

최빈출 단어

DAY47 음성 바로 듣기

3681 ☐☐☐

decline

[dikláin]

2024 서울시 9급 외 57회

图 감소하다, 축소되다

图 (수·가치 등의) 지속적인 감소

■ decrease, reduce

Psychological studies show that openness to change **declines** with age. (기출변형)

심리 연구는 변화에 대한 개방성이 나이가 듦에 따라 감소한다는 것을 보여준다.

↔ **increase** 图 증가하다; 图 증가

3682 ☐☐☐

security

[sikjúərəti]

2020 국가직 9급 외 46회

图 보안, 안전

图 보안의, 안전의

■ safety

Monitoring cameras are used in lots of places to ensure **security**. (기출변형)

감시 카메라는 보안을 보장하기 위해 많은 곳에서 사용된다.

3683 ☐☐☐

ensure

[inʃúər]

2020 국회직 8급 외 28회

图 보장하다, 확실하게 하다

■ make sure, secure

어원 en[하게 만들다] + sure[확실한] = 어떤 일이 일어나는 것을 확실하게 하다

The purpose of education is to **ensure** that students learn knowledge and skills. (기출변형)

교육의 목적은 학생들이 지식과 기술을 배우도록 보장하는 것이다.

➕ **insure** 图 확실하게 하다, 보험에 들다

3684 ☐☐☐

abandon

[əbǽndən]

2020 지방직 7급 외 24회

图 버리다, 유기하다

■ desert, leave

图 방종, 자유분방

The music industry will gradually **abandon** the manufacture of CDs. (기출변형)

음악 산업은 점차 CD 제조를 버리게 될 것이다.

↔ **stick by** ~에 충실하다

➕ **abandoned** 图 버려진

3685 ☐☐☐

visible

[vízəbl]

2020 국가직 9급 외 23회

형 (눈에) 보이는, 뚜렷한 ≡ apparent, clear

The site showed a **visible** example of soil losses because of its erosion. (기출변형)
그 부지는 그것의 침식으로 인한 토양 유실의 눈에 보이는 예시를 보여주었다.

3686 ☐☐☐

overall

형 [óuvərɔ:l]
부 [ðuvərɔ́:l]

2020 국회직 9급 외 19회

형 전반적인, 전체의 ≡ comprehensive

부 전반적으로, 종합적으로 ≡ in general

어원 over[위에] + all[전체] = 전체를 위에서 아우르는, 즉 전반적인

Violent crime has decreased in recent years, but the **overall** crime rate is still high. (기출변형)
최근 몇 년간 강력 범죄가 줄었지만, 전반적인 범죄율은 여전히 높다.

3687 ☐☐☐

resist

[rizíst]

2020 법원직 9급 외 17회

동 저항하다 ≡ oppose

동 참다, 견디다 ≡ withstand

어원 re[다시] + sist[서다(sta)] = 압박에 굴하지 않고 다시 일어서 저항하다

Representatives from the union **resisted** the proposal but in the end they agreed to it. (기출변형)
조합의 대표들은 그 제안에 저항했지만 결국 그것에 동의했다.

⟷ **accept** 동 받아들이다
➕ **resistance** 명 저항, 반대

3688 ☐☐☐

substantial

[səbstǽnʃəl]

2016 서울시 9급 외 15회

형 상당한, 많은 ≡ considerable, notable

형 실제적인, 실질적인

London and the poetry bookshops gave **substantial** encouragement to young writers. (기출변형)
런던과 시 서점은 젊은 작가들에게 상당한 격려를 해주었다.

⟷ **worthless** 형 가치 없는, 쓸모없는
➕ **substantially** 부 상당히, 많이

3689 ☐☐☐

commodity

[kəmá:dəti]

2022 국회직 9급 외 11회

명 상품, 물품, 산물 ≡ item, material

어원 com[함께] + mod[기준] + ity[명·접] = 서로 다른 여럿을 기준에 함께 맞춰 규격화한 상품

Coffee has become one of the world's most important **commodities**. (기출변형)
커피는 세계에서 가장 중요한 상품 중 하나가 되었다.

3690 ☐☐☐

conserve

[kənsə́ːrv]

2021 국회직 9급 외 9회

통 보존하다, 아끼다

= protect, preserve

어원 con[모두(com)] + serv(e)[지키다] = 모두 사라지지 않도록 지켜서 보존하다

Nature must be protected and conserved. 기출변형
자연은 보호되고 보존되어야 한다.

⬌ **waste** 통 낭비하다, 허비하다

➕ **conservation** 명 보호, 보존

3691 ☐☐☐

entity

[éntəti]

2020 국회직 8급 외 7회

명 독립체, 실체

= being

A brand is a living entity, and it can be strengthened or weakened. 기출변형
하나의 브랜드는 살아 있는 독립체이고, 강화되거나 약화될 수 있다.

3692 ☐☐☐

complication

[kàːmplikéiʃən]

2021 지방직 9급 외 6회

명 문제, 복잡성

= complexity, difficulty

명 합병증

어원 com[함께] + plic[꼬다] + ation[명·접] = 여러 가지를 함께 꼬아 복잡하게 하는 것, 즉 문제

The authors overlook complications and exceptions that challenge their world view. 기출변형
작가들은 그들의 세계관에 도전하는 문제와 예외를 간과한다.

➕ **complicate** 통 복잡하게 만들다

3693 ☐☐☐

camouflage

[kǽməflàːʒ]

2017 지방직 7급 외 5회

통 위장하다, 감추다

= disguise

명 위장, 속임수

= concealment

Animals camouflage themselves as uninteresting objects to avoid predators. 기출변형
동물들은 포식자를 피하기 위해 스스로를 흥미롭지 않은 물체로 위장한다.

⬌ **reveal** 통 드러내다

3694 ☐☐☐

conscientious

[kὰːnʃiénʃəs]

2019 서울시 9급 외 4회

| 형 성실한 | ■ industrious |
| 형 양심적인 | ■ honest |

Conscientious people have a tendency to organize their lives well. (기출)

성실한 사람들은 삶을 잘 정리하는 경향이 있다.

➕ conscientiousness 명 성실성

3695 ☐☐☐

slope

[sloup]

2018 서울시 9급 외 4회

| 명 경사면, 경사지 | ■ incline, ramp |
| 통 경사지다, 기울어지다 | |

Mount Mayon has been sending huge chunks of lava rolling down its **slopes**. (기출변형)

마욘산은 상당한 양의 용암을 경사면에 흘러 내려보내고 있다.

➕ slope off 빠져나가다

3696 ☐☐☐

diagnosis

[dàiəgnóusis]

2019 서울시 7급 외 4회

명 진단 ■ analysis, examination

어원 dia[가로질러] + gnos(e)[알다] + is[명·접] = 몸 전체를 가로질러 살펴 질병 등을 알아내는 것, 즉 진단

There are some tests your doctor will perform before making a **diagnosis**. (기출변형)

진단을 내리기 전에 당신의 의사가 수행할 몇 가지 검사들이 있다.

➕ diagnose 통 진단하다

3697 ☐☐☐

vibration

[vaibréiʃən]

2018 국회직 9급 외 4회

명 진동 ■ tremble, judder

The constant **vibration** of our small ship turned my stomach. (기출변형)

우리 작은 배의 끊임없는 진동이 나의 속을 뒤집었다.

⬛ stillness 명 부동, 정적

➕ vibrate 통 진동하다

3698 ☐☐☐

legacy

[légəsi]

2018 국가직 9급 외 3회

| 명 유산 | ■ inheritance |
| 명 업적 | |

어원 leg[법] + acy[명·접] = 법으로 인정받아 물려받게 된 유산

When the woman passed away, she left a **legacy** of over $10 million to her children.

그 여자는 세상을 떠날 때, 자녀들에게 1,000만 달러가 넘는 유산을 남겼다.

 = 어휘 영역 출제

3699 ☐☐☐

pension

[pénʃən]

2019 지방직 7급 외 3회

명 **연금, 생활 보조금**

어원 pens[무게를 달다] + ion[명·접] = 살면서 한 일의 무게를 달아주는 돈, 즉 연금

He believed his **pension** is enough for his life after retirement. 기출변형

그는 자신의 연금이 은퇴 후 그의 생활에 충분하다고 믿었다.

3700 ☐☐☐

slippery

[slípəri]

2018 서울시 9급 외 3회

형 **미끄러운**　　　　　　　■ slick

형 **파악하기 힘든**　　　　　■ elusive

More and more adventurous tourists have tried crossing the **slippery** glaciers. 기출변형

점점 더 많은 모험적인 관광객들이 미끄러운 빙하를 건너려고 시도했다.

3701 ☐☐☐

aptitude

[ǽptətjùːd]

2019 서울시 7급 외 3회

명 **소질, 적성**　　　　　　■ talent, competence

명 **경향, 습성**

One's level of fluency may depend on one's language learning **aptitude**. 기출변형

한 사람의 언어의 유창성은 언어 학습 소질에 달려있을 수 있다.

3702 ☐☐☐

impeccable

[impékəbl]

2018 국회직 9급 외 3회

형 **흠잡을 데 없는, 나무랄 데 없는**　■ faultless, perfect

형 **죄를 저지르지 않는**　　　　　■ innocent, pure

The airline stressed its efforts to provide passengers with **impeccable** service. 기출변형

그 항공사는 승객들에게 흠잡을 데 없는 서비스를 제공하기 위한 항공사의 노력을 강조했다.

↔ **flawed** 형 결함이 있는

3703 ☐☐☐

inheritance

[inhérətəns]

2011 지방직 9급 외 3회

명 **유산, 상속**　　　　　　■ legacy, heritage

어원 in[안에] + herit[상속인] + ance[명·접] = 상속인이 될 자격 안에 들어와 받는 유산, 상속

The language that one speaks is not an individual **inheritance**, but a social acquisition. 기출변형

사람이 말하는 언어는 한 개인의 유산이 아니라, 사회적 습득물이다.

⊕ **inherent** 형 내재하는

3704 ☐☐☐

meticulous

[mətíkjuləs]

2019 소방 외 3회

형 꼼꼼한, 세심한　　　　　　　　= fastidious

The lawyer's assistant is **meticulous** about keeping notes.
그 변호사의 조수는 메모하는 것에 대해 꼼꼼하다.

➕ **meticulously** 부 꼼꼼하게

3705 ☐☐☐

impromptu

[imprά:mptju:]

2020 지방직 7급 외 2회

형 즉흥적인　　　　　　　　= spontaneous

형 서둘러서 만든, 임시변통의

He made an **impromptu** address to the crowds, without any scripts. 기출변형
그는 그 어떤 대본도 없이 대중에게 즉흥적인 연설을 했다.

➡ **prepared** 형 준비된

3706 ☐☐☐

magnify

[mǽgnəfài]

2018 국회직 8급 외 2회

동 확대하다　　　　　　　　= enlarge

동 과장하다　　　　　　　　= exaggerate

Some witnesses are prone to **magnify** the extent of what they saw. 기출변형
몇몇 증인들은 자신들이 본 것의 범위를 확대하기 쉽다.

➡ **reduce** 동 줄이다

3707 ☐☐☐

sparse

[spɑ:rs]

2016 국회직 8급 외 1회

형 드문, 희박한　　　　　　　　= scanty

The animals travel through the desert at night to find **sparse** vegetation. 기출변형
그 동물들은 드문 초목을 찾아서 밤에 사막을 여기저기 돌아다닌다.

➡ **abundant** 형 풍부한

3708 ☐☐☐

exalt

[igzɔ́:lt]

2013 국가직 7급 외 1회

동 의기양양하게 하다, 칭찬하다　　　　= glorify

동 (신분·지위를) 상승시키다, 격상하다

동 (상상 따위를) 자극하다

Generosity isn't always a sacrifice, and it often **exalts** us. 기출변형
너그러움이 반드시 희생은 아니며, 그것은 자주 우리를 아주 의기양양하게 한다.

➡ **disparage** 동 폄하하다

🌿 = 어휘 영역 출제

빈출 숙어

3709 ☐☐☐
in spite of 🌱
불구하고

2022 지방직 9급 외 24회

≡ despite

In spite of the high fees, the clinics are popular. (기출변형)
비싼 요금에도 불구하고, 그 병원들은 인기 있다.

3710 ☐☐☐
engage in
~에 관여하다, 참여하다, 가담하다

2020 법원직 9급 외 18회

The party has aspired to actively **engage in** the promotion of democratic values. (기출변형)
그 정당은 민주적 가치를 장려하는 것에 적극적으로 관여하기를 갈망해 왔다.

3711 ☐☐☐
apply for
~에 지원하다

2019 서울시 7급 외 12회

The position you **applied for** has been filled. (기출변형)
당신이 지원한 자리는 채워졌습니다.

3712 ☐☐☐
get away (from) 🌱
(~으로부터) 벗어나다

2017 국가직 9급 외 8회

It took me a very long time to **get away from** the shock of her death. (기출)
나는 그녀의 죽음의 충격으로부터 벗어나는 데 아주 오랜 시간이 걸렸다.

3713 ☐☐☐
look after 🌱
돌보다

2020 지방직 9급 외 7회

≡ care for, look out for

I can't go out because I have to **look after** my baby sister. (기출변형)
나는 내 여동생을 돌봐야 해서 나갈 수 없다.

3714 ☐☐☐
be entitled to
~을 받을 자격이 있다

2018 지방직 9급 외 3회

≡ be eligible for

Customers **are entitled to** a refund for defective products.
고객들은 결함이 있는 제품에 대해 환불을 받을 자격이 있다.

완성 어휘

3715 □□□	dwindle	동 줄어들다
3716 □□□	wholesome	형 건강에 좋은, 유익한
3717 □□□	calumniate ✔	동 비방하다, 중상하다
3718 □□□	homesickness	명 향수병
3719 □□□	equator	명 적도
3720 □□□	unceasing ✔	형 끊임없는
3721 □□□	pellucid ✔	형 투명한
3722 □□□	abate	동 누그러지다
3723 □□□	suck	동 빨아 먹다, 빨다
3724 □□□	electrify	동 전기로 움직이게 하다
3725 □□□	ordain	동 정하다, 임명하다
3726 □□□	childbearing	명 출산, 분만
3727 □□□	glamour	명 화려함
3728 □□□	self-reliance	명 자기 의존, 자립
3729 □□□	unscrupulous ✔	형 부도덕한, 무원칙의
3730 □□□	temperate	형 온화한
3731 □□□	allegiance ✔	명 충성
3732 □□□	disgruntled	형 불만인
3733 □□□	innumerable	형 무수한
3734 □□□	purity ✔	명 순수성, 순도
3735 □□□	irregularity	명 불규칙성
3736 □□□	subjection	명 복종
3737 □□□	diversion	명 전환

3738 □□□	victorious	형 승리한, 승리를 거둔
3739 □□□	urbane	형 세련된, 점잖은
3740 □□□	trifling	형 하찮은, 사소한
3741 □□□	euthanasia	명 안락사
3742 □□□	invaluable	형 매우 유용한, 귀중한
3743 □□□	stature	명 지명도, 위상
3744 □□□	misuse	명 남용, 오용
3745 □□□	liquor	명 술
3746 □□□	inert ✔	형 기력이 없는, 둔한
3747 □□□	keystone	명 핵심, 쐐기돌
3748 □□□	boastfully ✔	부 자랑스럽게, 허풍떨면서
3749 □□□	appropriation	명 할당
3750 □□□	ad hoc	특별한, 임기응변의
3751 □□□	on file	기록된
3752 □□□	give in ✔	~에 항복하다, 굴복하다
3753 □□□	fall below	~에 미치지 않다
3754 □□□	sleep on ✔	~에 대해 하룻밤 자면서 생각해 보다
3755 □□□	bind together	단결시키다
3756 □□□	emancipate from ✔	~에서 해방하다
3757 □□□	as a last resort	최후의 수단으로서
3758 □□□	keep ~ to oneself	~을 비밀로 하다
3759 □□□	in comparison with	~에 비해서
3760 □□□	be on hand	참가하다

✔ = 어휘 영역 출제

DAY 48

최빈출 단어

DAY48 음성 바로 듣기

3761 ☐☐☐

promote

[prəmóut]

2020 국가직 9급 외 55회

통 승진하다 　　　　　　　　　■ advance, elevate

통 촉진하다, 홍보하다

어원 pro[앞으로] + mot(e)[움직이다] = 앞으로 움직여 더 좋은 자리로 가게 촉진하다 또는 승진하다

The company stopped him from being **promoted** to vice president. (기출변형)

회사는 그가 부사장으로 승진되는 것을 막았다.

➡ demote 통 강등시키다

➕ promotion 명 승진

3762 ☐☐☐

substance

[sʌ́bstəns]

2019 지방직 7급 외 35회

명 물질, 재료 　　　　　　　　　■ material

어원 sub[아래에] + sta[서다] + (a)nce[명·접] = 개념만 있는 것이 아닌 하늘 아래 실체를 가지고 서 있는 것, 즉 물질

Depression may result from the imbalance of two **substances** in the body. (기출변형)

우울증은 체내의 두 가지 물질의 불균형으로 인해 발생할 수 있다.

3763 ☐☐☐

institution

[ìnstətjúːʃən]

2021 국가직 9급 외 30회

명 기관, 단체 　　　　　　　　　■ organization

명 제도, 관례

어원 in[안에] + stit(ut)[세우다] + ion[명·접] = 집단 안에 규정 등을 세운 기관, 협회

Most **institutions** provide scholarships to enrollees with high grades. (기출변형)

대부분의 기관은 학점이 높은 등록자들에게 장학금을 지급한다.

➕ institutionalize 통 제도화하다

3764 ☐☐☐

interaction

[ìntərǽkʃən]

2020 국가직 9급 외 24회

명 상호 작용, 상호 관계 　　　　　■ communication

어원 inter[서로] + act[행동하다] + ion[명·접] = 서로에게 영향을 미치는 행동을 해서 상호 작용을 함

Parents' sensitivity teaches children about social **interactions** and conversations. (기출변형)

부모의 세심함은 아이들에게 사회적 상호 작용과 대화에 대해 가르친다.

➕ interact with ~와 소통하다

3765 ☐☐☐

arrest

[ərést]

2020 국회직 9급 외 22회

통 체포하다 apprehend

명 구속 detention

어원 ar[~쪽으로(ad)] + re[뒤로] + st[서다] = 뒤쪽으로 돌려세워 묶어서 체포하다

Police have **arrested** the jewel thief but are still looking for his partner. (기출변형)

경찰은 그 보석 도둑을 체포했지만 여전히 그의 파트너를 찾고 있다.

3766 ☐☐☐

aging

[éidʒiŋ]

2019 법원직 9급 외 20회

명 노화, 나이 먹음 agedness

Problems with memory and depression are not necessarily normal to **aging**. (기출변형)

기억에 대한 문제들과 우울증은 노화에 있어서 반드시 보편적인 부분은 아니다.

3767 ☐☐☐

advocate 🌱

명 [ǽdvəkət]
통 [ǽdvəkèit]

2020 국가직 9급 외 20회

명 지지자, 옹호자 supporter, patron

통 지지하다, 옹호하다 support

어원 ad[~쪽으로] + voc[부르다] + ate[명·접] = 편을 들어주기 위해 누군가 쪽으로 불려온 지지자

Many gun **advocates** claim that owning guns is a natural-born right. (기출)

많은 총기 지지자들은 총기를 소유하는 것이 타고난 권리라고 주장한다.

🔁 **critic** 명 비평가, 평론가

3768 ☐☐☐

swallow

[swɑ́:lou]

2014 국회직 8급 외 14회

통 삼키다 devour

The evolutionary path of the snakes required adaptations for **swallowing** huge pieces of food. (기출변형)

뱀들의 진화적 방향은 큰 덩어리의 음식을 삼키기 위해 적응이 필요하게 했다.

3769 ☐☐☐

unconscious

[ənkɑ́:nʃəs]

2019 국회직 8급 외 14회

형 의식을 잃은 blacked out

명 무의식

One of the drivers was lying on the ground **unconscious** and the other one was bleeding. (기출변형)

운전자 한 명은 의식을 잃고 바닥에 쓰러져 있었고 다른 한 명은 피를 흘리고 있었다.

🌱 = 어휘 영역 출제

3770 ☐☐☐

plain

[plein]

2019 지방직 7급 외 10회

형 **명백한** ≡ clear, obvious

형 **평범한**

명 **평원, 평지** ≡ field

People will support what the majority believes in even if **plain** evidence proves it false.
명백한 증거가 그것이 거짓임을 증명하더라도 사람들은 대다수가 믿는 것을 지지할 것이다.

3771 ☐☐☐

legitimate

[lidʒítəmət]

2020 지방직 7급 외 9회

형 **정당한, 합법적인** ≡ legal

어원 leg(itim)[법] + ate[형·접] = 법에 맞는, 정당한

The "soft power" is the ability to demonstrate political values, if considered **legitimate**. (기출변형)
정당하다고 여겨진다면, "소프트 파워"는 정치적 가치를 증명할 수 있는 능력이다.

🔄 **illegitimate** 형 위법의, 사생아로 태어난

➕ **legitimacy** 명 합법성

빈출 단어

3772 ☐☐☐

consensus

[kənsénsəs]

2018 서울시 9급 외 8회

명 **합의, 의견 일치** ≡ agreement

어원 con[함께(com)] + sens(us)[느끼다] = 여럿이 함께 동일하게 느끼는 것, 즉 의견 일치

The U.S. and European countries differ in terms of the balance between **consensus** and conflict. (기출변형)
미국과 유럽의 국가들은 합의와 대립 사이 균형의 측면에서 다르다.

🔄 **disagreement** 명 의견 충돌

➕ **consent** 명 동의

3773 ☐☐☐

confine

[kənfáin]

2017 지방직 9급 외 8회

동 **국한하다, 제한하다** ≡ restrict, limit

동 **가두다, 넣다** ≡ detain

어원 con[모두(com)] + fin(e)[경계] = 모든 면에서 경계 안에 있게 제한하다

The more details there are in a film, the more the director **confines** the viewers' imagination. (기출변형)
영화 속에 더 많은 디테일이 있을수록, 감독은 시청자들의 상상력을 더욱 국한한다.

➕ **confinement** 명 감금, 제한

manifest

[mǽnəfèst]

2019 서울시 9급 외 7회

동 나타나다, 드러내다　　　　　= display, exhibit

형 명백한, 분명한

어원 mani[손(manu)] + fest[쥐어진] = 손에 쥐어진 듯 분명하게 나타나다, 드러내다

Cultural differences in the workplace can **manifest** themselves in how the workers speak and behave. (기출변형)

직장에서의 문화적 차이는 직원들이 어떻게 말하고 행동하는지에 나타날 수 있다.

⇔ **hide** 동 감추다

⊕ **manifestation** 명 징후

marginal

[máːrdʒinəl]

2021 국가직 9급 외 7회

형 미미한, 중요하지 않은

형 한계의, 막다른　　　　　= borderline

The differences between pairs of training shoes are **marginal**. (기출변형)

운동화들 간의 차이점은 미미하다.

⊕ **marginalization** 명 (사회에서의) 소외

⊕ **marginally** 부 아주 조금, 미미하게

modest

[máːdist]

2018 국회직 9급 외 7회

형 (크기·가격 등이) 적당한, 보통의　= moderate, average

형 겸손한　　　　　= humble

어원 mod[기준] + est[형·접] = 부족하거나 과하지 않고 기준에 맞는, 즉 적당한

I was in the habit of sending **modest** gifts to my niece. (기출변형)

나는 조카에게 적당한 선물을 보내는 버릇이 있었다.

⊕ **modesty** 명 겸손함

suicide

[sjúːəsàid]

2019 국가직 9급 외 6회

명 자살

어원 sui[자신] + cide[죽이다] = 자신을 죽이는 행위인 자살

In rural areas, the number of **suicide** is three times higher than in the cities. (기출변형)

지방 지역에서, 자살률은 도시보다 세 배나 높다.

⊕ **suicidal** 형 자살의, 자멸적인

 DAY 48 해커스공무원 기출 보카 4000+

3778 ☐☐☐

ongoing

[á:ngòuiŋ]

2019 서울시 7급 외 6회

형 계속 진행 중인   ■ continuous

The oceans have risen through the **ongoing** meltdown of polar ice. 기출변형

바다는 계속 진행 중인 북극 얼음의 용해에 의해 상승했다.

3779 ☐☐☐

soothe

[su:ð]

2024 국가직 9급 외 5회

동 진정시키다, 달래다   ■ assuage, calm

She **soothed** the insect bite with a bit of lotion.

그녀는 약간의 로션으로 벌레 물린 곳을 진정시켰다.

3780 ☐☐☐

eruption

[irʌ́pʃən]

2020 국회직 9급 외 5회

명 (화산의) 폭발, 분출   ■ discharge

어원 e[밖으로(ex)] + rupt[깨다] + ion[명·접] = 막혔던 것을 깨고 밖으로 쏟아져 나옴, 즉 분출

A dangerous **eruption** of the volcano is possible within the week. 기출변형

일주일 이내에 위험한 화산 폭발이 일어날 수 있다.

3781 ☐☐☐

evacuate

[ivǽkjuèit]

2018 서울시 7급 외 5회

동 대피하다   ■ leave, vacate

어원 e[밖으로(ex)] + vac(u)[비어 있는] + ate[동·접] = 안을 비우고 밖으로 나가서 위험에서 대피하다

In the event of an emergency, officials may order you to **evacuate** the building. 기출변형

비상시에는, 담당자들이 당신에게 건물에서 대피하라고 지시할 수 있다.

➕ **evacuation** 명 비우기

3782 ☐☐☐

prominent

[prá:mənənt]

2012 법원직 9급 외 4회

형 저명한, 유명한

형 탁월한, 두드러진   ■ outstanding, noticeable

Prominent psychologists have found that bad experiences in school are related to academic performance. 기출변형

저명한 심리학자들은 학교에서의 나쁜 경험이 학업 성적과 관련이 있다는 것을 발견했다.

3783 ☐☐☐

plague

[pleig]

2019 국회직 8급 외 3회

명 전염병, 역병   ■ epidemic, infection

동 귀찮게 하다, 괴롭히다   ■ bother, torment

명 떼, 무리

A **plague** quickly spread across every country around the world.

전염병이 전 세계 각국에 빠르게 확산되었다.

해커스공무원 기출 보카 4000+

3784 ☐☐☐

tranquility

[træŋkwíləti]

2021 지방직 9급 외 2회

명 평온, 차분함　　　　■ serenity

The need for perfection and the desire for inner **tranquility** conflict with each other. (기출)
완벽함의 필요성과 내적 평온을 향한 욕망은 서로 상반된다.

3785 ☐☐☐

discourse

명 [dískɔːrs]
동 [diskɔ́ːrs]

2017 국회직 9급 외 2회

명 담론, 담화, 강연　　　　■ discussion

동 연설하다, 강연하다　　　　■ lecture

It's important to have political **discourse** as long as it's civil.
정치적 담론을 하는 것은 담론이 시민적으로 이루어지는 한 중요하다.

3786 ☐☐☐

outnumber

[autnʌ́mbər]

2016 지방직 9급 외 2회

동 ~보다 수적으로 우세하다　　　　■ exceed

Telecommuters **outnumbered** actual commuters in the large metropolitan areas. (기출변형)
대도시 지역에서는 재택근무자들이 실제 통근자들보다 수적으로 우세했다.

3787 ☐☐☐

impel

[impél]

2017 서울시 9급 외 1회

동 강요하다, ~하게 만들다　　　　■ compel, constrain

동 (앞으로) 밀고 나가다, 밀어내다, 추진하다

어원 im[안에(in)] + pel[몰다] = 안으로 들어가서 일을 하도록 강요하다

The global media **impelled** the government to address the country's air pollution problem. (기출변형)
세계 언론은 정부가 그 나라의 대기 오염 문제를 다루도록 강요했다.

3788 ☐☐☐

exhume

[igzjúːm]

2019 지방직 9급 외 1회

동 파내다, 발굴하다　　　　■ dig up

동 빛을 보게 하다, 공개하다

Officials **exhumed** the body to determine if the person had been poisoned.
관계자들은 그 사람이 독살되었는지 확인하기 위해 시신을 파냈다.

↔ **bury** 동 묻다

3789 ☐☐☐

dismay

[disméi]

2017 지방직 9급 외 1회

통 크게 실망시키다, 경악하게 만들다 ▤ appall

명 실망, 경악 ▤ disappointment

The prime minister was thoroughly **dismayed** by the lack of public support for his new project. (기출)

수상은 그의 새로운 프로젝트에 대한 대중의 지지가 없는 것에 대해 대단히 크게 실망했다.

↔ **encourage** 통 격려하다

빈출 숙어

3790 ☐☐☐

take over

2020 지방직 7급 외 22회

~을 인계받다, 인수하다 ▤ acquire, assume

(정권 등을) 장악하다 ▤ dominate

I'm going to **take over** his former position. (기출)

나는 그의 이전 직위를 인계받을 것이다.

3791 ☐☐☐

resort to

2019 법원직 9급 외 6회

~에 의존하다 ▤ turn to

Potential adoptive parents **resorted to** adopting children from abroad. (기출변형)

입양하기를 바라는 부모들은 해외에서 아이들을 입양하는 것에 의존했다.

3792 ☐☐☐

be passed down

2018 국회직 8급 외 4회

전해져 내려오다 ▤ be inherited

This necklace has **been passed down** through my family for three generations.

이 목걸이는 우리 가문에 3대째 전해져 내려왔다.

3793 ☐☐☐

in short supply

2017 법원직 9급 외 2회

공급이 부족한 ▤ scarce

Because of their popularity, well-made knives have always been **in short supply**. (기출변형)

인기로 인해, 잘 만들어진 단도는 항상 공급이 부족했다.

3794 ☐☐☐

on the back of

2019 서울시 9급 외 1회

~의 뒤를 이어, ~의 결과로 ▤ as a result of

Russia and China doubled their military spending **on the back of** their thriving economies. (기출변형)

러시아와 중국은 번성하는 경제의 뒤를 이어 군사 비용을 두 배로 늘렸다.

완성 어휘

해커스공무원 기출 보카 4000+

3795 archive	똉 기록 보관소	
3796 sluggish	휑 느릿느릿한, 굼뜬	
3797 mountainous	휑 산악의, 산지의	
3798 inordinate	휑 과도한, 지나친	
3799 condolence	똉 애도, 조의	
3800 specimen	똉 표본, 샘플	
3801 widow	똉 미망인, 과부	
3802 countervail	똉 대항하다	
3803 alliance	똉 동맹, 유사성, 공통점	
3804 homespun	휑 소박한, 보통의	
3805 tardily	휑 느리게, 완만하게	
3806 thrifty	휑 절약하는, 검소한	
3807 selective	휑 선택적인	
3808 engagement	똉 약속, 약혼	
3809 glossy	휑 윤이 나는	
3810 fantasize	똉 공상하다	
3811 fluidly	휑 유동적으로, 불안정하게	
3812 lengthy	휑 너무 긴, 장황한	
3813 insecure	휑 불안정한	
3814 defuse	똉 완화하다, 진정시키다	
3815 menial	휑 하찮은	
3816 transitional	휑 과도기의, 변천하는	
3817 concession	똉 양보, 특권, 구내매점	

3818 ancestry	똉 조상, 발단
3819 dual	휑 이중의
3820 insignificant	휑 약소한, 대수롭지 않은
3821 foraging	똉 수렵, 채집
3822 obstinate	휑 고집 센, 완강한
3823 mutiny	똉 반란, 폭동
3824 shorthand	똉 약칭; 휑 약칭으로 된
3825 grease	똉 기름; 똉 기름을 바르다
3826 comparatively	휑 비교적
3827 pretentious	휑 가식적인, 허세 부리는
3828 relics	똉 유적
3829 bureau	똉 (관청의) 국, 부서
3830 revered	휑 존경받는
3831 at about	대략
3832 fall to	~의 몫이 되다
3833 all but	거의
3834 lay away	~을 그만두다
3835 sprout from	~에서 자라나다
3836 at the forefront	~의 선두에서, 최전선에서
3837 far and away	훨씬, 단연코
3838 by all means	무슨 수를 쓰더라도
3839 lay ~ up	~을 모으다, 비축하다
3840 in the interest of	~을 위하여

DAY 49

■ 1회독 ■ 2회독 ■ 3회독

최빈출 단어

DAY49 음성 바로 듣기

3841 ☐☐☐

criminal

[krímɪnəl]

2019 서울시 7급 외 36회

명 범인, 범죄자 ≡ offender, culprit

형 형사상의 ≡ penal

어원 crimin[분리하다(cern)] + al[명·접] = 따로 분리해서 가둬두는 범인

Handcuffs are used to prevent suspected **criminals** from escaping police custody. (기출변형)

수갑은 의심되는 범인이 경찰의 구류에서 탈출하는 것을 방지하기 위해 사용된다.

3842 ☐☐☐

suffering

[sʌ́fərɪŋ]

2020 법원직 9급 외 33회

명 고통, 괴로움 ≡ distress, pain

어원 suf[아래에] + fer[나르다] + ing[명·접] = 무거운 고통을 아래에서 지고 나름, 즉 고통

Traffic accidents cause much **suffering**. (기출변형)

교통사고는 많은 고통을 유발한다.

➕ **sufferer** 명 고통 받는 사람, 환자

3843 ☐☐☐

alternative

[ɔːltə́ːrnətiv]

2022 법원직 9급 외 31회

Plan A Plan B

명 대안, 대체 수단 ≡ substitute, option

형 대안의, 대체 가능한 ≡ auxiliary

어원 alter(n)[다른] + ate[동·접] + ive[형·접] = (서로 다른 것을 번갈아 할 수 있게) 대체 가능한 것, 즉 대안

The **alternatives** she offered didn't work. (기출변형)

그녀가 제안한 대안들은 효과가 없었다.

➕ **alternatively** 부 그 대신에

3844 ☐☐☐

association 🌿

[əsòusiéiʃən]

2020 국회직 9급 외 28회

명 협회, 연대 ≡ alliance, consortium

명 연관, 연상 ≡ interrelationship

Medical **associations** offer different answers about high blood pressure. (기출변형)

의학 협회들은 고혈압에 대해서 서로 다른 답을 제공한다.

➕ **associative** 형 연합의, 연상의

3845 ☐☐☐

congress

[ká:ŋgris]

2020 국회직 8급 외 26회

| 명 의회 | ≡ council, assembly |

| 명 회의 | ≡ conference |

Most people don't know how **Congress** runs spending on its operation. 기출변형

대부분의 사람들은 의회가 그것의 활동에 대한 비용을 어떻게 운영하는지 모른다.

➕ **congressional** 형 의회의

3846 ☐☐☐

emphasize

[émfəsàiz]

2019 국회직 8급 외 19회

| 동 강조하다, 두드러지게 하다 | ≡ stress, weight |

어원 em[안에(en)] + phas[보여주다] + ize[동·접] = 안에 있는 여럿 중에 특별히 잘 보여주려고 강조하다

The physicist **emphasized** the importance of imagination in science. 기출변형

그 물리학자는 과학에서 상상력의 중요성을 강조했다.

➕ **emphasis** 명 강조, 주안점

3847 ☐☐☐

presence

[prézns]

2020 법원직 9급 외 18회

| 명 존재 | ≡ being, existence |

Some birds sing at unnatural hours in the **presence** of artificial light. 기출변형

인공 불빛의 존재 속에서 몇몇 새들은 부자연스러운 시간에 노래한다.

➕ **presentation** 명 발표, 제출

3848 ☐☐☐

prescribe

[priskráib]

2019 국회직 8급 외 15회

| 동 처방하다 | ≡ order, advise |

| 동 규정하다, 지시하다 | ≡ stipulate |

어원 pre[전에] + scrib(e)[쓰다] = 환자가 약을 사기 전에 의사가 약을 정해서 써주다, 즉 처방하다

The woman was **prescribed** the medicine. 기출변형

그 여자는 약을 처방 받았다.

➕ **prescription** 명 처방, 처방전

3849 ☐☐☐

elevate

[éləvèit]

2017 지방직 7급 외 11회

| 동 높이다, 올리다 | ≡ raise |

| 동 승진시키다 | ≡ promote |

어원 e[밖으로(ex)] + lev[올리다] + ate[동·접] = 어떤 것을 현재의 자리 밖으로 들어 올리다, 높이다

Laughing decreases the level of stress hormones that **elevate** blood pressure. 기출변형

웃음은 혈압을 높이는 스트레스 호르몬의 수치를 낮춘다.

🔄 **demote** 동 강등시키다

➕ **elevator** 명 승강기

🌱 = 어휘 영역 출제

3850 ☐☐☐

span

[spæn]

2020 지방직 7급 외 9회

명 시간, (지속) 기간　　　■ period

동 걸쳐서 이어지다

The researchers found that studying another language extends people's attention **span**. (기출변형)

연구원들은 다른 언어를 공부하는 것이 사람들의 집중 지속 시간을 연장한다는 것을 발견했다.

빈출 단어

3851 ☐☐☐

extravagant

[ikstrǽvəgənt]

2022 국회직 9급 외 8회

형 사치스러운, 낭비하는　　　■ wasteful, prodigal

형 지나친, 터무니없는

There are many cheap flights to Jeju Island, but flying to other destinations seems **extravagant**. (기출변형)

제주도로 가는 저렴한 항공편은 많지만 다른 목적지로 가는 항공편은 사치스러운 것 같다.

↔ **thrifty** 형 절약하는

3852 ☐☐☐

counter

[káuntər]

2024 국가직 9급 외 7회

동 반박하다, 논박하다　　　■ oppose, contradict

동 (무엇의 악영향에) 대응하다　　　■ counteract

명 계산대, 판매대

They made an effort to **counter** the opponent's argument at the meeting.

그들은 회의에서 상대방의 주장을 반박하기 위해 노력했다.

3853 ☐☐☐

manipulate

[mənípjulèit]

2020 법원직 9급 외 7회

동 다루다, 솜씨 있게 처리하다　　　■ operate, handle

동 조작하다　　　■ maneuver

어원 mani[손] + pul[채우다(ple)] + ate[동·접] = 어떤 것을 손안에 채워 이리저리 다루다

Creative thinking requires you to **manipulate** your knowledge to search for new ideas. (기출변형)

창의적인 사고는 새로운 아이디어를 찾도록 당신이 가진 지식을 다루도록 요구한다.

➕ **manipulation** 명 조작, 속임수

3854 ☐☐☐

frightening

[fráitniŋ]

2018 지방직 9급 외 7회

형 섬뜩한, 무서운　　　　　　■ terrifying

Some people find human cloning **frightening**. (기출변형)

어떤 사람들은 인간 복제를 섬뜩하다고 생각한다.

↔ **comforting** 형 위안을 주는

✚ **fright** 명 놀람, 겁

3855 ☐☐☐

random

[rǽndəm]

2017 법원직 9급 외 7회

형 임의의, 무작위의　　　　　　■ arbitrary

The password was made up of **random** letters and numbers.

비밀번호는 임의의 문자와 숫자로 이루어져 있었다.

↔ **planned** 형 계획된

✚ **randomly** 부 무작위로, 임의로

3856 ☐☐☐

mortgage

[mɔ́:rgidʒ]

2019 서울시 7급 외 6회

명 주택 담보, 저당

House price has increased, but the **mortgage** rate fell below 4 percent. (기출변형)

집값이 올랐지만 주택 담보 금리는 4퍼센트 아래로 떨어졌다.

3857 ☐☐☐

fluctuate

[flʌ́ktʃuèit]

2019 지방직 7급 외 6회

동 오르내리다, 변동하다　　　　　　■ sway, alternate

The unemployment rate is **fluctuating** between 6.3 percent and 6.8 percent. (기출변형)

실업률은 6.3퍼센트와 6.8퍼센트 사이를 오르내리고 있다.

↔ **be steady** 흔들리지 않다, 한결같다

✚ **fluctuation** 명 오르내림, 변동

3858 ☐☐☐

incurable

[inkjúərəbl]

2018 서울시 7급 외 6회

형 불치의　　　　　　■ terminal, fatal

He did not know how to treat the **incurable** illness. (기출변형)

그는 불치병을 어떻게 치료해야 할지 몰랐다.

↔ **curable** 형 치유 가능한

3859 ☐☐☐

spectacular

[spektǽkjulər]

2018 국회직 8급 외 6회

| 형 멋진, 장관을 이루는 | ■ amazing, glorious |

| 형 극적인 | ■ dramatic |

어원 spect(a)[보다] + cul[명·접] + ar[형·접] = 볼 만한, 즉 멋진

The website offers **spectacular** panoramas of artworks. (기출변형)

그 웹사이트는 예술품들의 멋진 파노라마 사진을 제공한다.

⬅ **dull** 형 따분한, 재미없는

➕ **spectator** 명 관중

3860 ☐☐☐

soar

[sɔːr]

2020 국회직 8급 외 5회

| 통 급등하다, 치솟다 | ■ rise, ascend |

The euro **soared** to $1.60. (기출변형)

유로화는 1.60달러까지 급등했다.

⬅ **plummet** 통 곤두박질치다, 급락하다

3861 ☐☐☐

willingness

[wíliŋnis]

2016 지방직 7급 외 4회

I will do!

| 명 의지 | ■ readiness |

With strong **willingness**, he pushed his business to success. (기출변형)

강한 의지를 가지고, 그는 사업을 성공을 향해 밀고 나아갔다.

⬅ **unwillingness** 명 꺼림, 본의 아님

➕ **willingly** 부 기꺼이, 선뜻

3862 ☐☐☐

depreciate

[diprí:ʃièit]

2019 지방직 7급 외 3회

| 통 (가치가) 떨어지다, 평가 절하되다 | ■ devalue |

| 통 경시하다, 비하하다 | ■ disparage |

A car's value will **depreciate** by about 30 percent after one year.

자동차의 가치는 1년 후에 약 30퍼센트 정도 떨어질 것이다.

⬅ **appreciate** 통 진가를 알아보다, 인정하다

3863 ☐☐☐

outrage

[áutreidʒ]

2017 서울시 9급 외 3회

| 명 분노, 격노 | ■ indignation, anger |

| 통 분노하게 만들다 | ■ infuriate |

The **outrage** among residents forced the government to address the problem. (기출변형)

거주자들의 분노는 정부가 그 문제를 처리하도록 강요했다.

➕ **outrageous** 형 터무니없는, 엉뚱한

해커스공무원 기출 보카 4000+

3864 ☐☐☐

unanimous

[juːnǽnəməs]

2018 법원직 9급 외 3회

형 만장일치의, 합의의　　　■ agreed

The proposal to build a nuclear weapon was passed by a **unanimous** vote. 기출변형

새로운 핵무기를 만드는 제안은 만장일치 표로 통과되었다.

■ **at odds** 불일치의

3865 ☐☐☐

spectrum

[spéktrəm]

2017 지방직 7급 외 3회

명 범위, 영역　　　■ range, scope

명 빛의 띠

어원 spect(rum)[보다] = 사람이 볼 수 있는 빛의 범위 또는 특정 영역

Shoppers were impressed by the hypermarket's broad **spectrum** of product offerings.

쇼핑객들은 그 대형 슈퍼마켓의 폭넓은 제품의 범위에 감명받았다.

3866 ☐☐☐

exorbitant

[igzɔ́ːrbətənt]

2013 서울시 7급 외 2회

형 터무니없는, 과도한　　　■ preposterous

The British tax on tea was **exorbitant**. 기출변형

영국인들의 홍차에 대한 세금은 터무니없었다.

■ **reasonable** 형 합리적인, 타당한

3867 ☐☐☐

bankrupt

[bǽŋkrʌpt]

2018 지방직 9급 외 1회

형 파산한　　　■ insolvent, broke

어원 bank[책상] + rupt[깨다] = 더 이상 돈이 없어 돈을 세던 책상을 깨고 파산한

The country might have gone **bankrupt** if the government had not regulated investments in luxuries. 기출변형

만약 정부가 사치품에 대한 투자를 규제하지 않았다면 그 나라는 파산했을 것이다.

■ **solvent** 형 지불할 능력이 있는

➊ **bankruptcy** 명 파산

3868 ☐☐☐

pushy

[púʃi]

2015 지방직 9급

형 지나치게 밀어붙이는, 강요하는　　　■ forceful

There is a difference between being assertive and being **pushy**. 기출변형

적극적인 것과 지나치게 밀어붙이는 것 사이에는 차이가 있다.

■ **retiring** 형 삼가는, 내향적인

빈출 숙어

3869 ☐☐☐

only to

2020 지방직 7급 외 28회

결국 ~하다 　　　　　　　　■ end up

She left the country to avoid the scandal, **only to** find that the media followed her. (기출변형)

그녀는 추문을 피하기 위해 나라를 떠났으나, 결국 미디어가 그녀를 쫓아온 것을 알게 되었다.

3870 ☐☐☐

come up with 🌱

2018 지방직 9급 외 17회

~을 생각해 내다 　　　　　■ devise, propose

I **came up with** an idea for the project. (기출변형)

나는 프로젝트에 대한 아이디어를 생각해 냈다.

3871 ☐☐☐

aim at 🌱

2020 국회직 9급 외 11회

~을 겨냥하다, ~을 목표로 하다 　　■ zero in on

The President's speech **aimed at** the drug problem. (기출변형)

그 대통령의 연설은 마약 문제를 겨냥했다.

3872 ☐☐☐

go off 🌱

2012 서울시 9급 외 10회

(경보 등이) 울리다 　　　　　■ ring, sound

발사되다, 폭발하다 　　　　　■ burst

The lecture ended when the fire alarm **went off** in the building. (기출변형)

건물에 화재경보가 울렸을 때 강의는 끝이 났다.

3873 ☐☐☐

be credited with

2020 국회직 8급 외 3회

~에 대한 공로를 인정받다 　　■ be recognized as

He **is credited with** making the first violin. (기출변형)

그는 최초의 바이올린을 만든 것에 대한 공로를 인정받았다.

3874 ☐☐☐

let down

2019 국가직 9급

~를 실망시키다 　　　　　　■ disappoint

He was **let down** to learn that he hadn't passed the exam.

그는 자신이 시험을 통과하지 못한 것을 알게 되어 실망했다.

완성 어휘

3875	alumni	명 졸업생들
3876	haven	명 피난처, 안식처
3877	wither	동 시들다, 약해지다
3878	consonant	형 일치하는; 명 자음
3879	insistence	명 주장, 강조
3880	contrive	동 고안하다, 용케 ~하다
3881	madden	동 매우 화나게 만들다
3882	dosage	명 복용량, 정량
3883	disparate	형 이질적인, 서로 다른
3884	valiant	형 용맹한, 용감한
3885	hypocritical	형 위선적인, 위선의
3886	circumvent	동 피하다, 면하다
3887	snugly	부 포근하게
3888	sputter	동 흥분하여 말하다
3889	denunciation	명 비난, 성토
3890	mockery	명 조롱, 웃음거리
3891	primacy	명 최고, 으뜸
3892	varnish	명 광택; 동 광택제를 바르다
3893	verbose	형 장황한, 말이 많은
3894	adversarial	형 적대적인
3895	censure	동 질책하다; 명 질책
3896	insuperable	형 극복할 수 없는
3897	ranch	명 목장

3898	earnestly	부 진지하게, 진정으로
3899	interrelate	동 밀접한 연관을 가지다
3900	amalgamation	명 융합, 합병
3901	dearth	명 부족, 결핍
3902	fringe	형 부수적인, 이차적인
3903	wherein	부 ~에서, ~이라는 점에서
3904	aboriginal	형 원주민의
3905	theft	명 절도
3906	hortatory	형 권고적인, 충고하는
3907	confide	동 (비밀을) 털어놓다
3908	sardonic	형 냉소적인
3909	attire	명 의복, 복장
3910	run over	(차로) 치다
3911	in passing	지나가는 말로
3912	far beyond	~을 훨씬 넘어서
3913	not all that	그다지
3914	stamp on	(무력·권위 등으로) 짓밟다
3915	run short	부족하다, 떨어지다
3916	keep track of	~의 뒤를 쫓다, 추적하다
3917	end in	~으로 끝나다, ~이 되다
3918	crowd out	몰아내다
3919	roll one's eyes at	곁눈질하다
3920	jump to conclusions	성급히 결론을 내리다

= 어휘 영역 출제

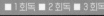
최빈출 단어

DAY50 음성 바로 듣기

3921 ☐☐☐

eliminate

[ilímənèit]

2019 국가직 9급 외 40회

통 **제거하다, 없애다**

■ remove, get rid of

어원 e[밖으로(ex)] + limin[경계] + ate[동·접] = 경계 밖으로 치워 제거하다

The vaccine **eliminated** virus that killed thousands that year. (기출변형)

그 백신은 그해 수천 명을 죽였던 바이러스를 제거했다.

➕ **elimination** 명 제거

3922 ☐☐☐

enhance 🌱

[inhǽns]

2023 국회직 8급 외 27회

통 **향상하다, 높이다**

■ improve, boost

Foreign language learners can **enhance** their reading ability by paying attention to context. (기출변형)

외국어 학습자들은 문맥에 주의를 기울임으로써 읽기 능력을 향상할 수 있다.

➕ **enhancement** 명 향상, 상승

3923 ☐☐☐

enormous

[inɔ́ːrməs]

2020 지방직 9급 외 22회

형 **엄청난, 거대한**

■ vast, tremendous

어원 e[밖으로(ex)] + norm[기준] + ous[형·접] = 기준 밖으로 벗어날 만큼 엄청난, 거대한

Resources like solar power, hydropower, and wind power have **enormous** growth potential. (기출)

태양력, 수력, 그리고 풍력 같은 자원들은 엄청난 성장 가능성을 가지고 있다.

➡ **tiny** 형 작은
➕ **enormously** 부 엄청나게, 대단히

3924 ☐☐☐

obesity

[oubíːsəti]

2018 국회직 8급 외 20회

명 **비만, 비만율**

High-fat foods are the main reason of the increasing **obesity** rate. (기출변형)

고지방 식품은 비만율이 증가하는 주요 원인이다.

➕ **obese** 형 비만인

3925 ☐☐☐

conventional

[kənvénʃənəl]

2024 서울시 9급 외 12회

| 형 기존의, 관습적인 | ≡ traditional |

| 형 극히 평범한, 틀에 박힌 | ≡ normal, standard |

The modern building was built using **conventional** concrete. (기출변형)

그 현대적인 건물은 기존의 콘크리트를 사용하여 만들어졌다.

↔ **unconventional** 형 인습에 얽매이지 않는, 색다른

➕ **conventionally** 부 관례적으로

3926 ☐☐☐

strengthen

[stréŋkθən]

2020 국회직 9급 외 11회

| 동 강화하다 | ≡ build up, reinforce |

Some foods contain fatty acids that can **strengthen** the immune system. (기출변형)

어떤 음식들은 면역 체계를 강화할 수 있는 지방산을 포함하고 있다.

↔ **weaken** 동 약화시키다

➕ **strength** 명 힘

3927 ☐☐☐

clone

[kloun]

2018 서울시 7급 외 10회

| 동 복제하다 | ≡ reproduce |

| 명 복제물, 복제품 | ≡ reproduction |

The news about the **cloned** sheep was received with wonder. (기출변형)

그 복제된 양에 대한 소식은 놀라움과 함께 받아들여졌다.

3928 ☐☐☐

criteria

[kraitíriə]

2016 지방직 7급 외 10회

| 명 기준, 표준 | ≡ standard, norm |

The definition of beauty is sometimes due to cultural **criteria**. (기출변형)

아름다움의 정의는 때때로 문화적 기준에 따른 것이다.

➕ **criterion** 명 기준, 표준

3929 ☐☐☐

elsewhere

[élshwɛər]

2020 지방직 7급 외 10회

| 부 다른 곳에서 | ≡ somewhere else |

The chef's dishes are a little different than **elsewhere**. (기출변형)

그 주방장의 요리는 다른 곳에서와는 약간 다르다.

↔ **here** 부 여기, 여기에

3930 ☐☐☐

outstanding

[àutstǽndiŋ]

2017 국가직 9급 외 9회

형 뛰어난

■ excellent, great

어원 out[밖으로] + standing[서 있는] = 혼자 밖으로 우뚝 솟아 서 있어서 눈에 띄는, 뛰어난

The award ceremony for **outstanding** service to the industry was postponed. (기출변형)

산업에 대한 뛰어난 공헌을 기념하기 위한 그 시상식은 연기되었다.

↔ **mediocre** 형 평범한

빈출 단어

3931 ☐☐☐

weird

[wiərd]

2017 사회복지직 9급 외 8회

형 이상한, 기묘한

■ uncanny, unusual

People who talk to themselves out loud are considered **weird**.

혼잣말을 크게 하는 사람들은 이상하다고 여겨진다.

↔ **normal** 형 평범한

3932 ☐☐☐

pervasive

[pərvéisiv]

2021 국가직 9급 외 8회

형 만연한, 곳곳에 스며든

■ prevalent, ubiquitous

어원 per[두루] + vas(e)[가다(vade)] + ive[형·접] = 여기저기 두루 가서 널리 퍼진, 만연한

Marine trash is one of the most **pervasive** forms of pollution around the world's oceans. (기출변형)

바다 쓰레기는 세계의 대양 곳곳에서 가장 만연한 오염의 형태들 중 하나이다.

↔ **uncommon** 형 흔하지 않은

⊕ **pervade** 동 만연하다

3933 ☐☐☐

resentment

[rizéntmənt]

2021 국회직 9급 외 7회

명 분노, 화

■ pique, dissatisfaction

어원 re[다시] + sent[느끼다] + ment[명·접] = 나쁜 자극에 대한 반응으로 인한 분노, 즉 분노

When inequality is accompanied by poverty, it naturally triggers **resentment**. (기출변형)

불평등이 빈곤을 동반하면, 이는 자연스럽게 분노를 촉발한다.

↔ **happiness** 명 행복, 기쁨

⊕ **resentful** 형 분개하는

3934 ☐☐☐

keen

[kiːn]

2020 법원직 9급 외 7회

| 형 | 강한, 열정적인 | ▤ intense, eager |

| 형 | 예리한 | ▤ incisive |

The volunteers are rewarded with a **keen** sense of accomplishment. (기출변형)
그 자원봉사자들은 강한 성취감으로 보상받는다.

➕ **keenly** 분 날카롭게

3935 ☐☐☐

moderate

[mάːdərət]

2019 서울시 7급 외 7회

| 형 | 보통의, 중간의 | ▤ average |

| 형 | 적당한, 알맞은 | ▤ reasonable |

어원 mod(er)[기준] + ate[동·접] = 중간 정도에 있어 기준이 되는, 즉 보통의

A group of students ran at **moderate** intensity for forty minutes. (기출변형)
한 무리의 학생들이 40분 동안 보통의 강도로 달렸다.

🔁 **unreasonable** 형 불합리한, 지나친
➕ **moderately** 분 적당히, 알맞게

3936 ☐☐☐

disguise

[disgάiz]

2020 법원직 9급 외 6회

| 동 | 변장하다, 위장하다 | ▤ camouflage |

| 동 | (의도·사실 등을) 숨기다 | ▤ hide |

어원 dis[떨어져] + guise[모습] = 본 모습과는 동떨어진 다른 모습으로 변장하다

The food critic wears a **disguise** when he eats at restaurants.
그 음식 비평가는 식당에서 밥을 먹을 때 변장한다.

🔁 **reveal** 동 드러내다

3937 ☐☐☐

talkative

[tɔ́ːkətiv]

2019 서울시 7급 외 4회

| 형 | 수다스러운 | ▤ garrulous |

He is shy at first, but becomes quite **talkative** over time.
그는 처음엔 수줍음을 타지만, 시간이 지나면서 꽤 수다스러워진다.

🔁 **reticent** 형 말수가 적은

3938 ☐☐☐

presuppose

[prìsəpóuz]

2018 서울시 7급 외 4회

| 동 | 전제로 삼다, 상정하다 | ▤ presume, assume |

The term "subject" dates from the Renaissance and **presupposes** that man is a free intellectual agent. (기출변형)
'주체'라는 용어는 르네상스 시대부터 시작되어 인간이 자유로운 지적인 주체라는 것을 전제로 삼는다.

➕ **presupposition** 명 전제, 가정

🌱 = 어휘 영역 출제

3939 ☐☐☐

liver

명 간

[lívər]
2019 지방직 7급 외 4회

Long-term use of steroids can cause **liver** and heart problems. (기출변형)
스테로이드의 장기간 사용은 간과 심장 문제들을 유발할 수 있다.

3940 ☐☐☐

witty

형 재치 있는, 익살맞은　**■** humorous, clever

[wíti]
2019 국가직 9급 외 4회

Marketing companies use **witty** advertisements to appeal to children. (기출변형)
마케팅 회사들은 아이들의 흥미를 끌기 위해 재치 있는 광고들을 사용한다.

■ dull 형 따분한, 재미없는

➕ wit 명 재치

3941 ☐☐☐

infringe

동 위반하다, 어기다　**■** violate

동 침해하다　**■** compromise

[infríndʒ]
2020 국가직 9급 외 3회

It is harder to **infringe** traffic laws because of the presence of video cameras.
비디오카메라의 존재 때문에 교통법규를 위반하기는 더 어렵다.

➡ preserve 동 지키다, 보호하다

➕ infringement 명 위반, 침해

3942 ☐☐☐

humiliate

동 굴욕을 주다　**■** embarrass, mortify

[hju:mílièit]
2012 법원직 9급 외 3회

어원 humili[땅] + ate[동·접] = 상대를 땅으로 숙이게 하여 굴욕감을 주다

When he was caught stealing money, he was **humiliated** in public. (기출)
그가 돈을 훔치는 것을 걸렸을 때, 그는 공개적으로 굴욕을 당했다.

➕ humiliation 명 굴욕, 창피

3943 ☐☐☐

bout

명 한바탕, 한차례　**■** spell, period

명 병치레, 병을 한바탕 앓음

[baut]
2014 법원직 9급 외 2회

She sought medical advice for her **bouts** of fatigue. (기출변형)
그녀는 자신의 한바탕 피로에 대해 조언을 구했다.

3944 □□□

bluff

[blʌf]

2011 지방직 9급 외 1회

동 속이다, 허세 부리다　　　■ deceive, cheat

명 허세

He **bluffed** his way out by faking his voice. 기출변형
그는 목소리를 변조함으로써 속여서 상황을 벗어났다.

3945 □□□

landfill

[lǽndfil]

2021 국가직 9급 외 1회

명 쓰레기 매립(지)

Britain throws away 300,000 tons of clothing a year, most of which goes into **landfill** sites. 기출
영국은 1년에 30만 톤의 옷을 버리고 있고, 그것의 대부분은 쓰레기 매립지로 들어간다.

3946 □□□

exuberant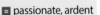

[igzú:bərənt]

2014 서울시 7급 외 1회

형 활기 넘치는　　　■ passionate, ardent

Elizabethan literature reflects the **exuberant** self-confidence of a growing nation. 기출변형
엘리자베스 1세 시대의 문학들은 한 성장국가의 활기 넘치는 자신감을 반영한다.

↔ **gloomy** 형 우울한, 침울한
➕ **exuberance** 명 (활력·기쁨 등의) 풍부

3947 □□□

altercation

[ɔ́:ltərkéiʃən]

2017 국회직 9급 외 1회

명 언쟁, 말다툼　　　■ argument

He shared his property equally among each of his children to prevent any **altercations**. 기출변형
그는 그 어떠한 언쟁도 막기 위해 그의 아이들 각자에게 자신의 재산을 똑같이 분배했다.

➕ **altercate** 동 언쟁하다, 격론을 벌이다

3948 □□□

rehearse

[rihə́:rs]

2020 지방직 7급

동 예행연습을 하다, 준비하다　　　■ practice

The rock band **rehearsed** for its new show for weeks.
그 록 밴드는 그들의 새로운 공연을 위해 몇 주 동안 예행연습을 했다.

➕ **rehearsal** 명 예행연습, 리허설

🌱 = 어휘 영역 출제

빈출 숙어

3949 ☐☐☐

look for

2020 국가직 9급 외 36회

~을 찾다, 구하다   ▣ seek, search for

~을 기대하다, 바라다   ▣ anticipate

She risked job security to **look for** something more interesting. (기출변형)

그녀는 더 흥미로운 일을 찾기 위해 고용 보장을 걸었다.

3950 ☐☐☐

in advance

2020 국회직 9급 외 9회

미리, 사전에   ▣ beforehand

When forecasters predict hurricanes we can prepare **in advance**. (기출)

일기 예보관이 허리케인을 예측하면, 우리는 미리 대비할 수 있다.

3951 ☐☐☐

lie in

2020 국회직 9급 외 7회

~에 있다   ▣ be

The flood destroys whatever **lies in** its paths. (기출변형)

홍수는 그것이 가는 길목에 있던 모든 것을 파괴한다.

3952 ☐☐☐

break out

2017 국가직 9급 외 6회

발발하다, 발생하다   ▣ happen, begin

탈출하다   ▣ escape

She learned from the book that World War I **broke out** in 1914. (기출변형)

그녀는 책을 통해 제1차 세계대전이 1914년에 발발했다는 것을 알게 되었다.

3953 ☐☐☐

a range of

2020 국회직 8급 외 5회

다양한   ▣ a variety of

The hotel offers a wide **range of** excellent services for guests. (기출변형)

그 호텔은 투숙객들을 위해 아주 다양한 종류의 우수한 서비스를 제공한다.

3954 ☐☐☐

have to do with

2018 국가직 9급 외 2회

~과 관련이 있다   ▣ be associated with

The author's latest book **has to do with** life in Spain during World War II.

저자의 최근 책은 제2차 세계 대전 중 스페인에서의 삶과 관련이 있다.

▣ **have nothing to do with** ~과 관련이 없다

완성 어휘

3955 □□□	**stakeholder**	몡 주주
3956 □□□	**bonanza** 🌱	몡 횡재, 운수대통
3957 □□□	**consummatory** 🌱	혱 완전한, 완성의
3958 □□□	**hypnotize**	통 최면을 걸다
3959 □□□	**perturbation** 🌱	몡 (심리적) 동요, 혼란
3960 □□□	**dynamism**	몡 활력, 패기
3961 □□□	**reciprocate** 🌱	통 서로 주고받다, 화답하다
3962 □□□	**wrongdoing**	몡 범법 행위
3963 □□□	**elude**	통 피하다, 벗어나다
3964 □□□	**misfit** 🌱	몡 부적응자
3965 □□□	**optimum**	혱 최적의
3966 □□□	**dispersal** 🌱	몡 확산, 분산
3967 □□□	**fallback**	몡 대비책
3968 □□□	**envision**	통 상상하다
3969 □□□	**enliven**	통 생기를 주다
3970 □□□	**immutable** 🌱	혱 불변의, 바뀌지 않는
3971 □□□	**quantify**	통 수량화하다
3972 □□□	**seamlessly** 🌱	뷔 매끄럽게, 이음매가 없이
3973 □□□	**tremble**	통 (몸이) 떨리다, 떨다
3974 □□□	**uncommon**	혱 흔하지 않은, 드문
3975 □□□	**earthy**	혱 세속적인
3976 □□□	**evasive**	혱 얼버무리는
3977 □□□	**intonation**	몡 억양, 어조

3978 □□□	**rapport**	몡 관계
3979 □□□	**muse**	통 사색하다, 골똘히 생각하다
3980 □□□	**zeal**	몡 열성, 열의
3981 □□□	**ensue**	통 뒤따르다
3982 □□□	**actionable**	혱 소송할 수 있는
3983 □□□	**rectify**	통 바로잡다, 고치다
3984 □□□	**onset**	몡 시작, 개시
3985 □□□	**defunct**	혱 기능을 하지 않는
3986 □□□	**reservoir**	몡 저장소, 저수지
3987 □□□	**graying**	몡 고령화
3988 □□□	**stand on one's own feet**	자립하다
3989 □□□	**conducive to**	~에 도움이 되는
3990 □□□	**one's cup of tea**	~의 기호에 맞는 것
3991 □□□	**at the mercy of**	~에 휘둘리는
3992 □□□	**level at** 🌱	~를 겨냥하다
3993 □□□	**knock off**	(일을) 중단하다, 끝내다
3994 □□□	**fall into**	~으로 나뉘다
3995 □□□	**strip of**	~을 빼앗다
3996 □□□	**dare to**	건방지게 ~하다
3997 □□□	**in due form**	정식으로
3998 □□□	**turn away from**	~에게서 등을 돌리다
3999 □□□	**hold public office**	공직에 있다
4000 □□□	**steer clear of** 🌱	~을 피하다, ~에 가까이 가지 않다

🌱 = 어휘 영역 출제

Review Test DAY 46-50

1. 각 어휘의 알맞은 뜻을 찾아 연결하세요.

01. consonant   •

02. arouse   •

03. exhume   •

04. unscrupulous   •

05. depreciate   •

06. allegiance   •

07. bonanza   •

08. concession   •

09. sobriety   •

10. aggregate   •

• ⓐ 충성

• ⓑ 양보, 특권

• ⓒ 일치하는; 자음

• ⓓ 절제, 맨정신

• ⓔ (가치가) 떨어지다; 경시하다

• ⓕ 불러일으키다; 자극하다

• ⓖ 횡재, 운수대통

• ⓗ 파내다; 빛을 보게 하다

• ⓘ 부도덕한, 무원칙의

• ⓙ 종합하다; 합계; 합계의

2. 다음 영단어의 뜻을 우리말로 쓰세요.

01. epitomize _____

02. precede _____

03. quota _____

04. rational _____

05. ordain _____

06. exalt _____

07. meticulous _____

08. emancipate from _____

09. vacancy _____

10. tardily _____

11. ensue _____

12. jeopardize _____

13. fluctuate _____

14. extravagant _____

15. valiant _____

16. exorbitant _____

17. reciprocate _____

18. exuberant _____

19. pervasive _____

20. rapport _____

3. 다음 빈칸에 들어갈 말로 가장 적절한 것은?

> In response to a question from a student, the professor launched into a 30-minute _____ on the benefits of recycling.

① consensus   ② discourse   ③ cohesion   ④ inheritance

4. 다음 밑줄 친 부분과 의미가 가장 가까운 것은?

> The singer gave an <u>impromptu</u> performance for his fans who had gathered to see him arrive at the airport.

① thrifty   ② permanent   ③ nomadic   ④ spontaneous

5. 다음 밑줄 친 단어의 의미와 가장 가까운 것은?

> The lawsuit alleges that the new water regulations <u>infringe</u> on the indigenous people's fishing rights.

① conserve   ② defuse   ③ barter   ④ compromise

정답

1. 01. ⓒ   02. ⓕ   03. ⓗ   04. ⓘ   05. ⓔ   06. ⓐ   07. ⓖ   08. ⓑ   09. ⓓ   10. ⓙ

2. 01. ~의 전형이다, 요약하다   02. ~에 앞서다   03. 할당량, 한도
   04. 합리적인, 이성적인   05. 정하다, 임명하다   06. 의기양양하게 하다; 상승시키다
   07. 꼼꼼한, 세심한   08. ~에서 해방하다   09. 공백; 빈 객실   10. 느리게, 완만하게
   11. 뒤따르다   12. 위태롭게 하다   13. 오르내리다, 변동하다   14. 사치스러운; 지나친
   15. 용맹한, 용감한   16. 터무니없는, 과도한   17. 서로 주고받다, 화답하다
   18. 활기 넘치는   19. 만연한, 곳곳에 스며든 20. 관계

3. ② 강연 **[해석]** 한 학생의 질문에 대한 응답으로, 그 교수는 재활용의 이점에 관한 30분 분량의 <u>강연</u>을 시작했다. **[오답]** ① 의견 일치 ③ 화합 ④ 상속

4. ④ 즉흥적인 **[해석]** 그 가수는 그가 공항에 도착하는 것을 보려고 모인 그의 팬들을 위해 <u>즉흥적인</u> 공연을 했다. **[오답]** ① 검소한 ② 영구적인 ③ 유목의

5. ④ 침해하다 **[해석]** 그 소송 건은 새로운 물 규제가 토착민들의 낚시권을 <u>침해한다</u>고 주장한다. **[오답]** ① 보존하다 ② 완화하다 ③ 물물교환하다

해커스공무원
기출 보카 4000+

공무원
필수 기초 어휘
1500

공무원 필수 기초 어휘 0001-0075

음성 바로 듣기

0001 ability [əbíləti]	몡 능력, 재능	
0002 address [ədrés]	몡 주소, 연설	
0003 alarm [əlá:rm]	몡 불안, 경보	
0004 anxiety [æŋzáiəti]	몡 불안, 걱정	
0005 army [á:rmi]	몡 군대, 육군	
0006 atmosphere [ǽtməsfìər]	몡 대기, 분위기	
0007 awkward [ɔ́:kwərd]	혱 어색한, 곤란한	
0008 beneath [biní:θ]	젼 ~의 아래에, 밑에	
0009 boil [bɔil]	동 끓다, 끓이다	
0010 bud [bʌd]	몡 싹, 꽃봉오리	
0011 carbon [ká:rbən]	몡 탄소	
0012 cheat [tʃi:t]	동 속이다, 사기 치다	
0013 column [ká:ləm]	몡 기둥 몡 (신문의) 정기 기고란	
0014 contrast [kəntrǽst]	몡 대조 동 대조하다	
0015 correct [kərékt]	혱 정확한; 동 정정하다	
0016 crime [kraim]	몡 범죄, 범행	
0017 date [deit]	몡 날짜, (만날) 약속	
0018 deluxe [dəlʌ́ks]	혱 고급의	
0019 differ [dífər]	동 다르다	
0020 dispute [dispjú:t]	몡 분쟁 동 반박하다	
0021 during [djúəriŋ]	젼 ~동안, 내내	
0022 electricity [ilektrísəti]	몡 전기, 전력	
0023 entrance [éntrəns]	몡 출입구, 입장	
0024 exercise [éksərsàiz]	몡 운동, 활동	
0025 extra [ékstrə]	혱 추가의 몡 여분의 것	
0026 feather [féðər]	몡 털, 깃털	
0027 flame [fleim]	몡 불길 동 타오르다	
0028 foreign [fɔ́:rən]	혱 외국의, 대외의	
0029 further [fə́:rðər]	붸 더 멀리에, 더 나아가	
0030 gift [gift]	몡 선물, 기증품	
0031 growth [grouθ]	몡 성장, 증가	
0032 heaven [hévən]	몡 천국, 낙원	
0033 ideal [aidí:əl]	혱 이상적인	
0034 include [inklú:d]	동 포함하다	
0035 inherent [inhíərənt]	혱 내재하는	
0036 intend [inténd]	동 의도하다, 의미하다	

0037	**join** [dʒɔin]	통 연결하다, 함께 하다

0038	**ladder** [lǽdər]	명 사다리, 단계

0039	**leave** [liːv]	통 떠나다, 출발하다

0040	**logical** [lάːdʒikəl]	형 타당한, 논리적인

0041	**march** [mɑːrtʃ]	통 행진하다, 행군하다

0042	**medicine** [médisn]	명 약, 의학

0043	**mineral** [mínərəl]	명 광물, 무기물

0044	**motivate** [móutəvèit]	통 동기를 부여하다

0045	**negative** [négətiv]	형 부정적인, 나쁜

0046	**notify** [nóutəfài]	통 알리다, 통지하다

0047	**opinion** [əpínjən]	명 의견, 견해

0048	**owe** [ou]	통 빚지고 있다

0049	**penalty** [pénəlti]	명 처벌, 위약금, 불이익

0050	**planet** [plǽnit]	명 행성, 세상

0051	**population** [pὰːpjuléiʃən]	명 인구, 주민

0052	**press** [pres]	명 언론 통 누르다

0053	**profit** [prάːfit]	명 이익, 수익

0054	**pure** [pjuər]	형 순수한, 깨끗한

0055	**raw** [rɔː]	형 날것의

0056	**reflect** [riflékt]	통 비추다, 반사하다

0057	**rely** [rilái]	통 의지하다, 신뢰하다

0058	**respect** [rispékt]	명 존경 통 존경하다

0059	**roll** [roul]	통 구르다 명 통

0060	**scent** [sent]	명 향기

0061	**self** [self]	명 자아, 자신

0062	**shore** [ʃɔːr]	명 해안, 해변

0063	**slip** [slip]	통 미끄러지다

0064	**spirit** [spírit]	명 정신, 영혼

0065	**steer** [stiər]	통 조종하다, 몰다

0066	**structure** [strʌ́ktʃər]	명 구조, 구조물

0067	**surround** [səráund]	통 둘러싸다, 포위하다

0068	**tease** [tiːz]	통 놀리다

0069	**though** [ðou]	접 ~이긴 하지만

0070	**total** [tóutl]	형 총, 전체의

0071	**trust** [trʌst]	명 신뢰 통 신뢰하다

0072	**unknown** [ənnóun]	형 알려지지 않은

0073	**view** [vjuː]	명 견해 통 ~이라고 여기다

0074	**waste** [weist]	통 낭비하다

0075	**willing** [wíliŋ]	형 기꺼이 하는

0076	**abnormal** [æbnɔ́ːrməl]	혱 비정상적인
0077	**administrative** [ædmínəstrèitiv]	혱 관리상의
0078	**albeit** [ɔːlbíːit]	쩝 비록 ~일지라도
0079	**anxious** [ǽŋkʃəs]	혱 불안해하는, 염려하는
0080	**arrange** [əréindʒ]	동 배열하다, 마련하다
0081	**attach** [ətǽtʃ]	동 붙이다, 첨부하다
0082	**background** [bǽkgràund]	명 배경, 배후 사정
0083	**benefit** [bénəfit]	명 혜택, 이득
0084	**bold** [bould]	혱 용감한, 대담한
0085	**budget** [bʌ́dʒit]	명 예산, 비용
0086	**career** [kəríər]	명 직업, 직장 생활, 경력
0087	**chemical** [kémikəl]	혱 화학의, 화학적인
0088	**combine** [kəmbáin]	동 결합하다, 결합되다
0089	**concept** [káːnsept]	명 개념
0090	**control** [kəntróul]	명 지배 동 지배하다
0091	**crisis** [kráisis]	명 위기
0092	**dawn** [dɔːn]	명 새벽, 여명
0093	**demand** [dimǽnd]	명 요구 동 요구하다

0094	**difficulty** [dífikʌlti]	명 어려움
0095	**distance** [dístəns]	명 거리, 먼 곳
0096	**dust** [dʌst]	명 먼지
0097	**electronic** [ilektráːnik]	혱 전자의
0098	**environment** [inváiərənmənt]	명 환경
0099	**exhibit** [igzíbit]	동 전시하다, 보이다
0100	**extreme** [ikstríːm]	혱 극도의, 지나친
0101	**feature** [fíːtʃər]	명 특징 동 특징으로 삼다
0102	**flash** [flæʃ]	명 섬광 동 비추다
0103	**forest** [fɔ́ːrist]	명 숲, 삼림
0104	**furthermore** [fɔ́ːrðərmɔ̀ːr]	부 더욱이
0105	**give away**	수여하다, 거저 주다
0106	**guard** [gɑːrd]	명 경비, 보초
0107	**heel** [hiːl]	명 발뒤꿈치, 굽
0108	**identity** [aidéntəti]	명 신원, 신분
0109	**income** [ínkʌm]	명 소득, 수입
0110	**inherit** [inhérit]	동 상속받다, 물려받다
0111	**intense** [inténs]	혱 극심한, 치열한

0112	**joint** [dʒɔint]	형 공동의 명 관절
0113	**landmark** [lǽndmὰ:rk]	명 주요 지형지물
0114	**lecture** [léktʃər]	명 강연 동 강의하다
0115	**lonely** [lóunli]	형 외로운, 쓸쓸한
0116	**marine** [mərí:n]	형 바다의 명 해병대
0117	**meditate** [médətèit]	동 명상하다
0118	**minimal** [mínəməl]	형 아주 적은, 최소의
0119	**motive** [móutiv]	명 동기, 이유
0120	**neighbor** [néibər]	명 이웃 형 이웃의
0121	**novel** [ná:vəl]	명 소설
0122	**opponent** [əpóunənt]	명 상대, 반대자
0123	**own** [oun]	동 소유하다
0124	**per** [pər:]	전 각 ~에 대하여, ~당
0125	**plant** [plænt]	명 식물, 공장 동 심다
0126	**pose** [pouz]	명 자세, 포즈 동 제기하다
0127	**pretend** [priténd]	동 ~인 척 하다
0128	**progress** [prá:gres]	명 진행, 진전 동 진보하다
0129	**purpose** [pə́:rpəs]	명 목적, 의도
0130	**ray** [rei]	명 광선, 가오리
0131	**reform** [rifɔ́:rm]	동 개혁하다 명 개혁
0132	**remain** [riméin]	동 계속 ~이다, 남다

0133	**respond** [rispá:nd]	동 대답하다
0134	**root** [ru:t]	명 뿌리, 핵심
0135	**scholarship** [skάlərʃìp]	명 장학금
0136	**scientific** [sὰiəntífik]	형 과학적인, 과학의
0137	**selfish** [sélfiʃ]	형 이기적인
0138	**shut** [ʃʌt]	동 닫다, 닫히다
0139	**social** [sóuʃəl]	형 사회의, 사회적인
0140	**stem** [stem]	명 줄기
0141	**struggle** [strʌ́gl]	동 투쟁하다
0142	**survey** [sə́:rvei]	명 (설문) 조사
0143	**technique** [tekní:k]	명 기법, 기술
0144	**thoughtful** [θɔ́:tfəl]	형 생각에 잠긴
0145	**toxic** [tά:ksik]	형 유독성의
0146	**truth** [tru:θ]	명 사실, 진리
0147	**unless** [ənlés]	접 ~하지 않는 한
0148	**village** [vílidʒ]	명 마을, 촌락
0149	**wash** [waʃ]	동 씻다
0150	**wing** [wiŋ]	명 날개

0151	**abroad** [əbrɔ́:d]	🔡 해외에, 해외로
0152	**admit** [ædmít]	🔡 인정하다
0153	**alien** [éiljən]	🔡 외계인 🔡 외국의
0154	**anyway** [éniwei]	🔡 그런데, 게다가
0155	**arrive** [əráiv]	🔡 도착하다, 배달되다
0156	**attack** [ətǽk]	🔡 공격, 폭행
0157	**backward** [bǽkwərd]	🔡 뒤의, 뒷걸음질하는
0158	**beside** [bisáid]	🔡 옆에, ~에 비해
0159	**bomb** [bam]	🔡 폭탄
0160	**bully** [búli]	🔡 괴롭히다
0161	**carry** [kǽri]	🔡 들고 있다, 나르다
0162	**cherish** [tʃériʃ]	🔡 소중히 여기다
0163	**comfort** [kʌ́mfərt]	🔡 안락, 편안
0164	**concern** [kənsə́:rn]	🔡 우려, 걱정
0165	**convenient** [kənvíːnjənt]	🔡 편리한, 간편한
0166	**critic** [krítik]	🔡 비평가, 평론가
0167	**deaf** [def]	🔡 청각 장애가 있는
0168	**democracy** [dimáːkrəsi]	🔡 민주주의, 민주 국가

0169	**dig** [dig]	🔡 (구멍 등을) 파다
0170	**distinct** [distíŋkt]	🔡 뚜렷한, 별개의
0171	**duty** [djúːti]	🔡 의무, 직무
0172	**element** [éləmənt]	🔡 요소, 성분
0173	**erase** [iréis]	🔡 지우다, 없애다
0174	**exhibition** [èksəbíʃən]	🔡 전시회, 표현
0175	**fabric** [fǽbrik]	🔡 직물, 천
0176	**fee** [fi:]	🔡 수수료, 요금
0177	**flat** [flæt]	🔡 평평한, 편평한
0178	**formation** [fɔːrméiʃən]	🔡 형성
0179	**fuse** [fju:z]	🔡 융합되다 🔡 퓨즈
0180	**give up**	그만두다, 단념하다
0181	**guilty** [gílti]	🔡 죄책감이 드는
0182	**height** [hait]	🔡 높이, 키
0183	**idle** [áidl]	🔡 게으른, 나태한
0184	**inconsiderate** [ìnkənsídərət]	🔡 사려 깊지 못한
0185	**initial** [iníʃəl]	🔡 처음의, 초기의
0186	**install** [instɔ́:l]	🔡 설치하다

0187	**intensive** [inténsiv]	형 집중적인, 집약적인
0188	**joke** [dʒouk]	명 농담 동 농담하다
0189	**landscape** [lǽndskèip]	명 풍경, 풍경화
0190	**look up**	~을 찾아보다
0191	**mark** [mɑːrk]	동 표시하다 명 자국
0192	**medium** [míːdiəm]	명 매체 형 중간의
0193	**minor** [máinər]	형 작은, 가벼운
0194	**mount** [maunt]	동 증가하다, 시작하다
0195	**neither** [níːðər]	한 어느 것도 ~이 아니다
0196	**nuclear** [njúːkliər]	형 원자력의
0197	**opportunity** [ὰːpərtjúːnəti]	명 기회
0198	**pace** [peis]	명 속도, 걸음
0199	**perform** [pərfɔ́ːrm]	동 수행하다, 연주하다
0200	**phobia** [fóubiə]	명 공포증
0201	**plate** [pleit]	명 접시, 요리
0202	**position** [pəzíʃən]	명 위치, 자리, 직위
0203	**prevent** [privént]	동 막다, 예방하다
0204	**promise** [prάːmis]	동 약속하다
0205	**purse** [pəːrs]	명 지갑
0206	**reach** [riːtʃ]	동 ~에 이르다
0207	**refund** [rifʌ́nd, ríːfʌnd]	동 환불하다 명 환불, 환불금

0208	**remark** [rimάːrk]	명 발언, 논평
0209	**responsible** [rispάːnsəbl]	형 책임감 있는
0210	**rough** [rʌf]	형 고르지 않은, 거친
0211	**score** [skɔːr]	명 득점, 점수
0212	**semester** [siméstər]	명 학기
0213	**sick** [sik]	형 아픈, 병든
0214	**society** [səsáiəti]	명 사회, 협회
0215	**spoil** [spɔil]	동 망치다, 상하다
0216	**step** [step]	명 걸음, 단계, 조치
0217	**stuff** [stʌf]	명 물건, 물질
0218	**survival** [sərváivəl]	명 생존
0219	**technology** [teknάːlədʒi]	명 (과학)기술
0220	**thread** [θred]	명 실, 가닥
0221	**trace** [treis]	동 추적하다 명 자취, 흔적
0222	**try to**	~을 하려고 노력하다
0223	**unlikely** [ənláikli]	형 ~일 것 같지 않은
0224	**wealth** [welθ]	명 부, 재산
0225	**wipe** [waip]	동 닦다, 훔치다

음성 바로 듣기

0226	**absolutely** [ǽbsəlu:tli]	图 전적으로, 틀림없이
0227	**adopt** [ədá:pt]	图 입양하다, 채택하다
0228	**alike** [əláik]	웹 비슷한 图 비슷하게
0229	**anywhere** [énihwɛər]	图 어디든, 어디에
0230	**arrow** [ǽrou]	阅 화살
0231	**attain** [ətéin]	图 이루다, 획득하다
0232	**baggage** [bǽgidʒ]	阅 수화물, 짐
0233	**betray** [bitréi]	图 배신하다, 배반하다
0234	**bone** [boun]	阅 뼈
0235	**bump** [bʌmp]	图 ~에 부딪치다, 찧다
0236	**cast** [kæst]	图 던지다, 배역을 정하다
0237	**chief** [tʃi:f]	웹 주된, 최고의
0238	**command** [kəmǽnd]	阅 명령 图 명령하다
0239	**conclude** [kənklú:d]	图 결론을 내리다
0240	**conversation** [kà:nvərséiʃən]	阅 대화, 회화
0241	**critical** [krítikəl]	웹 비판적인 웹 대단히 중요한
0242	**deal** [di:l]	图 다루다 阅 거래
0243	**dense** [dens]	웹 빽빽한, 밀집한
0244	**digest** [didʒést]	图 소화하다
0245	**distinguish** [distíŋgwiʃ]	图 구별하다, 식별하다
0246	**dwell** [dwel]	图 ~에 살다, 거주하다
0247	**emergency** [imə́:rdʒənsi]	阅 비상
0248	**escape** [iskéip]	图 탈출하다 阅 탈출
0249	**exist** [igzíst]	图 존재하다
0250	**fact** [fækt]	阅 사실, 실제
0251	**fellow** [félou]	阅 친구, 동료
0252	**flavor** [fléivər]	阅 풍미, 맛
0253	**former** [fɔ́:rmər]	웹 이전의, 옛날의
0254	**gain** [gein]	图 얻다 阅 증가
0255	**glance** [glæns]	图 흘낏 보다, 훑어보다
0256	**habit** [hǽbit]	阅 버릇
0257	**hence** [hens]	图 이런 이유로
0258	**ignore** [ignɔ́:r]	图 무시하다
0259	**incorporate** [inkɔ́:rpərèit]	图 포함하다
0260	**initiate** [iníʃièit]	图 시작하다, 창시하다
0261	**interact** [íntərækt]	图 소통하다

0262 ☐ **journal** [dʒə́:rnl]	명 신문, 잡지	
0263 ☐ **language** [lǽŋgwidʒ]	명 언어	
0264 ☐ **leisure** [líːʒər]	명 여가	
0265 ☐ **loose** [luːs]	형 헐렁한, 풀린	
0266 ☐ **marvel** [máːrvəl]	명 경이로운 것	
0267 ☐ **melt** [melt]	동 녹다, 녹이다	
0268 ☐ **minute** [mínit]	명 분, 회의록	
0269 ☐ **movement** [múːvmənt]	명 움직임, 이동	
0270 ☐ **nephew** [néfjuː]	명 조카	
0271 ☐ **numerous** [núːmərəs]	형 많은	
0272 ☐ **oppose** [əpóuz]	동 반대하다, 겨루다	
0273 ☐ **original** [ərídʒənəl]	형 원래의, 본래의	
0274 ☐ **pack** [pæk]	동 (짐을) 싸다, 포장하다	
0275 ☐ **performance** [pərfɔ́ːrməns]	명 공연, 연주, 수행	
0276 ☐ **platform** [plǽtfɔːrm]	명 플랫폼, 강단	
0277 ☐ **positive** [páːzətiv]	형 긍정적인, 낙관적인	
0278 ☐ **previous** [príːviəs]	형 이전의, 바로 앞의	
0279 ☐ **proof** [pruːf]	명 증거, 입증	
0280 ☐ **quality** [kwáːləti]	명 질, 우수함, 자질	
0281 ☐ **reaction** [riǽkʃən]	명 반응, 반작용	
0282 ☐ **refuse** [rifjúːz]	동 거절하다, 거부하다	
0283 ☐ **remember** [rimémbər]	동 기억하다, 기억나다	
0284 ☐ **restore** [ristɔ́ːr]	동 회복시키다	
0285 ☐ **route** [ruːt]	명 길, 경로	
0286 ☐ **scrape** [skreip]	동 긁다, 긁어내다	
0287 ☐ **senior** [síːnjər]	명 연장자, 상급자	
0288 ☐ **sight** [sait]	명 시력, 시야	
0289 ☐ **sociology** [sòusiáːlədʒi]	명 사회학	
0290 ☐ **spacious** [spéiʃəs]	형 널찍한, 넓은	
0291 ☐ **spot** [spɑːt]	명 반점, 얼룩	
0292 ☐ **stupid** [stjúːpid]	형 어리석은, 멍청한	
0293 ☐ **swear** [sweər]	동 맹세하다	
0294 ☐ **tell** [tel]	동 알리다, 말하다	
0295 ☐ **threat** [θret]	명 협박, 위협	
0296 ☐ **track** [træk]	명 길, 경주로	
0297 ☐ **tune** [tjuːn]	명 곡 동 음을 맞추다	
0298 ☐ **unnecessary** [ənnésəsèri]	형 불필요한, 부적절한	
0299 ☐ **weapon** [wépən]	명 무기	
0300 ☐ **wisdom** [wízdəm]	명 지혜, 현명함	

음성 바로 듣기

0301	**academic** [ækədémik]	형 학업의, 학문의
0302	**adult** [ədʌ́lt]	명 성인, 어른
0303	**alive** [əláiv]	형 살아 있는
0304	**apart** [əpáːrt]	부 떨어져, 따로
0305	**article** [áːrtikl]	명 글, 기사
0306	**attempt** [ətémpt]	명 시도 동 시도하다
0307	**balance** [bǽləns]	명 균형, 잔고
0308	**beyond** [bijáːnd]	전 저편에, 지나
0309	**border** [bɔ́ːrdər]	명 국경, 가장자리
0310	**burden** [bə́ːrdn]	명 부담, 짐
0311	**casual** [kǽʒuəl]	형 무심한, 평상시의
0312	**childhood** [tʃáildhùd]	명 어린 시절
0313	**comment** [káːment]	명 논평 동 논평하다
0314	**condition** [kəndíʃən]	명 상태, 환경
0315	**cooperation** [kouàːpəréiʃən]	명 협력, 협조
0316	**crop** [krɑːp]	명 농작물
0317	**dear** [diər]	형 사랑하는, 친애하는
0318	**deny** [dinái]	동 부인하다

0319	**digestion** [didʒéstʃən]	명 소화
0320	**disturb** [distə́ːrb]	동 방해하다, 건드리다
0321	**dynamic** [dainǽmik]	형 역동적인 명 역학
0322	**emotion** [imóuʃən]	명 감정, 정서
0323	**essential** [isénʃəl]	형 필수적인, 본질적인
0324	**expand** [ikspǽnd]	동 확대하다
0325	**factory** [fǽktəri]	명 공장
0326	**female** [fíːmeil]	형 여성인, 암컷의
0327	**flesh** [fleʃ]	명 살, 고기, 피부
0328	**forth** [fɔːrθ]	부 ~에서 멀리, ~쪽으로
0329	**gallery** [gǽləri]	명 미술관, 화랑
0330	**globe** [gloub]	명 지구본
0331	**hall** [hɔːl]	명 현관, 복도
0332	**heritage** [héritidʒ]	명 유산
0333	**ill** [il]	형 아픈, 몸이 안 좋은
0334	**increase** [inkríːs]	동 증가하다, 인상되다
0335	**injure** [índʒər]	동 부상을 입다, 해치다
0336	**interest** [íntərəst]	명 관심, 흥미

0337	journey [dʒə́ːrni]	몡 여행
0338	last [læst]	퓐 마지막의
0339	lend [lend]	용 빌려주다, 대출하다
0340	lot [lɑːt]	몡 지역, 부지
0341	mass [mæs]	몡 무리, 대중
0342	memorize [méməràiz]	용 암기하다
0343	mirror [mírə(r)]	몡 거울
0344	mud [mʌd]	몡 진흙
0345	nerve [nəːrv]	몡 신경, 긴장, 불안
0346	obey [oubéi]	용 따르다, 순종하다
0347	option [ɑ́ːpʃən]	몡 선택, 선택권
0348	pain [pein]	몡 아픔, 통증
0349	peril [pérəl]	몡 (심각한) 위험, 유해함
0350	pleasant [plézənt]	쮕 쾌적한, 즐거운
0351	possess [pəzés]	용 소유하다, 지니다
0352	prey [prei]	몡 먹이, 희생자
0353	property [prɑ́ːpərti]	몡 재산, 부동산
0354	quantity [kwɑ́ːntəti]	몡 양, 수량
0355	ready [rédi]	쮕 준비가 된
0356	regardless [rigɑ́ːrdlis]	뮈 상관하지 않고
0357	remind [rimáind]	용 상기시키다

0358	restrict [ristríkt]	용 제한하다, 방해하다
0359	row [rou]	몡 열, 줄
0360	scratch [skrætʃ]	용 긁다 몡 긁힌 자국
0361	sensitive [sénsətiv]	쮕 세심한, 예민한
0362	signal [sígnəl]	몡 신호
0363	soil [sɔil]	몡 토양, 흙
0364	spread [spred]	용 펼치다
0365	stick [stik]	용 찌르다 몡 나뭇가지
0366	such as	예를 들어
0367	sweat [swet]	몡 땀, 노력 용 땀을 흘리다
0368	temperature [témpərətʃər]	몡 온도, 기온
0369	therapy [θérəpi]	몡 요법, 치료
0370	throat [θrout]	몡 목구멍, 목
0371	trade [treid]	몡 거래 용 거래하다
0372	turn off	끄다
0373	unpredictable [ʌnpridíktəbəl]	쮕 예측할 수 없는
0374	wedding [wédiŋ]	몡 결혼
0375	wise [waiz]	쮕 지혜로운, 현명한

음성 바로 듣기

0376	accent [ǽksent]	명 강세, 말씨, 억양

0377	advance [ædvǽns]	명 발전 동 진보하다

0378	allow [əláu]	동 허락하다, 용납하다

0379	apologize [əpάːlədʒàiz]	동 사과하다

0380	artificial [ὰːrtəfíʃəl]	형 인공의, 인위적인

0381	attend [əténd]	동 참석하다, 다니다

0382	ballot [bǽlət]	명 무기명 투표

0383	bill [bil]	명 고지서, 계산서

0384	borrow [bάːrou]	동 빌리다

0385	burn [bəːrn]	동 타오르다 명 화상

0386	category [kǽtəgɔ̀ːri]	명 범주

0387	choice [tʃɔis]	명 선택, 선택 가능성

0388	commercial [kəmə́ːrʃəl]	형 상업의, 상업적인

0389	confess [kənfés]	동 자백하다, 인정하다

0390	coordinate [kouɔ́ːrdənət]	동 조직화하다

0391	crowd [kraud]	명 군중 동 가득 메우다

0392	death [deθ]	명 죽음, 사망

0393	depressed [diprést]	형 우울한, 암울한

0394	digital [dídʒətl]	형 디지털의

0395	dive [daiv]	명 다이빙 동 잠수하다

0396	eager [íːgər]	형 열렬한, 열심인

0397	emperor [émpərər]	명 황제

0398	establish [istǽbliʃ]	동 설립하다, 수립하다

0399	expect [ikspékt]	동 예상하다, 기대하다

0400	failure [féiljər]	명 실패, 실패작

0401	festival [féstəvəl]	명 축제, 기념제

0402	flexible [fléksəbəl]	형 신축성 있는, 유연한

0403	fortunate [fɔ́ːrtʃənət]	형 운 좋은

0404	gap [gæp]	명 틈, 격차

0405	goal [goul]	명 득점, 목표

0406	hammer [hǽmər]	명 망치

0407	hide [haid]	동 감추다, 숨기다

0408	illustrate [íləstrèit]	동 설명하다, 예시하다

0409	incredible [inkrédəbl]	형 믿을 수 없는

0410	injury [índʒəri]	명 부상, 상처

0411	internal [intə́ːrnl]	형 내부의, 체내의

0412	judgment [dʒʌ́dʒmənt]	몡 판단, 심판, 선고
0413	lately [léitli]	閉 최근에, 얼마 전에
0414	length [leŋkθ]	몡 길이, 기간
0415	lottery [láːtəri]	몡 복권, 추첨
0416	massive [mǽsiv]	혱 거대한, 심각한
0417	mental [méntl]	혱 정신의, 정신적인
0418	miserable [mízərəbəl]	혱 비참한
0419	multiply [mʌ́ltəplài]	동 곱하다 동 크게 증가시키다
0420	nervous [nə́ːrvəs]	혱 불안해하는, 과민한
0421	object [áːbdʒikt, əbdʒékt]	몡 물건, 목표 동 반대하다
0422	oral [ɔ́ːrəl]	혱 구두의, 구강의
0423	palace [pǽlis]	몡 궁전, 대저택
0424	period [píːəriəd]	몡 기간, 시대
0425	please [pliːz]	동 기쁘게 하다
0426	possible [páːsəbl]	혱 가능한
0427	priceless [práislis]	혱 대단히 귀중한
0428	propose [prəpóuz]	동 제안하다, 청혼하다
0429	quarrel [kwɔ́ːrəl]	몡 다툼 동 다투다
0430	reality [riǽləti]	몡 현실
0431	region [ríːdʒən]	몡 지방, 지역
0432	remove [rimúːv]	동 제거하다, 치우다

0433	result [rizʌ́lt]	몡 결과, 결실
0434	royal [rɔ́iəl]	혱 국왕의
0435	screen [skriːn]	몡 화면, 스크린
0436	series [síəriːz]	몡 연속, 연쇄, 시리즈
0437	signature [sígnətʃər]	몡 서명
0438	soldier [sóuldʒər]	몡 군인, 병사
0439	stab [stæb]	동 찌르다
0440	sticky [stíki]	혱 끈적거리는
0441	suddenly [sʌ́dnli]	閉 갑자기, 급작스럽게
0442	sweep [swiːp]	동 쓸다, 청소하다
0443	temple [témpl]	몡 신전, 절
0444	throughout [θruːáut]	젠 도처에, ~동안
0445	traditional [trədíʃənəl]	혱 전통의, 전통적인
0446	twist [twist]	동 휘다, 비틀다
0447	unreliable [ənriláiəbəl]	혱 신뢰할 수 없는
0448	virtue [və́ːrtʃuː]	몡 선행, 미덕
0449	weep [wiːp]	동 울다, 눈물을 흘리다
0450	within [wiðín]	젠 이내에, 내에

0451	accept [əksépt]	통 받아들이다
0452	advantage [ædvǽntidʒ]	명 장점, 이점
0453	alongside [əlɔ́ːŋsáid]	전 ~의 옆에, 나란히
0454	appeal [əpíːl]	통 관심을 끌다 명 매력, 항소
0455	as soon as	~을 하자마자, 곧
0456	attention [əténʃən]	명 주의, 관심
0457	bank [bæŋk]	명 은행, 둑
0458	billion [bíljən]	명 10억
0459	boss [bɔːs]	명 상관, 상사, 사장
0460	burst [bəːrst]	통 터지다, 폭발하다
0461	cattle [kǽtl]	명 (집합적으로) 소
0462	circumstance [sə́ːrkəmstæns]	명 환경, 상황
0463	commission [kəmíʃən]	명 위원회, 수수료
0464	confident [kɑ́ːnfədənt]	형 자신감 있는
0465	copyright [kɑ́ːpiràit]	명 저작권
0466	create [kriéit]	통 만들어 내다, 창조하다
0467	cruel [krúːəl]	형 잔인한, 괴로운
0468	debate [dibéit]	명 토론, 논쟁

0469	depth [depθ]	명 깊이
0470	diligent [dílədʒənt]	형 근면한, 성실한
0471	divide [diváid]	통 나뉘다, 나누다
0472	earn [əːrn]	통 (돈을) 벌다, 얻다
0473	electrical [iléktrikəl]	형 전자의, 전기를 사용하는
0474	estate [istéit]	명 재산, 사유지
0475	fair [fɛər]	형 타당한 부 공정하게
0476	fever [fíːvər]	명 열, 흥분, 열기
0477	flight [flait]	명 비행, 항공편
0478	found [faund]	통 설립하다, 세우다
0479	freedom [fríːdəm]	명 자유, 석방
0480	garage [gərɑ́ːdʒ]	명 주차장, 차고
0481	goods [gudz]	명 상품, 제품
0482	handle [hǽndl]	통 다루다, 처리하다
0483	hill [hil]	통 언덕, 경사로
0484	imagine [imǽdʒin]	통 상상하다
0485	indeed [indíːd]	부 정말, 확실히
0486	inner [ínər]	형 내부의, 내면의

0487	**international** [ìntərnǽʃənəl]	형 국제적인
0488	**junior** [dʒúːnjər]	명 아랫사람 형 청소년의
0489	**later** [léitər]	부 나중에, 뒤에
0490	**level** [lévəl]	명 정도, 수준
0491	**loud** [laud]	형 (소리가) 큰, 시끄러운
0492	**master** [mǽstər]	명 주인 동 ~을 숙달하다
0493	**mention** [ménʃən]	동 말하다, 언급하다
0494	**miss** [mis]	동 놓치다, 빗나가다
0495	**murder** [mɔ́ːrdər]	명 살인 동 살인하다
0496	**nest** [nest]	명 둥지, 집
0497	**objective** [əbdʒéktiv]	명 목적 형 객관적인
0498	**order** [ɔ́ːrdər]	명 순서, 주문 동 명령하다
0499	**pan** [pæn]	명 냄비, 팬
0500	**permission** [pərmíʃən]	명 허락, 승인
0501	**pleasure** [pléʒər]	명 기쁨, 즐거움
0502	**post** [poust]	명 우편 동 발송하다
0503	**pride** [praid]	명 자랑스러움, 자부심
0504	**protect** [prətékt]	동 보호하다, 지키다
0505	**quarter** [kwɔ́ːrtər]	명 4분의 1
0506	**realize** [ríːəlàiz]	동 깨닫다, 알아차리다
0507	**regret** [rigrét]	동 후회하다 명 후회

0508	**rent** [rent]	명 집세 동 임차하다
0509	**retire** [ritáiər]	동 은퇴하다
0510	**rude** [ruːd]	형 무례한, 예의 없는
0511	**sculpture** [skʌ́lptʃər]	명 조각품, 조각
0512	**serious** [síəriəs]	형 심각한, 진지한
0513	**singular** [síŋgjulər]	형 단수의, 독특한, 뛰어난
0514	**softly** [sɔ́ːftli]	부 부드럽게
0515	**square** [skwɛər]	명 정사각형, 광장 형 제곱의, 직각의
0516	**still** [stil]	부 아직
0517	**suffer** [sʌ́fər]	동 시달리다, 겪다
0518	**swing** [swiŋ]	동 흔들리다 명 흔들기, 그네
0519	**tend** [tend]	동 ~하는 경향이 있다
0520	**throw** [θrou]	동 던지다, 내던지다
0521	**typical** [típikəl]	형 전형적인, 일반적인
0522	**unusual** [ənjúʒùəl]	형 특이한, 드문
0523	**virus** [váiərəs]	명 바이러스
0524	**weigh** [wei]	동 무게를 달다
0525	**witness** [wítnis]	명 목격자, 증인

음성 바로 듣기

0526	**accident** [ǽksidənt]	몡 사고, 우연
0527	**adventure** [ædvéntʃər]	몡 모험
0528	**already** [ɔːlrédi]	閉 이미, 벌써
0529	**appliance** [əpláiəns]	몡 가전제품
0530	**aside** [əsáid]	閉 한쪽으로, 따로
0531	**attitude** [ǽtitjùːd]	몡 태도, 자세
0532	**bark** [bɑːrk]	동 짖다
0533	**bind** [baind]	동 묶다, 감다
0534	**bother** [bɑ́ðər]	동 신경 쓰다, 괴롭히다
0535	**bury** [béri]	동 묻다, 매장하다
0536	**canal** [kənǽl]	몡 운하, 체내의 관
0537	**cause** [kɔːz]	몡 원인 동 ~을 야기하다
0538	**civil** [sívəl]	형 시민의, 민간의
0539	**conflict** [kɑ́ːnflikt]	몡 갈등, 충돌
0540	**core** [kɔːr]	몡 핵심, 속
0541	**crush** [krʌʃ]	동 구기다, 으스러뜨리다
0542	**debt** [det]	몡 빚, 부채
0543	**describe** [diskráib]	동 서술하다, 묘사하다

0544	**division** [divíʒən]	몡 분할, 나눗셈, 분열
0545	**earthquake** [ə́ːrθkweik]	몡 지진
0546	**empire** [émpaiər]	몡 제국
0547	**even if**	~이라 할지라도
0548	**expense** [ikspéns]	몡 비용, 돈
0549	**fairly** [fɛ́ərli]	閉 상당히, 꽤
0550	**fiction** [fíkʃən]	몡 소설, 허구
0551	**float** [flout]	동 뜨다, 흘러가다
0552	**frame** [freim]	몡 틀, 뼈대
0553	**gather** [gǽðər]	동 모으다, 수집하다
0554	**govern** [gʌ́vərn]	동 통치하다, 다스리다
0555	**hang** [hæŋ]	동 걸다, 매달다
0556	**hire** [haiər]	동 고용하다
0557	**immediately** [imíːdiətli]	閉 즉각, 즉시
0558	**independent** [ìndipéndənt]	형 독립적인, 독립된
0559	**input** [ínpùt]	몡 투입, 입력
0560	**interval** [íntərvəl]	몡 간격, 사이
0561	**junk** [dʒʌŋk]	몡 쓸모없는 물건, 쓰레기

0562	launch [lɔːntʃ]	통 시작하다, 발사하다
0563	liberal [líbərəl]	형 진보적인
0564	luggage [lʌ́gidʒ]	명 짐, 수하물
0565	match [mætʃ]	명 성냥, 시합, 맞수
0566	merchant [mə́ːrtʃənt]	명 상인, 무역상
0567	mission [míʃən]	명 임무, 전도, 사명
0568	muscle [mʌ́sl]	명 근육, 힘
0569	net [net]	명 그물 형 (돈의 액수에 대해) 순
0570	observe [əbzə́ːrv]	통 관찰하다, 목격하다
0571	opposite [ɑ́ːpəzit]	형 다른 쪽의, 반대의
0572	ordinary [ɔ́ːrdənèri]	형 보통의, 일상적인
0573	panel [pǽnl]	명 판, 패널
0574	permit [pərmít]	통 허락하다, 허용하다
0575	plenty of	많은
0576	pot [pɑːt]	명 냄비, 도자기
0577	priest [priːst]	명 사제, 성직자
0578	protein [próutiːn]	명 단백질
0579	question [kwéstʃən]	명 질문, 문제
0580	rear [riər]	명 뒤쪽
0581	regular [régjulər]	형 규칙적인, 정규적인
0582	repair [ripέər]	통 수리하다 명 수리, 수선

0583	return [ritə́ːrn]	통 돌아오다 명 귀환
0584	ruin [rúːin]	통 망치다
0585	seal [siːl]	통 봉인하다 명 직인
0586	settle [sétl]	통 해결하다, 정착하다
0587	significant [signífikənt]	형 중요한, 커다란
0588	solid [sɑ́ːlid]	형 단단한 명 고체
0589	squeeze [skwiːz]	통 짜다, 짜내다
0590	stomach [stʌ́mək]	명 위, 복부
0591	sufficient [səfíʃənt]	형 충분한
0592	switch [switʃ]	명 스위치, 전환 통 전환되다
0593	tender [téndər]	형 상냥한, 다정한
0594	thermometer [θərmɑ́ːmitə(r)]	명 온도계
0595	thumb [θʌm]	명 엄지손가락
0596	tragic [trǽdʒik]	형 비극적인
0597	ultimate [ʌ́ltəmət]	형 궁극적인, 최후의
0598	upset [ʌpsét]	통 속상하게 하다 형 속상한
0599	vision [víʒən]	명 시력, 환상
0600	wonder [wʌ́ndər]	통 궁금해하다

0601 □	**accompany** [əkʌ́mpəni]	통 동반하다, 동행하다
0602 □	**advertise** [ǽdvərtàiz]	통 광고하다, 알리다
0603 □	**altogether** [ɔ̀ːltəɡéðər]	부 전적으로, 완전히
0604 □	**appearance** [əpíərəns]	명 겉모습, 외모
0605 □	**ask for**	~에 대해 묻다
0606 □	**attractive** [ətrǽktiv]	형 매력적인
0607 □	**basement** [béismənt]	명 지하층
0608 □	**biology** [baiɑ́lədʒi]	명 생물학
0609 □	**bottom** [bɑ́təm]	명 맨 아래, 바닥
0610 □	**business** [bíznis]	명 사업, 일
0611 □	**caution** [kɔ́ːʃən]	명 조심, 경고
0612 □	**claim** [kleim]	통 ~이라고 주장하다
0613 □	**common** [kɑ́ːmən]	형 흔한, 공통의
0614 □	**confuse** [kənfjúːz]	통 혼란시키다
0615 □	**corporate** [kɔ́ːrpərət]	형 기업의, 공동의
0616 □	**culture** [kʌ́ltʃər]	명 문화, 사고방식
0617 □	**deceive** [disíːv]	통 속이다, 기만하다
0618 □	**desert** [dézərt]	명 사막
0619 □	**dip** [dip]	통 적시다
0620 □	**document** [dɑ́ːkjumənt]	명 서류, 문서
0621 □	**ease** [iːz]	명 쉬움, 편안함
0622 □	**employ** [implɔ́i]	통 고용하다, 이용하다
0623 □	**eventually** [ivéntʃuəli]	부 결국, 마침내
0624 □	**expensive** [ikspénsiv]	형 비싼, 돈이 많이 드는
0625 □	**faith** [feiθ]	명 믿음, 신뢰
0626 □	**field** [fiːld]	명 들판, 밭
0627 □	**flood** [flʌd]	명 홍수, 폭주
0628 □	**freeze** [friːz]	통 얼다, 얼리다
0629 □	**gaze** [geiz]	통 응시하다, 바라보다
0630 □	**government** [ɡʌ́vərnmənt]	명 정부, 정권
0631 □	**happen** [hǽpən]	통 일어나다, 발생하다
0632 □	**history** [hístəri]	명 역사, 이력
0633 □	**immigrate** [íməɡrèit]	통 이주해 오다
0634 □	**index** [índeks]	명 색인, 지수, 지표
0635 □	**inquiry** [inkwáiəri]	명 연구, 탐구, 조사
0636 □	**invasion** [invéiʒən]	명 침략, 쇄도, 침입

0637	jury [dʒúəri]	몡 배심원단
0638	law [lɔː]	몡 법, 법학
0639	liberty [líbərti]	몡 자유
0640	lung [lʌŋ]	몡 폐, 허파
0641	mate [meit]	몡 친구, 짝
0642	mercy [mə́ːrsi]	몡 자비
0643	mistake [mistéik]	몡 실수 동 오해하다
0644	mystery [místəri]	몡 수수께끼
0645	neutral [njúːtrəl]	형 중립적인, 중립의
0646	obtain [əbtéin]	동 얻다, 구하다
0647	organization [ɔ̀rgənizéiʃən]	몡 조직, 단체, 기구
0648	panic [pǽnik]	몡 공황, 극심한 공포
0649	personality [pə̀ːrsənǽləti]	몡 성격, 개성
0650	plot [plɑːt]	몡 구성, 줄거리
0651	pound [paund]	동 두드리다 몡 파운드
0652	primary [práimeri]	형 주요한, 최초의
0653	protocol [próutəkɔ̀ːl]	몡 의례, 프로토콜
0654	quiet [kwáiət]	형 조용한, 한산한
0655	reason [ríːzn]	몡 이유, 근거
0656	regulate [régjulèit]	동 규제하다, 조절하다
0657	repeat [ripíːt]	동 반복하다

0658	reveal [rivíːl]	동 드러내다, 폭로하다
0659	rural [rúərəl]	형 시골의, 지방의
0660	search [səːrtʃ]	몡 수색 동 찾아보다
0661	several [sévərəl]	한 몇몇의
0662	silver [sílvər]	몡 은, 은색
0663	solution [səlúːʃən]	몡 해법, 정답
0664	staff [stæf]	몡 직원
0665	store [stɔːr]	몡 가게 동 저장하다
0666	suggest [səgdʒést]	동 제안하다, 제의하다
0667	symbol [símbəl]	몡 상징, 부호
0668	term [təːrm]	몡 용어, 학기
0669	thus [ðʌs]	부 따라서, 이와 같이
0670	transform [trænsfɔ́rm]	동 변형시키다
0671	ultimately [ʌ́ltəmətli]	부 궁극적으로, 결국
0672	urge [əːrdʒ]	몡 욕구 동 충고하다
0673	visual [víʒuəl]	형 시각의
0674	whatever [hwʌtévər]	대 어떤 것이든
0675	wooden [wúdn]	형 나무로 된, 목재의

0676	**accomplish** [əká:mpliʃ]	통 성취하다, 해내다
0677	**advice** [ædváis]	명 조언, 충고
0678	**ambitious** [æmbíʃəs]	형 야심 있는
0679	**appetite** [ǽpətàit]	명 식욕, 욕구
0680	**asleep** [əslí:p]	형 잠이 든, 자고 있는
0681	**audience** [ɔ́:diəns]	명 청중, 시청자
0682	**basis** [béisis]	명 근거, 기반
0683	**birth** [bə:rθ]	명 탄생, 시작
0684	**boundary** [báundəri]	명 경계선, 분계선
0685	**byproduct** [báiprà:dəkt]	명 부산물, 부작용
0686	**cave** [keiv]	명 동굴
0687	**claw** [klɔ:]	명 발톱, 갈고리
0688	**communicate** [kəmjú:nəkèit]	통 의사소통을 하다
0689	**connect** [kənékt]	통 연결하다, 접속하다
0690	**cotton** [ká:tn]	명 목화, 면직물, 무명
0691	**cure** [kjuər]	통 낫게 하다, 치유하다
0692	**decide** [disáid]	통 결정하다
0693	**desire** [dizáiər]	명 욕구 통 바라다

0694	**directly** [diréktli]	부 곧장, 즉시
0695	**doom** [du:m]	명 파멸, 죽음
0696	**employee** [implɔ́ii:]	명 종업원, 고용인
0697	**evenly** [í:vənli]	부 균등하게
0698	**evidence** [évədəns]	명 증거, 흔적
0699	**experience** [ikspíəriəns]	명 경험 통 경험하다
0700	**false** [fɔ:ls]	형 틀린, 사실이 아닌
0701	**fierce** [fiərs]	형 사나운, 맹렬한
0702	**flow** [flou]	명 흐름, 이동
0703	**frequent** [frí:kwənt]	형 잦은, 빈번한
0704	**gender** [dʒéndər]	명 성, 성별
0705	**grade** [greid]	명 학년, 성적, 등급
0706	**harbor** [há:rbər]	명 항구, 항만
0707	**hollow** [há:lou]	형 (속이) 빈, 공허한
0708	**imperial** [impíəriəl]	형 제국의, 황제의
0709	**indicate** [índikèit]	통 나타내다, 보여 주다
0710	**insect** [ínsekt]	명 곤충
0711	**invent** [invént]	통 발명하다

0712	justice [dʒʌ́stis]	몡 공평성, 공정성
0713	lay [lei]	통 두다, 놓다
0714	lie [lai]	통 누워 있다, 눕다 / 통 거짓말하다
0715	luxury [lʌ́kʃəri]	몡 호화로움, 사치
0716	math [mæθ]	몡 수학
0717	mere [miər]	혱 겨우, ~에 불과한
0718	mix [miks]	통 혼합하다, 섞이다
0719	nail [neil]	몡 손톱, 못
0720	nevertheless [nèvərðəlés]	튄 그럼에도 불구하고
0721	occasion [əkéiʒən]	몡 때, 경우, 기회
0722	organize [ɔ́ːrgənàiz]	통 조직하다, 준비하다
0723	part [pɑːrt]	몡 일부, 부분
0724	personally [pə́ːrsənəli]	튄 개인적으로, 직접
0725	poem [póuəm]	몡 시
0726	pour [pɔːr]	통 붓다, 따르다
0727	principal [prínsəpəl]	혱 주요한, 주된
0728	proud [praud]	혱 자랑스러운
0729	quite [kwait]	튄 꽤, 상당히
0730	reasonable [ríːzənəbl]	혱 타당한, 합리적인
0731	reject [ridʒékt]	통 거절하다, 거부하다
0732	reply [riplái]	통 대답하다, 대응하다

0733	review [rivjúː]	몡 검토, 논평
0734	rush [rʌʃ]	통 서두르다
0735	seaside [síːsáid]	몡 해변, 바닷가
0736	severe [sivíər]	혱 극심한, 심각한
0737	similar [símələr]	혱 비슷한, 닮은
0738	solve [sɑːlv]	통 해결하다, 풀다
0739	stage [steidʒ]	몡 단계, 시기, 무대
0740	storm [stɔːrm]	몡 폭풍, 폭풍우
0741	suit [suːt]	몡 정장 / 통 ~에게 맞다
0742	system [sístəm]	몡 체계
0743	terrible [térəbl]	혱 끔찍한, 심한
0744	tide [taid]	몡 조류, 흐름
0745	translate [trænsléit]	통 번역하다, 통역하다
0746	underground [ʌ́ndərgraund]	혱 지하의
0747	useful [júːsfəl]	혱 유용한, 쓸모 있는
0748	vital [váitl]	혱 필수적인
0749	wheat [hwiːt]	몡 밀
0750	wool [wul]	몡 털, 모직

음성 바로 듣기

0751 accord [əkɔ́:rd]	몡 합의 동 부여하다	0769 disagree [dìsəgríː]	동 동의하지 않다
0752 advise [ædváiz]	동 조언하다, 충고하다	0770 doubt [daut]	몡 의심, 의혹
0753 amount [əmáunt]	몡 양, 총액	0771 economic [èkəná:mik]	형 경제의
0754 apply [əplái]	동 신청하다, 지원하다	0772 empty [émpti]	형 비어있는, 빈
0755 aspect [ǽspekt]	몡 측면, 양상	0773 evident [évədənt]	형 분명한, 눈에 띄는
0756 author [ɔ́:θər]	몡 작가, 저자	0774 experiment [ikspérəmənt]	몡 실험 동 실험을 하다
0757 bathe [beið]	동 씻다, 세척하다	0775 fame [feim]	몡 명성
0758 bit [bit]	몡 조금, 약간	0776 figure [fígjər]	몡 모습, 인물 몡 수치, 숫자
0759 bow [bau]	동 절하다 몡 절, 인사	0777 flu [flu:]	몡 독감
0760 cage [keidʒ]	몡 우리 동 우리에 가두다	0778 friendship [fréndʃip]	몡 우정, 교우관계
0761 cease [si:s]	동 중단되다, 중단시키다	0779 gene [dʒi:n]	몡 유전자
0762 clay [klei]	몡 점토, 찰흙	0780 gradually [grǽdʒuəli]	부 서서히
0763 community [kəmjú:nəti]	몡 주민, 지역 사회	0781 hardly [há:rdli]	부 거의 ~이 아니다
0764 conquer [ká:ŋkər]	동 정복하다, 이기다	0782 honest [á:nist]	형 정직한, 솔직한
0765 cough [kɔ:f]	동 기침하다	0783 import [impɔ́:rt]	동 수입하다 몡 수입품, 수입
0766 curious [kjúəriəs]	형 궁금한, 특이한	0784 individual [ìndəvídʒuəl]	몡 개인 형 각각의
0767 decrease [dikrí:s]	동 감소하다, 감소시키다	0785 insert [insə́:rt]	동 끼우다, 삽입하다
0768 destination [dèstənéiʃən]	몡 목적지, 도착지	0786 investment [invéstmənt]	몡 투자

0787 ☐	**kind of**	약간, 어느 정도
0788 ☐	**layer** [léiər]	몡 층, 지층
0789 ☐	**lifetime** [láiftaim]	몡 일생, 평생
0790 ☐	**magazine** [mǽgəzíːn]	몡 잡지
0791 ☐	**maximum** [mǽksəməm]	톙 최대의, 최고의
0792 ☐	**merit** [mérit]	몡 가치, 장점
0793 ☐	**moisture** [mɔ́istʃər]	몡 수분, 습기
0794 ☐	**nap** [næp]	몡 낮잠 동 낮잠을 자다
0795 ☐	**newly** [njúːli]	閈 최근에, 새로
0796 ☐	**occupy** [áːkjupài]	동 차지하다, 점령하다
0797 ☐	**orient** [ɔ́ːriənt]	동 ~을 지향하게 하다
0798 ☐	**participate** [pɑːrtísəpèit]	동 참가하다, 참여하다
0799 ☐	**persuade** [pərswéid]	동 설득하다
0800 ☐	**poetry** [póuitri]	몡 시
0801 ☐	**poverty** [páːvərti]	몡 가난, 빈곤
0802 ☐	**principle** [prínsəpl]	몡 원칙, 원리
0803 ☐	**prove** [pruːv]	동 입증하다, 증명하다
0804 ☐	**race** [reis]	몡 경주, 인종, 민족
0805 ☐	**receipt** [risíːt]	몡 영수증
0806 ☐	**rejoice** [ridʒɔ́is]	동 크게 기뻐하다
0807 ☐	**report** [ripɔ́ːrt]	동 발표하다, 보도하다 몡 보도

0808 ☐	**revolution** [rèvəlúːʃən]	몡 혁명, 변혁
0809 ☐	**sacrifice** [sǽkrəfàis]	몡 희생 동 희생하다
0810 ☐	**secret** [síːkrit]	몡 비밀 톙 비밀의
0811 ☐	**shade** [ʃeid]	몡 그늘 동 그늘지게 하다
0812 ☐	**simply** [símpli]	閈 간단히, 그저
0813 ☐	**somewhere** [sʌ́mhwɛ̀ər]	閈 어딘가에
0814 ☐	**stamp** [stæmp]	몡 우표, 소인
0815 ☐	**straightforward** [stréitfɔ̀ːrwərd]	톙 직접, 솔직한
0816 ☐	**sum** [sʌm]	몡 합계, 액수
0817 ☐	**tail** [teil]	몡 꼬리
0818 ☐	**thanks to**	~의 덕분에
0819 ☐	**tie** [tai]	동 묶다, 묶어 두다
0820 ☐	**transmit** [trænsmít]	동 전송하다, 송신하다
0821 ☐	**underline** [ʌ̀ndərláin, ʌ́ndərlàin]	동 강조하다 몡 밑줄
0822 ☐	**usual** [júːʒuəl]	톙 흔히 하는, 보통의
0823 ☐	**vitamin** [váitəmin]	몡 비타민
0824 ☐	**wheel** [hwiːl]	몡 바퀴, 핸들
0825 ☐	**worm** [wəːrm]	몡 벌레

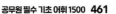

0826	**account** [əkáunt]	몡 계좌, 장부
0827	**affair** [əfɛ́ər]	몡 일, 사건
0828	**analogy** [ənǽlədʒi]	몡 비유, 유추
0829	**appoint** [əpɔ́int]	동 임명하다, 정하다
0830	**assembly** [əsémbli]	몡 의회, 집회
0831	**authority** [əθɔ́ːrəti]	몡 권한, 당국, 권위
0832	**bear** [bɛər]	동 참다, 견디다
0833	**bite** [bait]	동 물다, 베어 물다
0834	**bowl** [boul]	몡 그릇, 통
0835	**calculate** [kǽlkjulèit]	동 계산하다, 산출하다
0836	**celebrate** [séləbrèit]	동 기념하다, 찬양하다
0837	**clearly** [klíərli]	부 또렷하게, 분명히
0838	**compare** [kəmpɛ́ər]	동 비교하다
0839	**consider** [kənsídər]	동 고려하다, 여기다
0840	**count** [kaunt]	동 세다 몡 셈, 계산
0841	**current** [kə́ːrənt]	형 현재의 몡 흐름, 해류
0842	**deed** [diːd]	몡 행위, 행동
0843	**destiny** [déstəni]	몡 운명

0844	**disappear** [dìsəpíər]	동 사라지다, 없어지다
0845	**dozen** [dʌ́zn]	몡 12개짜리 한 묶음
0846	**edge** [edʒ]	몡 가장자리, 모서리
0847	**enable** [inéibl]	동 ~을 할 수 있게 하다
0848	**evil** [íːvəl]	형 악랄한 몡 악
0849	**expert** [ékspəːrt]	몡 전문가
0850	**familiar** [fəmíljər]	형 익숙한, 친숙한
0851	**file** [fail]	동 보관하다 몡 서류철
0852	**forgive** [fərgív]	동 용서하다
0853	**frighten** [fráitn]	동 겁먹게 만들다
0854	**general** [dʒénərəl]	형 일반적인, 보통의
0855	**graduate** [grǽdʒuət]	동 졸업하다 몡 졸업자
0856	**hardship** [háːrdʃip]	몡 어려움, 곤란
0857	**honor** [ánər]	몡 명예, 영광
0858	**importance** [impɔ́ːrtəns]	몡 중요성
0859	**indoor** [índɔ̀r]	형 실내의
0860	**insist** [insíst]	동 고집하다, 주장하다
0861	**involve** [inváːlv]	동 포함하다, 수반하다

0862	kindergarten [kíndərgà:rtn]	몝 유치원
0863	lazy [léizi]	혱 게으른, 느긋한
0864	lift [lift]	똉 들어 올리다
0865	maintenance [méintənəns]	몝 유지, 지속
0866	meal [mi:l]	몝 식사, 끼니
0867	merry [méri]	혱 즐거운, 명랑한
0868	moment [móumənt]	몝 잠깐, 순간
0869	narrow [nǽrou]	혱 좁은, 편협한
0870	niece [ni:s]	몝 조카딸
0871	occur [əkə́:r]	똉 발생하다, 일어나다
0872	originate [ərídʒənèit]	똉 비롯되다, 유래하다
0873	particular [pərtíkjulər]	혱 특정한, 특이한
0874	philosophy [filá:səfi]	몝 철학
0875	poison [pɔ́izn]	몝 독 똉 독살하다
0876	practical [prǽktikəl]	혱 현실적인, 실용적인
0877	prison [prízn]	몝 교도소, 감옥
0878	provide [prəváid]	똉 제공하다, 주다
0879	rainfall [réinfɔ̀l]	몝 강우, 강우량
0880	receive [risí:v]	똉 받다, 받아들이다
0881	relate [riléit]	똉 관련시키다
0882	represent [rèprizént]	똉 대표하다, 나타내다

0883	reward [riwɔ́:rd]	몝 보상 똉 보상하다
0884	safety [séifti]	몝 안전, 안전성
0885	secretary [sékrətèri]	몝 비서
0886	shadow [ʃǽdou]	몝 그림자, 어둠
0887	since [sins]	젼 ~부터, 이후
0888	sort [sɔ:rt]	몝 종류, 부류
0889	stare [stɛər]	똉 응시하다 몝 응시
0890	strange [streindʒ]	혱 이상한, 낯선
0891	summit [sʌ́mit]	몝 정상, 절정, 정상 회담
0892	tailor [téilər]	몝 재단사
0893	the number of	~의 개수
0894	tight [tait]	혱 단단한, 꽉 찬
0895	transportation [trænspərtéiʃən]	몝 교통, 이동 수단
0896	underneath [ʌ̀ndərní:θ]	젼 ~의 밑에 몝 밑면
0897	utilize [jú:təlàiz]	똉 활용하다, 이용하다
0898	vivid [vívid]	혱 생생한, 선명한
0899	whenever [hwenévər]	젭 ~할 때마다
0900	worth [wə:rθ]	혱 ~의 가치가 있는

음성 바로 듣기

0901	**accurate** [ǽkjurət]	형 정확한, 정밀한
0902	**against** [əgénst]	전 ~에 반대하여, 맞서
0903	**analyze** [ǽnəlàiz]	동 분석하다, 해석하다
0904	**appointment** [əpɔ́intmənt]	명 약속, 임명
0905	**assignment** [əsáinmənt]	명 과제, 임무, 배치
0906	**available** [əvéiləbl]	형 이용할 수 있는
0907	**beast** [bi:st]	명 짐승, 야수
0908	**bitter** [bítər]	형 맛이 쓴, 격렬한
0909	**branch** [bræntʃ]	명 나뭇가지, 분점
0910	**calm** [kɑ:m]	형 침착한
0911	**cell** [sel]	명 세포
0912	**clever** [klévər]	형 영리한, 똑똑한
0913	**compensate** [kɑ́:mpənsèit]	동 보상하다
0914	**constant** [kɑ́:nstənt]	형 끊임없는, 변함없는
0915	**courage** [kə́:ridʒ]	명 용기
0916	**curtain** [kə́:rtn]	명 커튼
0917	**defeat** [difí:t]	동 패배시키다 명 패배
0918	**destroy** [distrɔ́i]	동 파괴하다, 말살하다

0919	**disappoint** [dìsəpɔ́int]	동 실망시키다
0920	**drag** [dræg]	동 끌다, 끌고 가다
0921	**educate** [édʒukèit]	동 교육하다, 가르치다
0922	**encourage** [inkə́:ridʒ]	동 격려하다
0923	**exactly** [igzǽktli]	부 정확히, 꼭
0924	**explain** [ikspléin]	동 설명하다
0925	**fancy** [fǽnsi]	형 화려한, 근사한
0926	**fill** [fil]	동 가득 채우다
0927	**focus on**	~에 주력하다
0928	**frontier** [frʌntíər]	명 국경, 경계 지방
0929	**generate** [dʒénərèit]	동 발생시키다
0930	**grain** [grein]	명 곡물, 낟알
0931	**harm** [hɑ:rm]	명 피해 동 해를 끼치다
0932	**hop** [hɑ:p]	동 깡충깡충 뛰다
0933	**impossible** [impɑ́:səbl]	형 불가능한
0934	**industry** [índəstri]	명 산업, 공업
0935	**inspire** [inspáiər]	동 영감을 주다
0936	**iron** [áiərn]	명 철, 다리미 동 다리미질을 하다

0937	kingdom [kíŋdəm]	몡 왕국
0938	lead [li:d]	동 안내하다 / 몡 선두
0939	likely [láikli]	혱 ~할 것 같은
0940	major [méidʒər]	혱 주요한 / 몡 전공
0941	mean [mi:n]	동 의미하다 / 혱 못된
0942	mess [mes]	몡 엉망인 상태
0943	monitor [má:nətər]	몡 화면 / 동 관찰하다
0944	national [nǽʃənəl]	혱 국가의, 전국적인
0945	noble [nóubl]	혱 고결한, 숭고한
0946	odd [ɑ:d]	혱 이상한, 특이한 / 혱 홀수의
0947	otherwise [ʌ́ðərwàiz]	부 그렇지 않으면
0948	passage [pǽsidʒ]	몡 통로, 통행
0949	phrase [freiz]	몡 구, 구절
0950	pole [poul]	몡 막대기, 기둥 / 몡 (지구의) 극
0951	practice [prǽktis]	동 연습하다 / 몡 실행, 관행
0952	private [práivət]	혱 사적인
0953	provision [prəvíʒən]	몡 공급, 제공
0954	raise [reiz]	동 (들어)올리다, 키우다
0955	recent [rí:snt]	혱 최근의
0956	relationship [riléiʃənʃìp]	몡 관계
0957	republic [ripʌ́blik]	몡 공화국

0958	ride [raid]	동 타다, 몰다
0959	sail [seil]	동 항해하다
0960	section [sékʃən]	몡 부분, 구획
0961	shake [ʃeik]	동 흔들리다, 흔들다
0962	sincere [sinsíər]	혱 진실된, 진심의
0963	source [sɔ:rs]	몡 원천, 근원
0964	statement [stéitmənt]	몡 진술, 성명
0965	strap [stræp]	몡 끈 / 동 끈으로 묶다
0966	supervise [sú:pərvàiz]	동 감독하다
0967	tale [teil]	몡 이야기, 소설
0968	theme [θi:m]	몡 주제, 테마
0969	trap [træp]	몡 덫, 올가미
0970	until [əntíl]	전 ~까지
0971	unexpected [ənikspéktid]	혱 예상 밖의, 뜻밖의
0972	vacuum [vǽkjuəm]	몡 진공, 공백
0973	voice [vɔis]	몡 목소리, 음성
0974	whereas [hwɛərǽz]	접 ~임에 비하여
0975	wound [wu:nd]	몡 상처 / 동 상처를 입히다

0976	achieve [ətʃíːv]	동 성취하다
0977	agency [éidʒənsi]	명 대리점, 대행사
0978	ancestor [ǽnsestər]	명 조상, 선조
0979	appreciate [əpríːʃièit]	동 진가를 알아보다 동 고마워하다
0980	assistance [əsístəns]	명 도움, 원조
0981	avenue [ǽvənjùː]	명 거리, 길
0982	beat [biːt]	동 이기다, 두드리다
0983	blame [bleim]	동 ~을 탓하다
0984	breathe [briːð]	동 호흡하다, 숨을 쉬다
0985	cancel [kǽnsəl]	동 취소하다
0986	certain [sə́ːrtn]	형 확실한, 틀림없는
0987	client [kláiənt]	명 의뢰인, 고객
0988	competition [kàːmpətíʃən]	명 경쟁, 대회
0989	constitution [kàːnstətjúːʃən]	명 헌법
0990	court [kɔːrt]	명 법원, 법정
0991	curve [kəːrv]	명 곡선 동 곡선을 이루다
0992	defend [difénd]	동 방어하다, 수비하다
0993	detail [díteil]	명 세부 사항
0994	discomfort [diskʌ́mfərt]	명 불편
0995	dramatic [drəmǽtik]	형 극적인, 인상적인
0996	effect [ifékt]	명 영향, 효과
0997	endure [indjúər]	동 견디다, 참다
0998	examine [igzǽmin]	동 조사하다, 검토하다
0999	explode [iksplóud]	동 터지다, 폭발하다
1000	fantastic [fæntǽstik]	형 환상적인, 엄청난
1001	final [fáinəl]	형 마지막의, 최종적인
1002	fold [fould]	동 접다, 개다
1003	fuel [fjúːəl]	명 연료 동 연료를 공급하다
1004	generation [dʒènəréiʃən]	명 세대, 대
1005	grand [grænd]	형 웅장한, 장려한
1006	harvest [háːrvist]	명 수확 동 수확하다
1007	horizon [həráizn]	명 수평선, 지평선
1008	impractical [imprǽktikəl]	형 비현실적인
1009	infant [ínfənt]	명 유아 형 유아용의
1010	instant [ínstənt]	형 즉각적인 명 순간
1011	island [áilənd]	명 섬

1012	knock [nɑːk]	图 두드리다, 노크하다
1013	lead to	~으로 이어지다
1014	limit [límit]	图 한계 图 제한하다
1015	make up	구성하다, 만들어지다
1016	meaningful [míːniŋfəl]	혱 의미 있는, 중요한
1017	metal [métl]	圐 금속
1018	monk [mʌŋk]	圐 수도자, 수도승
1019	native [néitiv]	혱 태생의, 토착의
1020	nonetheless [nʌnðəlés]	旲 그럼에도 불구하고
1021	offend [əfénd]	图 기분 상하게 하다 图 위반하다
1022	ought to	~해야 한다
1023	passenger [pǽsəndʒər]	圐 승객
1024	physical [fízikəl]	혱 신체의, 물리적인
1025	policy [pɑ́ːləsi]	圐 정책, 방침
1026	praise [preiz]	圐 칭찬 图 칭찬하다
1027	prize [praiz]	圐 상, 상품
1028	public [pʌ́blik]	혱 대중의, 공공의
1029	range [reindʒ]	圐 범위, 다양성
1030	recognize [rékəgnàiz]	图 알아보다, 인식하다
1031	relative [rélətiv]	혱 상대적인 圐 친척
1032	reputation [rèpjutéiʃən]	圐 평판, 명성

1033	ridiculous [ridíkjuləs]	혱 웃기는, 말도 안 되는
1034	salary [sǽləri]	圐 급여, 월급
1035	sector [séktər]	圐 분야, 부문
1036	shame [ʃeim]	圐 수치심 图 창피하게 하다
1037	situation [sìtʃuéiʃən]	圐 상황, 환경
1038	space [speis]	圐 공간, 우주
1039	statistic [stətístik]	圐 통계, 통계 자료
1040	straw [strɔː]	圐 짚, 빨대
1041	supply [səplái]	圐 공급, 공급량 图 공급하다
1042	talent [tǽlənt]	圐 재주, 재능
1043	theory [θíːəri]	圐 이론, 학설
1044	tiny [táini]	혱 아주 작은
1045	treat [triːt]	图 대하다, 취급하다
1046	unfortunately [ənfɔ́rtʃənətli]	旲 유감스럽게도
1047	valid [vǽlid]	혱 유효한, 타당한
1048	volunteer [vɑ̀ːləntíər]	圐 자원봉사자 图 자원하다
1049	whereby [werbái]	旲 그것에 의하여, 그래서
1050	wrap [ræp]	图 포장하다 圐 포장지

음성 바로 듣기

1051	acknowledge [æknáːlidʒ]	통 인정하다
1052	agent [éidʒənt]	명 대리인, 중개상
1053	ancient [éinʃənt]	형 고대의
1054	approach [əpróutʃ]	통 다가가다 명 접근법
1055	associate [əsóuʃièit]	통 연관 짓다, 연상하다
1056	average [ǽvəridʒ]	형 평균의 명 평균
1057	behave [bihéiv]	통 행동하다
1058	blind [blaind]	형 눈이 먼, 맹인인
1059	brief [briːf]	형 짧은, 잠시 동안의
1060	cancer [kǽnsər]	명 암
1061	chain [tʃein]	명 사슬, 일련
1062	climb [klaim]	통 오르다, 올라가다
1063	complain [kəmpléin]	통 불평하다, 항의하다
1064	contact [káːntækt]	명 연락 통 연락하다
1065	crack [kræk]	통 갈라지다 명 틈
1066	custom [kʌ́stəm]	명 관습, 풍습
1067	definite [défənit]	형 확실한, 확고한
1068	determine [ditə́ːrmin]	통 결정하다, 알아내다
1069	discount [dískaunt]	명 할인
1070	draw [drɔː]	통 그리다, 끌다
1071	effective [iféktiv]	형 효과적인, 실질적인
1072	enemy [énəmi]	명 적, 적군
1073	except [iksépt]	전 ~을 제외하고
1074	explore [iksplɔ́ːr]	통 탐험하다, 탐구하다
1075	fashion [fǽʃən]	명 유행, 패션
1076	financial [finǽnʃəl]	형 금융의, 재정의
1077	folk [fouk]	명 사람들 형 민속의
1078	full [ful]	형 가득한, 아주 많은
1079	generous [dʒénərəs]	형 관대한, 후한
1080	grateful [gréitfəl]	형 고마워하는
1081	hatch [hætʃ]	통 부화하다
1082	horn [hɔːrn]	명 뿔, 경적
1083	impress [imprés]	통 깊은 인상을 주다
1084	infect [infékt]	통 감염시키다
1085	instead [instéd]	부 대신에
1086	issue [íʃuː]	명 문제 통 발행하다

1087	**knot** [nɑːt]	명 매듭 동 매듭을 묶다
1088	**leadership** [lídərʃip]	명 지도력, 대표직
1089	**link** [liŋk]	명 관련성 동 연결하다
1090	**male** [meil]	형 남성의
1091	**meanwhile** [míːnwàil]	부 그동안에
1092	**method** [méθəd]	명 방법
1093	**monthly** [mʌ́nθli]	형 매월의
1094	**nature** [néitʃər]	명 자연, 천성
1095	**nonsense** [nɑ́ːnsens]	명 터무니없는 생각
1096	**offer** [ɔ́ːfər]	동 제안하다, 권하다
1097	**path** [pæθ]	명 길, 방향
1098	**physician** [fizíʃən]	명 (내과) 의사
1099	**polite** [pəláit]	형 예의 바른, 공손한
1100	**pray** [prei]	동 기도하다
1101	**probably** [prɑ́ːbəbli]	부 아마
1102	**publication** [pʌ̀bləkéiʃən]	명 발행, 출판물
1103	**rank** [ræŋk]	명 지위 동 평가하다
1104	**recommend** [rèkəménd]	동 추천하다, 권장하다
1105	**relax** [rilǽks]	동 휴식을 취하다
1106	**request** [rikwést]	명 요청 동 요청하다
1107	**rip** [rip]	동 찢다, 찢어지다

1108	**sale** [seil]	명 판매, 할인 판매
1109	**secure** [sikjúər]	형 안전한, 안심하는
1110	**share** [ʃɛər]	동 공유하다, 함께 쓰다
1111	**skeleton** [skélətn]	명 뼈대, 해골
1112	**spare** [spɛər]	형 여분의 동 할애하다
1113	**spite** [spait]	명 앙심, 악의
1114	**statue** [stǽtʃuː]	명 조각상
1115	**stream** [striːm]	명 개울 동 졸졸 흐르다
1116	**support** [səpɔ́ːrt]	동 지지하다 명 지지
1117	**tap** [tæp]	동 가볍게 치다
1118	**thereby** [ðɛərbái]	부 그렇게 함으로써
1119	**tip** [tip]	명 끝, 끝부분 명 조언
1120	**trend** [trend]	명 동향, 추세
1121	**uniform** [júːnəfɔ̀ːrm]	명 제복 형 획일적인
1122	**valuable** [vǽljuəbl]	형 소중한, 귀중한
1123	**vote** [vout]	명 투표 동 투표하다
1124	**whether** [hwéðər]	접 ~인지, ~이든
1125	**wrist** [rist]	명 손목, 팔목

1126	**across** [əkrɔ́ːs]	부 건너서, 가로질러
1127	**agree** [əgríː]	동 동의하다, 찬성하다
1128	**anger** [ǽŋgər]	명 화, 분노
1129	**approximate** [əprɑ́ːksəmət]	형 근사치인
1130	**assume** [əsúːm]	동 추정하다
1131	**avoid** [əvɔ́id]	동 방지하다, 회피하다
1132	**behavior** [bihéivjər]	명 행동, 태도
1133	**block** [blɑːk]	명 구역 동 막다
1134	**brilliant** [bríljənt]	형 훌륭한, 멋진
1135	**candle** [kǽndl]	명 양초
1136	**challenge** [tʃǽlindʒ]	명 도전 동 도전하다
1137	**clue** [kluː]	명 단서, 실마리
1138	**complete** [kəmplíːt]	형 완벽한, 완전한
1139	**contain** [kəntéin]	동 포함하다, 들어 있다
1140	**craft** [kræft]	명 공예, 기교, 술수
1141	**customer** [kʌ́stəmər]	명 손님, 고객
1142	**degree** [digríː]	명 학위, (온도 단위인) 도
1143	**develop** [divéləp]	동 성장하다, 개발하다
1144	**discourage** [diskə́ːridʒ]	동 막다, 좌절시키다
1145	**drought** [draut]	명 가뭄
1146	**effort** [éfərt]	명 수고, 노력
1147	**enforce** [infɔ́ːrs]	동 집행하다, 강요하다
1148	**exchange** [ikstʃéindʒ]	명 교환 동 교환하다
1149	**export** [ikspɔ́ːrt, ékspɔːrt]	동 수출하다 명 수출
1150	**fast** [fæst]	형 빠른 부 빠르게
1151	**find out**	~을 알아내다
1152	**follow** [fɑ́ːlou]	동 따라가다, 뒤따르다
1153	**function** [fʌ́ŋkʃən]	명 기능 동 기능하다
1154	**genre** [ʒɑ́ːnrə]	명 장르
1155	**grave** [greiv]	명 무덤, 묘
1156	**headache** [hédèik]	명 두통
1157	**host** [houst]	명 주인, 주최국
1158	**impression** [impréʃən]	명 인상, 느낌
1159	**influence** [ínfluəns]	명 영향 동 영향을 주다
1160	**institute** [ínstətjùːt]	명 기관, 협회
1161	**item** [áitəm]	명 항목, 사항

1162	knowledge [nά:lidʒ]	명 지식
1163	league [liːg]	명 리그, 경기 연맹
1164	liquid [líkwid]	명 액체 형 액체 형태의
1165	mammal [mǽməl]	명 포유동물
1166	measure [méʒər]	동 측정하다 명 조치
1167	migrate [máigreit]	동 이주하다, 이동하다
1168	mood [muːd]	명 기분
1169	navy [néivi]	명 해군
1170	noon [nuːn]	명 정오, 한낮
1171	official [əfíʃəl]	형 공식적인
1172	outcome [áutkəm]	명 결과
1173	patient [péiʃənt]	형 참을성 있는 명 환자
1174	piece [piːs]	명 한 부분, 조각
1175	political [pəlítikəl]	형 정치적인, 정당의
1176	predict [pridíkt]	동 예측하다, 예견하다
1177	process [prάːses]	명 과정 동 처리하다
1178	publish [pʌ́bliʃ]	동 출판하다, 발표하다
1179	rapidly [rǽpidli]	부 빨리, 신속히
1180	record [rékərd, rikɔ́ːrd]	명 기록 동 기록하다
1181	release [rilíːs]	동 풀어주다 명 석방
1182	require [rikwáiər]	동 필요하다, 요구하다

1183	rise [raiz]	명 증가 동 올라가다
1184	satisfactory [sætisfǽktəri]	형 만족스러운, 충분한
1185	seed [siːd]	명 씨, 씨앗
1186	sharp [ʃɑːrp]	형 뾰족한, 날카로운
1187	skill [skil]	명 기량, 기술
1188	specialize [spéʃəlàiz]	동 ~을 전공하다
1189	steady [stédi]	형 꾸준한, 한결같은
1190	stress [stres]	명 긴장 동 강조하다
1191	suppose [səpóuz]	명 추측하다, 가정하다
1192	target [tάːrgit]	명 목표 동 목표로 삼다
1193	therefore [ðɛ́ərfɔːr]	부 그러므로
1194	title [táitl]	명 제목, 직함
1195	trial [tráiəl]	명 재판, 실험
1196	union [júːnjən]	명 조합, 연합
1197	value [vǽljuː]	명 가치 동 소중하게 생각하다
1198	wage [weidʒ]	명 임금, 급료
1199	while [hwail]	접 ~하는 동안 접 ~인 데 반해
1200	yard [jɑːrd]	명 마당, 운동장

1201	**action** [ǽkʃən]	몡 동작, 사건, 조치
1202	**agriculture** [ǽgrəkλltʃər]	몡 농업
1203	**angle** [ǽŋgl]	몡 각, 기울기
1204	**Arctic** [áːrktik]	몡 북극 / 혱 북극의
1205	**astronaut** [ǽstrənɔ̀ːt]	몡 우주비행사
1206	**awake** [əwéik]	혱 깨어 있는 / 동 깨다
1207	**belief** [bilíːf]	몡 신념, 믿음
1208	**blood** [blλd]	몡 피, 혈액
1209	**broad** [brɔːd]	혱 (폭이) 넓은, 광대한
1210	**capable** [kéipəbl]	혱 ~할 수 있는, 유능한
1211	**channel** [tʃǽnl]	몡 수단, 방법 / 몡 해협
1212	**coal** [koul]	몡 석탄
1213	**complex** [kəmpléks, káːmpleks]	혱 복잡한 / 몡 복합체, 합성물
1214	**content** [káːntent]	몡 목차, 내용물, 내용
1215	**crash** [kræʃ]	몡 사고 / 동 추락하다
1216	**cycle** [sáikl]	몡 자전거, 순환
1217	**delay** [diléi]	몡 지연 / 동 미루다
1218	**device** [diváis]	몡 장치
1219	**discover** [diskλvər]	동 발견하다, 알아내다
1220	**drown** [draun]	동 물에 빠지다
1221	**elbow** [élbou]	몡 팔꿈치
1222	**engage** [ingéidʒ]	동 관계를 맺다
1223	**excite** [iksáit]	동 흥분시키다
1224	**expose** [ikspóuz]	동 드러내다, 폭로하다
1225	**fault** [fɔːlt]	몡 잘못, 단점
1226	**fiber** [fáibər]	몡 섬유질, 섬유 조직
1227	**fine** [fain]	혱 질 높은 / 몡 벌금
1228	**fond** [fɑːnd]	혱 좋아하는
1229	**fund** [fλnd]	몡 기금, 자금
1230	**gentle** [dʒéntl]	혱 온화한, 순한
1231	**gravity** [grǽvəti]	몡 중력
1232	**headquarters** [hédkwɔ̀rtərz]	몡 본사, 본부
1233	**household** [háushòuld]	몡 가정
1234	**impressive** [imprésiv]	혱 인상적인, 인상 깊은
1235	**inform** [infɔ́ːrm]	동 알리다, 통지하다
1236	**instruct** [instrλkt]	동 지시하다, 가르치다

1237 ☐	**jail** [dʒeil]	몡 감옥, 교도소	1258 ☐	**risk** [risk]	몡 위험 동 위태롭게 하다
1238 ☐	**label** [léibəl]	몡 상표, 딱지	1259 ☐	**save** [seiv]	동 모으다, 저축하다
1239 ☐	**leak** [li:k]	동 새다 몡 새는 곳, 틈	1260 ☐	**seek** [si:k]	동 찾다, 구하다
1240 ☐	**load** [loud]	몡 짐, 화물	1261 ☐	**shell** [ʃel]	몡 (동식물의 딱딱한) 껍질
1241 ☐	**manage** [mǽnidʒ]	동 관리하다, 운영하다	1262 ☐	**skin** [skin]	몡 피부
1242 ☐	**mechanic** [məkǽnik]	몡 정비공	1263 ☐	**species** [spíːʃiːz]	몡 종
1243 ☐	**mild** [maild]	혱 온화한, 순한	1264 ☐	**steal** [sti:l]	동 훔치다
1244 ☐	**miraculous** [mirǽkjuləs]	혱 기적적인	1265 ☐	**stretch** [stretʃ]	동 늘이다, 늘어나다
1245 ☐	**nearby** [nìərbái]	혱 인근의, 가까운 곳의	1266 ☐	**supreme** [səprí:m]	혱 최고의, 최대의
1246 ☐	**oil** [ɔil]	몡 석유, 기름	1267 ☐	**task** [tæsk]	몡 일, 과업
1247 ☐	**outline** [áutlàin]	몡 윤곽, 개요	1268 ☐	**these days**	요즘에는
1248 ☐	**pattern** [pǽtərn]	몡 양식, 패턴	1269 ☐	**tone** [toun]	몡 어조, 분위기
1249 ☐	**politician** [pὰːlitíʃən]	몡 정치인	1270 ☐	**tribe** [traib]	몡 부족, 종족
1250 ☐	**pope** [poup]	몡 교황	1271 ☐	**unique** [juːníːk]	혱 독특한, 고유의
1251 ☐	**prefer** [prifə́ːr]	동 선호하다	1272 ☐	**various** [vέəriəs]	혱 다양한, 각양각색의
1252 ☐	**produce** [prədjúːs]	동 생산하다, 낳다	1273 ☐	**wander** [wάːndər]	동 거닐다, 돌아다니다
1253 ☐	**pump** [pʌmp]	동 퍼내다 동 (거세게) 솟구치다	1274 ☐	**whole** [houl]	혱 전체의 몡 전체
1254 ☐	**rare** [rɛər]	혱 드문, 진귀한	1275 ☐	**yawn** [jɔ:n]	동 하품하다 몡 하품
1255 ☐	**recover** [rikʌ́vər]	동 회복되다, 되찾다			
1256 ☐	**relief** [rilíːf]	몡 안도, 경감			
1257 ☐	**research** [risə́ːrtʃ]	몡 연구 동 연구하다			

공무원 필수 기초 어휘 1276-1350

음성 바로 듣기

1276	**activate** [ǽktəvèit]	동 활성화시키다	1294	**delicious** [dilíʃəs]	형 맛있는
1277	**ahead** [əhéd]	부 앞으로, 미리	1295	**devil** [dévl]	명 악마, 악령
1278	**anniversary** [ænəvə́:rsəri]	명 기념일	1296	**discuss** [diskʌ́s]	동 상의하다, 논하다
1279	**area** [ɛ́əriə]	명 지역, 구역	1297	**drug** [drʌg]	명 의약품, 약물
1280	**at least**	최소한, 적어도	1298	**elderly** [éldərli]	형 나이가 든
1281	**award** [əwɔ́:rd]	명 상, 수여	1299	**engine** [éndʒin]	명 기관
1282	**belong to**	~에 속하다	1300	**exclude** [iksklú:d]	동 제외하다
1283	**blow** [blou]	동 불다, 날리다	1301	**existence** [igzístəns]	명 존재, 실재
1284	**broadcast** [brɔ́:dkæst]	동 방송하다 명 방송	1302	**express** [iksprés]	동 표현하다 형 급행의
1285	**capital** [kǽpətl]	명 수도, 자산	1303	**favor** [féivər]	명 호의, 친절, 부탁
1286	**chaos** [kéiɑːs]	명 혼돈, 혼란	1304	**finite** [fáinait]	형 한정된, 유한한
1287	**coast** [koust]	명 해안	1305	**framework** [fréimwərk]	명 뼈대, 틀, 구조
1288	**compete** [kəmpí:t]	동 경쟁하다	1306	**football** [fútbɔ̀l]	명 축구
1289	**complicated** [kɑ́:mpləkèitid]	형 복잡한	1307	**funeral** [fjú:nərəl]	명 장례식
1290	**contest** [kɑ́:ntest]	명 대회, 시합	1308	**gorgeous** [gɔ́:rdʒəs]	형 멋진, 우아한
1291	**cosmetics** [kɑzmétiks]	명 화장품	1309	**greet** [gri:t]	동 환영하다
1292	**creature** [krí:tʃər]	명 생물	1310	**heal** [hi:l]	동 낫다, 치료하다
1293	**dairy** [dɛ́əri]	형 유제품의, 낙농업의	1311	**huge** [hju:dʒ]	형 거대한, 막대한

1312 ☐	**improve** [imprú:v]	통 나아지다, 개선하다	1333 ☐	**recreational** [rèkriéiʃənəl]	형 오락의
1313 ☐	**informal** [infɔ́:rməl]	형 비공식의	1334 ☐	**relieve** [rilí:v]	통 완화하다, 안심시키다
1314 ☐	**instruction** [instrʌ́kʃən]	명 설명, 지시	1335 ☐	**reserve** [rizɔ́:rv]	통 예약하다, 유보하다
1315 ☐	**jaw** [dʒɔː]	명 턱	1336 ☐	**scale** [skeil]	명 규모, 등급, 저울
1316 ☐	**labor** [léibər]	명 노동, 근로	1337 ☐	**shelter** [ʃéltər]	명 대피처, 보호소
1317 ☐	**leap** [liːp]	통 뛰어오르다 명 도약	1338 ☐	**slave** [sleiv]	명 노예
1318 ☐	**local** [lóukəl]	형 지역의	1339 ☐	**spend** [spend]	통 소비하다, 쓰다
1319 ☐	**manner** [mǽnər]	명 방식, 태도, 관습	1340 ☐	**steam** [stiːm]	명 증기 통 찌다
1320 ☐	**manual** [mǽnjuəl]	형 수동의; 명 설명서	1341 ☐	**strict** [strikt]	형 엄격한, 엄한
1321 ☐	**mechanism** [mékənìzm]	명 기계 장치, 방법	1342 ☐	**surface** [sə́:rfis]	명 표면, 지면
1322 ☐	**military** [mílitèri]	명 군대 형 군사의, 무력의	1343 ☐	**taste** [teist]	명 맛, 미각
1323 ☐	**moreover** [mɔːróuvər]	부 게다가, 더욱이	1344 ☐	**thick** [θik]	형 두꺼운, 굵은
1324 ☐	**nearly** [níərli]	부 거의	1345 ☐	**tongue** [tʌŋ]	명 혓바닥
1325 ☐	**openly** [óupənli]	부 터놓고, 솔직하게	1346 ☐	**trick** [trik]	명 속임수, 농담
1326 ☐	**outlook** [áutlùk]	명 관점, 전망, 견해	1347 ☐	**unit** [júːnit]	명 구성단위, 단원
1327 ☐	**pay for**	대금을 지불하다	1348 ☐	**war** [wɔːr]	명 전쟁
1328 ☐	**politics** [pɑ́:lətiks]	명 정치	1349 ☐	**wholesale** [hóulsèil]	형 도매의
1329 ☐	**prepare** [pripέər]	통 준비하다, 마련하다	1350 ☐	**yet** [jet]	부 아직
1330 ☐	**product** [prɑ́:dʌkt]	명 생산물, 상품			
1331 ☐	**punish** [pʌ́niʃ]	통 처벌하다, 벌주다			
1332 ☐	**rate** [reit]	명 속도, 비율			

공무원 필수 기초 어휘 1351-1425

음성 바로 듣기

1351 **actually** [ǽktʃuəli]	튀 실제로, 사실은	
1352 **aid** [eid]	명 원조, 도움	
1353 **announce** [ənáuns]	동 발표하다, 알리다	
1354 **argue** [ɑ́ːrgjuː]	동 주장하다, 논쟁하다	
1355 **athlete** [ǽθliːt]	명 (운동) 선수	
1356 **aware** [əwέər]	형 ~을 알고 있는	
1357 **below** [bilóu]	전 ~보다 아래에	
1358 **board** [bɔːrd]	명 판자 명 이사회	
1359 **brush** [brʌʃ]	명 붓 동 솔질을 하다	
1360 **captain** [kǽptən]	명 선장, 대위	
1361 **character** [kǽriktər]	명 성격, 특징	
1362 **collect** [kəlékt]	동 모으다, 수집하다	
1363 **compose** [kəmpóuz]	동 구성하다, 작곡하다	
1364 **continent** [kɑ́ːntənənt]	명 대륙	
1365 **credit** [krédit]	명 신용, 학점, 공로	
1366 **damage** [dǽmidʒ]	명 손상 동 피해를 입히다	
1367 **delight** [diláit]	명 기쁨, 즐거움	
1368 **devote** [divóut]	동 ~에 바치다, 쏟다	

1369 **disease** [dizíːz]	명 병, 질환
1370 **due** [djuː]	형 ~때문에
1371 **elect** [ilékt]	동 선출하다
1372 **enter** [éntər]	동 들어가다, 시작하다
1373 **excuse** [ikskjúːz]	명 변명, 구실
1374 **extend** [iksténd]	동 연장하다, 확장하다
1375 **favorite** [féivərit]	형 매우 좋아하는
1376 **firm** [fəːrm]	형 확고한 명 회사
1377 **for years**	수년간
1378 **fortune** [fɔ́ːrtʃən]	명 운, 재산
1379 **fur** [fəːr]	명 털, 모피
1380 **get better**	좋아지다, 호전되다
1381 **grind** [graind]	동 갈다
1382 **healthy** [hélθi]	형 건강한
1383 **hunt** [hʌnt]	동 사냥하다 명 사냥
1384 **in fact**	사실은, 실제로는
1385 **ingredient** [ingríːdiənt]	명 재료, 구성 요소
1386 **invest** [ínvest]	동 투자하다

1387	jewel [dʒúːəl]	몡 보석, 보석류
1388	laboratory [lǽbərətɔ̀ːri]	몡 실험실
1389	least [liːst]	혱 가장 적은, 최소의
1390	locate [lóukeit]	동 위치하다, 찾아내다
1391	manufacture [mænjufǽktʃər]	동 제조하다, 생산하다
1392	media [míːdiə]	동 매체
1393	million [míljən]	몡 100만
1394	mosquito [məskíːtou]	몡 모기
1395	necessary [nésəsèri]	혱 필요한, 필수적인
1396	nothing but	단지 ~일 뿐인
1397	operate [ɑ́ːpərèit]	동 작동되다, 가동하다
1398	overcome [óuvərkʌ̀m]	동 극복하다
1399	pitch [pitʃ]	몡 정점 동 던지다
1400	plural [plúərəl]	혱 복수형의, 두 가지 이상의
1401	pollution [pəlúːʃən]	몡 오염, 공해
1402	present [préznt]	몡 선물 혱 현재의, 참석한
1403	professional [prəféʃənəl]	혱 전문적인, 전문가의
1404	pupil [pjúːpl]	몡 학생, 제자 몡 눈동자
1405	reduce [ridjúːs]	동 줄이다, 낮추다
1406	religion [rilídʒən]	몡 종교
1407	resident [rézədnt]	몡 거주자

1408	rival [ráivəl]	몡 경쟁자, 경쟁 상대
1409	scenario [sinɛ́əriòu]	몡 시나리오, 각본
1410	seldom [séldəm]	븐 거의 ~하지 않는
1411	shepherd [ʃépərd]	몡 양치기
1412	slide [slaid]	동 미끄러지다
1413	spill [spil]	동 흘리다 몡 유출
1414	steel [stiːl]	몡 강철, 철강업
1415	strike [straik]	동 치다 몡 파업, 공격
1416	surgeon [sə́ːrdʒən]	몡 (외과) 의사
1417	tax [tæks]	몡 세금
1418	thief [θiːf]	몡 도둑, 절도범
1419	tool [tuːl]	몡 연장, 도구, 수단
1420	trouble [trʌ́bl]	몡 문제, 어려움
1421	universe [júːnəvə̀ːrs]	몡 우주, 은하계
1422	vehicle [víːikl]	몡 차량, 탈것
1423	warm [wɔːrm]	혱 따뜻한, 따스한
1424	widespread [wáidspred]	혱 광범위한, 널리 퍼진
1425	young [jʌŋ]	혱 젊은, 어린

공무원 필수 기초 어휘 1426-1500

음성 바로 듣기

1426	**add** [æd]	통 더하다, 추가하다	1444	**display** [displéi]
				통 전시하다 명 전시
1427	**aim** [eim]	명 목표 통 ~을 목표로 하다	1445	**dull** [dʌl]
				형 따분한, 재미없는
1428	**annoy** [ənɔ́i]	통 귀찮게 하다	1446	**election** [ilékʃən]
				명 선거, 당선
1429	**arise** [əráiz]	통 생기다, 발생하다	1447	**entire** [intáiər]
				형 전체의

1426 **add** [æd] — 통 더하다, 추가하다
1427 **aim** [eim] — 명 목표 / 통 ~을 목표로 하다
1428 **annoy** [ənɔ́i] — 통 귀찮게 하다
1429 **arise** [əráiz] — 통 생기다, 발생하다
1430 **Atlantic** [ætlǽntik] — 명 대서양
1431 **awesome** [ɔ́ːsəm] — 형 어마어마한, 엄청난
1432 **bend** [bend] — 통 굽히다, 숙이다
1433 **boast** [boust] — 통 뽐내다, 자랑하다
1434 **bucket** [bʌ́kit] — 명 양동이
1435 **capture** [kǽptʃər] — 통 포획하다 / 명 포획
1436 **charge** [tʃɑːrdʒ] — 명 요금 / 통 청구하다
1437 **college** [kɑ́ːlidʒ] — 명 대학
1438 **comprehend** [kὰːmprihénd] — 통 이해하다
1439 **continue** [kəntínjuː] — 통 계속되다, 계속하다
1440 **crew** [kruː] — 명 승무원, 선원
1441 **dare** [dɛər] — 통 감히 ~을 하다 / 명 도전, 모험
1442 **deliver** [dilívər] — 통 배달하다
1443 **diet** [dáiət] — 명 식단, 식습관

1444 **display** [displéi] — 통 전시하다 / 명 전시
1445 **dull** [dʌl] — 형 따분한, 재미없는
1446 **election** [ilékʃən] — 명 선거, 당선
1447 **entire** [intáiər] — 형 전체의
1448 **execute** [éksikjùːt] — 통 처형하다, 집행하다
1449 **extinct** [ikstíŋkt] — 형 멸종된, 사라진
1450 **fail to** — ~하는 데 실패하다
1451 **fear** [fiər] — 명 공포 / 통 ~을 두려워하다
1452 **fit** [fit] — 통 꼭 맞다 / 형 ~에 어울리는, 알맞은
1453 **force** [fɔːrs] — 명 힘, 물리력 / 통 ~을 강요하다
1454 **furious** [fjúəriəs] — 형 몹시 화가 난
1455 **giant** [dʒáiənt] — 명 거인 / 형 거대한
1456 **grocery** [gróusəri] — 명 식료품점
1457 **heat** [hiːt] — 명 열기, 열
1458 **hurt** [həːrt] — 통 다치게 하다 / 형 다친
1459 **in turn** — 차례차례
1460 **inhabit** [inhǽbit] — 통 살다, 거주하다
1461 **intelligent** [intélədʒənt] — 형 총명한, 똑똑한

1462	jog [dʒɑːg]	동 조깅하다
1463	lack [læk]	명 부족, 결핍 동 부족하다
1464	leather [léðər]	명 가죽
1465	lock [lɑːk]	동 잠그다 명 자물쇠
1466	manuscript [mǽnjuskrìpt]	명 원고, 필사본
1467	medical [médikəl]	형 의학의
1468	miner [máinər]	명 광부
1469	motion [móuʃən]	명 움직임, 운동 동 동작을 하다
1470	notice [nóutis]	명 공고, 주목 동 의식하다
1471	operation [ὰːpəréiʃən]	명 수술 명 작전
1472	overseas [òuvərsíz]	형 해외의 부 해외에
1473	peer [piər]	명 또래
1474	pity [píti]	명 연민, 동정심
1475	popular [pάːpjulər]	형 인기 있는, 대중적인
1476	preserve [prizə́ːrv]	동 지키다, 보존하다
1477	promising [prάːmisiŋ]	형 촉망받는, 유망한
1478	purchase [pə́ːrtʃəs]	명 구입 동 구입하다
1479	ratio [réiʃou]	명 비율
1480	refer [rifə́ːr]	동 언급하다, 참조하다
1481	religious [rilídʒəs]	형 종교의, 독실한
1482	resource [ríːsɔːrs]	명 자원, 재료

1483	roast [roust]	동 굽다 명 구운 고기
1484	scene [siːn]	명 현장, 장면
1485	select [silékt]	동 선발하다, 선택하다
1486	shoot [ʃuːt]	동 (총 등을) 쏘다 동 촬영하다
1487	slight [slait]	형 약간의, 조금의
1488	spin [spin]	동 회전하다 명 회전
1489	steep [stiːp]	형 가파른, 급격한
1490	strip [strip]	동 (껍질 따위를) 벗기다
1491	surgery [sə́ːrdʒəri]	명 수술
1492	tear [tiər]	명 눈물 동 찢다, 뜯어지다
1493	thorough [θə́ːrou]	형 빈틈없는, 철저한
1494	topic [tάːpik]	명 화제, 주제
1495	trunk [trʌŋk]	명 나무의 몸통 명 (코끼리의) 코
1496	university [jùːnəvə́ːrsəti]	명 대학
1497	victim [víktim]	명 피해자, 희생자
1498	warn [wɔːrn]	동 경고하다
1499	wild [waild]	형 야생의
1500	youth [juːθ]	명 젊음, 청년

시험에 강해지는
적중 다의어

01

present　　　**pre** 앞에 + **sent** 존재하다(ess)

지금 눈앞에 존재하는
▶ **존재하는**　　■ existing, existent

어떤 장소나 행사에 가서 거기에 존재하는
▶ **참석한**　　■ in attendance

지금 눈앞에 존재하는 순간인
▶ **현재의**　　■ current, existing

생각을 글이나 말로 사람들 앞에 내어 존재하게 하다
▶ **제시하다, 나타내다**　■ produce, offer

누군가에게 물건, 권리 등을 가지라고 제시하다
▶ **주다**　　■ submit, render

누군가에게 가지라고 제시된 물건
▶ **선물**　　■ gift, offering

02

major　　　**major** 큰(magni)

수나 비중 등이 큰
▶ **큰, 대다수의**　■ large, sizable

차지하는 비중이 크고 중요한
▶ **중요한, 주요한**　■ important, chief

비중이 크고 중요한 과목, 그것을 전문으로 배우다
▶ **전공 과목**　　■ specialty
▶ **전공하다**　　■ specialize

03

subject

sub 아래에 + ject 던지다

던져서 누군가의 지배 아래에 들어가도록 하다
▶ **지배하에 두다**   ☰ subjugate

누군가의 지배 아래에 있는 사람
▶ **백성, 국민**   ☰ citizen

연구자들이나 대화하는 사람들 아래에 던져지는 것
▶ **(연구) 대상, 주제**   ☰ theme, topic

큰 분야 아래로 세분되어 학습하도록 던져진 학문의 분류
▶ **과목**   ☰ course

04

object

ob 향하여, 맞서 + ject 던지다

던지는 사람이 아니라 어딘가를 향하여 던져지는 것
▶ **물건**   ☰ thing, item

향하여 물건을 던지는 대상
▶ **대상**   ☰ target, focus

향하여 물건을 던지는 목표
▶ **목표, 목적**   ☰ goal, purpose

어떤 의견에 맞서는 반대 의견을 던지다
▶ **반대하다**   ☰ protest, oppose

05

mean
me(an) 가운데, 중간(medi)

어떤 것의 가운데에 포함된 뜻을 나타내다
▶ **의미하다**   🔲 signify, indicate

마음 가운데에 어떤 생각이나 계획을 품다
▶ **의도하다**   🔲 intend, aim

목표로 가기 위한 중간에 필요한 것
▶ **(복수형으로) 수단**   🔲 method, way

어느 쪽에도 속하지 않고 중간에서 졸렬하게 행동하는
▶ **비열한**   🔲 unkind, nasty

06

support
sup 아래에(sub) + **port** 운반하다

아래에서 떠받치고 운반하며 어떤 것을 지탱하다
▶ **지탱하다, 떠받치다**   🔲 bear, hold

무언가를 힘을 쓰며 지탱하여 지지하다
▶ **지지하다, 지원하다**   🔲 help, assist

생활 능력이 없는 사람의 생활을 지탱해 주다
▶ **부양하다**   🔲 provide for, take care of

07

issue

iss 밖으로(ex) + ue 가다(it)

새 소식이나 작품 등이 밖으로 나가 발표되는 것
- ▶ 발행물   ▣ publication
- ▶ 발행하다   ▣ publish, release

공개적인 논의나 해결이 필요해서 밖으로 나가게 된 것
- ▶ 안건, 문제   ▣ topic, matter

다른 사람에게 내주기 위해 어떤 것을 밖으로 나가게 하다
- ▶ 지급하다   ▣ provide, supply

08

return

re 다시, 뒤로 + turn 돌리다

무엇인가를 다시 돌려보내다
- ▶ 반납하다,   ▣ put back,
  되돌아오다   come back

감사의 표시로 되돌려주는 것
- ▶ 답례   ▣ compensation

본래 있던 곳으로 되돌아오는 것
- ▶ 귀향, 귀환   ▣ homecoming

경제 활동의 대가로 되돌아오는 것
- ▶ 수익   ▣ revenue, profit

음성 바로 듣기

09

due

du(e) 신세 지다(deb)

어떤 것에 원인을 신세 지고 있는
▶ ~ 때문인, 🔲 owing
~으로 인한

신세 진 것을 갚아야 하는 것이 미리 정해져 있는
▶ 예정된 🔲 scheduled, expected

신세 진 것을 갚아야 하는 기일이 된
▶ 만기가 된, 🔲 payable
지불 기일이 된

10

interest

inter 사이에 + est 존재하다

사람들 사이에 존재하는 관심
▶ 관심, 호기심 🔲 attraction, fascination

사람들 사이에 존재하는 이해관계
▶ 이익, 이해관계 🔲 stake, concern

은행의 이익
▶ 이자, 이율

11

patient

pat(i) 고통을 겪다 + **ent** 명·접(사람)

고통을 겪는 사람
▶ 환자, 병자 　🔳 the sick, case

겪는 고통에 대해 인내심이 있는
▶ 인내심 있는, 　🔳 forbearing,
　참을성 있는 　　 tolerant

12

scale

scal(e) 오르다(scend)

높은 곳을 오르다
▶ (가파른 곳을) 오르다 　🔳 climb, ascend

크기, 무게 등을 재기 위해 오르는 곳
▶ 저울 　🔳 weighing machine

저울에 올라서 재는 크기 또는 무게
▶ 규모 　🔳 extent, scope

저울로 재본 뒤 알맞은 규모가 되도록 조정하다
▶ 크기를 조정하다

음성 바로 듣기

13

charge

char(ge) 마차(car)

마차에 짐을 싣듯 다른 사람에게 비용을 지우다
▶ **(요금을) 청구하다** 🔲 bill

청구된 비용
▶ **요금** 🔲 price, fee

마차에 짐을 싣듯 다른 사람에게 일을 지우다
▶ **(일을) 맡기다** 🔲 entrust

맡겨진 일을 해야 하는 의무
▶ **책임** 🔲 duty, responsibility

마차에 짐을 싣듯 전자기기에 전기를 채우다
▶ **충전하다** 🔲 fill, energize

14

apply

ap ~에(ad) + ply 접다(plic)

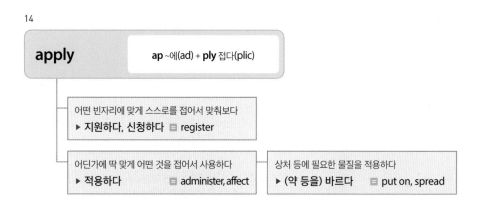

어떤 빈자리에 맞게 스스로를 접어서 맞춰보다
▶ **지원하다, 신청하다** 🔲 register

어딘가에 딱 맞게 어떤 것을 접어서 사용하다
▶ **적용하다** 🔲 administer, affect

상처 등에 필요한 물질을 적용하다
▶ **(약 등을) 바르다** 🔲 put on, spread

15

mind

mind 정신

정신
▶ **정신, 마음**　　　🔲 soul, spirit

마음에 새기다
▶ **유의하다, 주의하다**　🔲 pay attention to, watch

마음을 쓰다
▶ **신경 쓰다, 걱정하다**　🔲 care

16

decline

de 아래로 + **clin(e)** 기울다

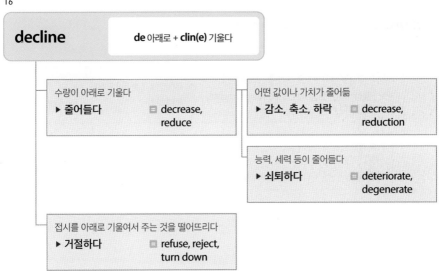

수량이 아래로 기울다
▶ **줄어들다**　　　🔲 decrease, reduce

어떤 값이나 가치가 줄어듦
▶ **감소, 축소, 하락**　🔲 decrease, reduction

능력, 세력 등이 줄어들다
▶ **쇠퇴하다**　　　🔲 deteriorate, degenerate

접시를 아래로 기울여서 주는 것을 떨어뜨리다
▶ **거절하다**　　　🔲 refuse, reject, turn down

17

order

ord(er) 순서

순서
▶ **순서, 차례**　　🔲 sequence

순서를 지키는 질서
▶ **질서**　　🔲 peace, discipline

순서를 지켜 주문하다
▶ **주문하다**　　🔲 request, buy

어떻게 하라고 주문하다
▶ **명령하다, 지시하다**　🔲 instruct, direct

18

express

ex 밖으로 + press 누르다

생각, 감정을 눌러 밖으로 드러내어 표현하다
▶ **(감정, 의견 등을) 표현하다**　🔲 convey, indicate, show

감추지 않고 분명히 표현된
▶ **명확한**　　🔲 explicit, clear

가속 페달을 눌러 기존의 범위 밖으로 속도를 초과하여 더 빨리 가는
▶ **급행의**　　🔲 rapid, swift

19

assume

as ~쪽으로(ad) + sum(e) 취하다

생각의 방향을 어떤 쪽으로 취하다
▶ **추정하다**　🔲 guess, believe

일을 하려고 내 쪽으로 취하여 가져오다
▶ **(책임·임무·역할을)**　🔲 shoulder,
지다, 떠맡다　take on

어떤 쪽으로 태도를 취하여 가장하다
▶ **~인 체하다, 꾸미다**　🔲 pretend, mimic,
imitate

20

degree

de 떨어져 + gree 단계(grad)

각의 크기, 기온 등을 표시하는 단계를 따로 떨어뜨
려 표시하는 단위
▶ **각도, 온도**　🔲 angle

학문적 성취의 단계를 따로 떨어뜨려 표시하는 단위
▶ **학위**　🔲 diploma

성질, 가치 등의 단계를 따로 떨어뜨려 구분한 수준
▶ **정도, 등급**　🔲 extent, grade

21

account　　　　ac ~에(ad) + count 계산하다

돈이 들어오고 나간 계산 내용을 어딘가에 기록한 것
▶ 계좌

돈이 들어오고 나간 내용을 계산, 정리
▶ 회계

돈이 들어오고 나간 내용에 대한 설명
▶ 설명　　　　 explanation, description
▶ 설명하다　　　 explain

머릿속에서 계산해 본 결과 어떤 것으로 여기다
▶ 간주하다　　　 consider, regard as

22

treat　　　　　treat 끌다(tract)

문제를 해결하기 위해 어떤 방향으로 끌고 가다
▶ 다루다　　　 deal with, handle

사람을 특정 방식으로 다루다
▶ 대접하다　　　 buy, pay for

병을 낫게 하려고 환자를 다루다
▶ 치료하다　　　 remedy, cure

23

project
pro 앞에 + **ject** 던지다

누군가의 앞에 해결하라고 던져진 것
▶ **(연구) 과제** ▣ assignment

앞으로 할 일에 대한 생각을 미리 던지다
▶ **계획하다** ▣ plan, propose

계획을 세워 짜임새 있게 진행하는 일
▶ **계획, 사업** ▣ scheme, enterprise

빛을 앞으로 던져서 영상 등이 보이게 하다
▶ **투사하다** ▣ reflect

24

break
break 깨다

어떤 것을 여러 조각이 나도록 두드려 깨다
▶ **깨다, 부수다** ▣ destroy, demolish

법 또는 규칙 등을 지키기로 한 약속을 깨다
▶ **(법 등을) 어기다** ▣ breach, violate

진행 흐름을 깨고 취하는 휴식
▶ **휴식 시간, 휴가** ▣ rest, pause

25

reflect

re 뒤로 + flect 구부리다

들어온 빛을 뒤로 구부려 반사하다
▶ 반사하다, 비추다 🔲 send back, mirror

스스로를 거울에 비추어 돌이켜 보다
▶ 반성하다, 심사숙고하다 🔲 meditate, ponder

어떤 것을 비추어 보여주다
▶ 반영하다, 나타내다 🔲 show, indicate

26

release

re 다시 + leas(e) 느슨하게 하다(lax)

묶었던 것을 다시 느슨하게 하다
▶ 풀어주다 🔲 untie, loose

억압된 상태에서 풀어주어 자유롭게 하다
▶ 해방하다 🔲 free, relieve

보지 못하게 묶었던 것을 다시 느슨하게 해서 보이게 하다
▶ 출시하다, 공개하다 🔲 issue, publish
▶ 출시, 발표, 개봉 🔲 debut, launch

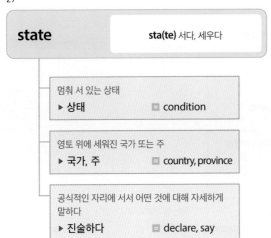

27

state

sta(te) 서다, 세우다

멈춰 서 있는 상태
▶ 상태   ▣ condition

영토 위에 세워진 국가 또는 주
▶ 국가, 주   ▣ country, province

공식적인 자리에 서서 어떤 것에 대해 자세하게 말하다
▶ 진술하다   ▣ declare, say

28

appreciate

ap ~에(ad) + preci 값 + ate 동·접

어떤 작품에 값을 매기기 위해 그것을 감상하다
▶ 감상하다   ▣ enjoy

어떤 것에 값을 크게 매기다
▶ 높이 평가하다   ▣ value

높이 평가해 준 것을 고맙게 여기다
▶ 감사하다   ▣ be grateful for, give thanks for

29

plain

| plain 평평한 |

튀어나온 것이 없는 평평한 땅
▶ 평원　　　　■ flatland

튀어나온 것이 없이 평평하여 멀리까지 분명히 보이는
▶ 분명한　　　　■ clear, evident

튀는 장식적인 모양이 없이 평평한
▶ 무늬가 없는　　■ simple, undecorated

튀는 장식이나 무늬가 없는
▶ 평범한　　　　■ ordinary

30

sentence

| sent 느끼다 + ence 명·접 |

느낌을 말이나 글로 표현한 문장
▶ 문장, 글　　　　■ phrases, statement

죄에 대해 문장으로 선고를 내리다
▶ (형을) 선고하다, 판결하다　　■ punish, condemn

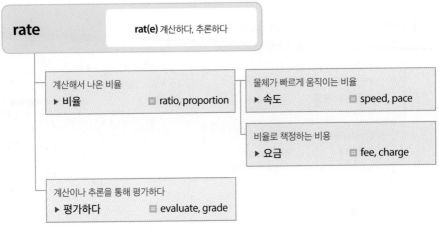

rate   **rat(e)** 계산하다, 추론하다

계산해서 나온 비율
- ▶ 비율   ☐ ratio, proportion

물체가 빠르게 움직이는 비율
- ▶ 속도   ☐ speed, pace

비율로 책정하는 비용
- ▶ 요금   ☐ fee, charge

계산이나 추론을 통해 평가하다
- ▶ 평가하다   ☐ evaluate, grade

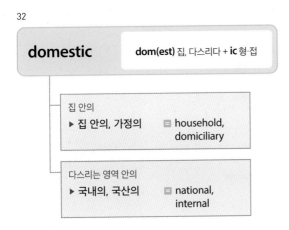

domestic   **dom(est)** 집, 다스리다 + **ic** 형·접

집 안의
- ▶ 집 안의, 가정의   ☐ household, domiciliary

다스리는 영역 안의
- ▶ 국내의, 국산의   ☐ national, internal

33

abuse | **ab** 떨어져 + **us(e)** 사용하다

정해진 것과 동떨어지게 함부로 사용하다
▶ **남용하다; 남용**   ▣ misuse

다른 사람을 함부로 대하다
▶ **학대하다**   ▣ mistreat, maltreat

정해진 것과 동떨어지게 잘못 사용하다
▶ **오용하다**   ▣ misapply, misemploy

34

contract | **con** 함께(com) + **tract** 끌다

당사자들을 모두 함께 끌어와서 지켜야 할 것을 정해 약속하다
▶ **계약하다**   ▣ make a deal
▶ **계약, 계약서**   ▣ agreement, obligation

안쪽에서 함께 잡아끌어 부피나 규모가 오그라들다
▶ **수축하다, 줄다**   ▣ shrink, decrease

35

solid

sol 하나 + id 형·접

하나의 물질로 단단하게 꽉 채운
▶ **단단한, 꽉 찬**   🔲 hard, rigid

여러 면으로 이루어져 부피를 가진 하나의 물체인
▶ **입체의**   🔲 cubic

의견 등이 하나로 똑같이
▶ **일치하여**   🔲 unanimously, unitedly

꽉 차서 단단한 물체
▶ **고체**

36

term

term 경계

시간을 경계 지어 구분한 기간
▶ **기간**   🔲 period, duration

어떤 일을 하는 경계가 되는 조건
▶ **조건**   🔲 condition

특정 분야에서 의미상의 경계를 명확히 하기 위해 쓰는 말
▶ **용어**   🔲 word, phrase

한 학년을 일정한 기간으로 구분해 놓은 것
▶ **학기**   🔲 semester

37

bear

bear 견디다

견디다
▶ **견디다, 참다** ▣ tolerate, stand

산고를 견디다
▶ **낳다, 출산하다** ▣ give birth to, deliver

견뎌서 지탱하다
▶ **지탱하다** ▣ support, sustain

38

stress

stress 팽팽히 당기다(strict)

팽팽히 당겨서 생긴 긴장
▶ **스트레스** ▣ pressure, tension

성대를 팽팽히 당겨서 강하게 발음하는 것
▶ **강세** ▣ accent

중요한 것에 강세를 두다
▶ **강조하다** ▣ emphasize, highlight

39

content

con 모두(com) + **tent** 잡다(tain)

어떤 것의 안에 잡아서 넣어둔 모두
▶ 내용, 내용물　　🔲 constituent, element

도서의 안에 넣어둔 내용을 모두 나열한 목록
▶ (복수형으로) 목차

원하는 것을 모두 잡아 주어 기대나 욕구를 채워주다
▶ 만족시키다　　🔲 satisfy, please

40

current

cur(r) 흐르다 + **ent** 형·접

지금 세상에 흐르고 있는
▶ 현재의　　🔲 present, contemporary

지금 세상에 흐르고 있는 유행 또는 경향
▶ 흐름, 추세　　🔲 trend, tendency

지금 세상의 흐름에 맞아 사용될 수 있는
▶ 통용되는　　🔲 valid, usable

(바다, 공기, 전기가) 흐르는 것
▶ 물살, 해류, 흐름　　🔲 flow, water stream

41

direct | **di** 떨어져(dis) + **rect** 바르게 이끌다

무리에서 떨어져 나와 그들을 바르게 이끌다
▶ **안내하다**   □ guide, escort

원래 있던 곳에서 떨어진 어떤 것이 바르게 이끌어
져 목적지로 가다
▶ **~로 향하다, 겨냥하다** □ aim

어떤 일이 잘못되지 않도록 안내 또는 지휘하다
▶ **지휘하다, 감독하다** □ conduct, manage

중간에 낀 것 없이 향하는 방향으로 바로 연결되는
▶ **직접적인**   □ immediate

중간에 서지 않고 향하는 목적지로 바로 가는
▶ **직행의**   □ straight

42

withdraw | **with** 뒤로 + **draw** 끌다

뒤로 끌어 물러나게 하다
▶ **물러나게 하다,**   □ retreat, retire
물러나다

이전의 말이나 계획을 뒤로 끌어 거두어들이다
▶ **취소하다**   □ cancel

사람이나 장비를 뒤로 끌어내어 물러나게 하다
▶ **철수하다**   □ pull out of

43

attend

at ~쪽으로(ad) + **tend** 뻗다

어떤 장소 쪽으로 발걸음을 뻗어가서 거기에 있다
▶ **출석하다, 참석하다**   participate, appear

어떤 대상 쪽으로 신경을 뻗다
▶ **주의를 기울이다**   pay attention

44

capital

cap(it) 머리 + **al** 명·접

한 나라의 머리가 되는 도시
▶ **(국가의) 수도**   metropolis

문장의 앞머리에 쓰는 대문자
▶ **대문자**   upper-case letter

머리가 될 만큼 중요한
▶ **주요한**   chief, principal

어떠한 일을 실행하는 데 머리만큼 중요한 것
▶ **자본**   fund, finance

45

volume

volu(me) 말다

말린 것이 차지하는 양 또는 부피
- ▶ 양, 용량, 부피　　🔲 quantity, amount

글이 적힌 말려 있는 양피지
- ▶ (전집류 등의) 권, 책　🔲 book, publication

소리의 양
- ▶ 음량　　🔲 loudness, sound

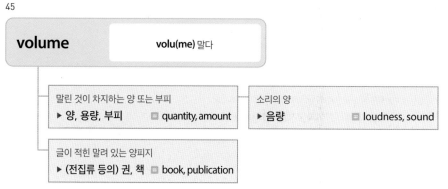

46

tend

tend 뻗다

한쪽으로 뻗어서 그쪽으로 가려 하다
- ▶ 경향이 있다,　　🔲 be inclined,
  ~하기 쉽다　　　　be apt

어떤 쪽으로 뻗어서 가다
- ▶ 향하여 가다　　🔲 direct

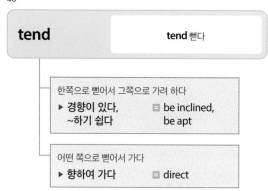

47

succeed
suc 아래로(sub) + ceed 가다

왕위가 아래 후손에게 가는 데 성공하다
▶ 성공하다　▣ achieve, triumph

누군가 이룬 성공을 넘겨받다
▶ 계승하다　▣ follow

48

deliver
de 떨어져 + liver 자유롭게 하다(liber)

어떤 것을 떨어진 곳에서도 자유롭게 쓸 수 있도록 가져다주다
▶ 배달하다, 전달하다　▣ bring, send

마음속의 말을 자유롭게 밖으로 뱉어 떨어져 있는 곳까지 전하다
▶ (연설 등을) 하다　▣ give, present

산모가 배 속의 아기를 몸 밖으로 자유롭게 떨어져 나오게 하다
▶ 출산하다　▣ give birth to, bear

49

board

board 나무판자

나무판자
▶ 판, 판자

판자 위에 오르다
▶ 타다, 승선하다 · get on

사람들에게 알릴 내용을 붙이는 판
▶ 게시판

나무판자 탁자에 둘러앉아 회의하는 사람들로 이루어진 것
▶ (관청의) 국, 부 · committee, council

50

settle

set(tle) 앉다(sid)

한곳에 눌러앉아 거기 정착하다
▶ 정착하다 · live, stay

논의의 결과로 하나의 결론에 정착하다
▶ (논쟁 등을) 끝내다, · resolve, arrange
해결하다

51

bond | **bond** 묶다

하나로 묶는 것
▶ (끈, 띠 등) 묶는 것 ▤ chain, band

어떤 행위를 하지 못하도록 강제로 묶어두는 것
▶ (복수형으로) 속박 ▤ chains, restraint

사람들끼리 어떤 상황이나 관계에 묶인 것
▶ 인연 ▤ connection

묶인 관계의 사람들 사이에 생긴 연결된 느낌
▶ 유대 ▤ tie, affinity

두 물체를 서로 묶어서 붙이다
▶ 결합하다, 접착하다 ▤ connect, bind

서로 붙어있을 수 있게 바르는 물질
▶ 접착제 ▤ adhesive, glue

52

deposit | **de** 아래로 + **pos(it)** 놓다

계약 조건 아래에 미리 넣어 놓는 돈
▶ 보증금, 예치금 ▤ prepayment, security

다른 누군가의 관리 아래에 돈을 넣어 놓다
▶ (돈을) 맡기다 ▤ entrust, bank

53

cast　　cast 던지다

어떤 것을 던지다
▶ 던지다　　🔲 throw

어떤 것에 빛을 비춰 그것의 그림자를 던지다
▶ (그림자를) 드리우다　　🔲 project

54

cover　　cover 덮다

덮다, 덮어서 가리다
▶ 덮다, 가리다　　🔲 blanket, conceal

무언가를 덮어서 가리는 물건
▶ 덮개　　🔲 casing

책의 맨 앞을 덮는 겉장
▶ 표지　　🔲 binding, case

어떤 주제나 사안 등을 말이나 글로 덮어 그 범위 안에 두다
▶ 다루다, 포함하다　　🔲 involve, include

55

grade

grad(e) 단계

순서대로 밟는 단계
▶ **단계**　　　　 stage, step

단계별로 매기는 등급
▶ **등급**　　　　 rank, level

일 년마다 올라가는 학업적인 단계
▶ **학년**　　　　 class, year

시험 점수를 단계별로 매기는 것
▶ **성적**　　　　 mark, score
▶ **성적을 매기다**　 evaluate, assess

56

bar

bar 막대, 장애

막대
▶ **막대**　　　　 rod, pole

문을 열지 못하게 막대로 막다
▶ **빗장을 지르다**　 bolt, lock

막대를 쌓아 제품을 올려놓거나 주문할 수 있도록 한 장소
▶ **바**　　　　 counter, stand

장애, 장애물
▶ **장애물**　　　 obstacle, barrier

장애물을 이용해 간섭하고 막다
▶ **방해하다**　　 hinder, prevent

음성 바로 듣기

57

medium medi 중간 + (i)um 명·접

중간의
▶ **중간의, 보통의** ■ middle, average

중간에서 둘 사이를 이어주는 것
▶ **(대중 전달용) 매체**

중간에서 전달하는 도구
▶ **도구, 수단** ■ means, instrument

58

press press 누르다

힘을 주어 누르다
▶ **누르다, 압력을 가하다** ■ push

압력을 가하여 부피를 줄이는 기계
▶ **압축 기계**

인쇄기로 신문을 눌러서 찍어내는 활동 또는 기관
▶ **언론** ■ media

59

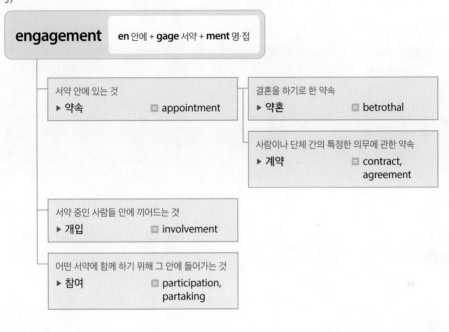

engagement   en 안에 + gage 서약 + ment 명·접

서약 안에 있는 것
▶ **약속**   ▤ appointment

결혼을 하기로 한 약속
▶ **약혼**   ▤ betrothal

사람이나 단체 간의 특정한 의무에 관한 약속
▶ **계약**   ▤ contract, agreement

서약 중인 사람들 안에 끼어드는 것
▶ **개입**   ▤ involvement

어떤 서약에 함께 하기 위해 그 안에 들어가는 것
▶ **참여**   ▤ participation, partaking

60

lead   lead 이끌다

이끌다
▶ **이끌다, 데리고 가다** ▤ head

어떠한 결과로 이끌다
▶ **(결과적으로) 이어지다** ▤ result in, cause

해커스공무원
기출 보카 4000+

시험에 꼭 나오는
최빈출
생활영어 표현

1. 인사하기 / 전화하기

음성 바로 듣기

🍁 날씨에 대해 말할 때

1	It's raining cats and dogs.	비가 억수같이 내리네요.
2	The fog is rolling in.	안개가 자욱하네요.

🍁 안부를 묻고 답할 때

1	A	How are you feeling today?	오늘 기분이 어때요?
	B	Same old, same old.	늘 똑같죠, 뭐.
2	A	How are things with you?	잘 지내고 있나요?
	B	I can't complain.	잘 지내요.
	B	Things couldn't be better.	더없이 좋아요.
3	A	How's it going?	요즘 어떠세요?
	B	I'm not myself today.	오늘 제정신이 아니에요.
4	A	How's life treating you?	요즘 사는 건 어때요?
	B	Life's not easy for me.	사는 게 쉽지 않네요.
5	A	How are you getting along?	잘 지내고 있어요?
	B	I've been so busy all day.	하루 종일 너무 바빴어요.
6	A	What are you up to these days?	요즘 어떻게 지내세요?
	B	So far, so good.	지금까지는 좋습니다.
	B	I'm so absent-minded.	너무 정신이 없어요.
7	A	What's up?	잘 지냈어요?
	B	I don't feel very well today.	오늘 몸 상태가 안 좋아요.

❋ 우연히 누군가를 만났을 때

1	It's been ages.	정말 오랜만이에요.
2	Look who's here!	아니 이게 누구야!
3	What a nice surprise!	정말 반가워요!
4	I'm glad to see you up and about.	당신이 좋아진 걸 보니 정말 기뻐요.

❋ 헤어질 때

1	Catch you later.	다음에 또 봐요.
2	Drop me a line sometime!	가끔 편지라도 보내세요!
3	Keep me posted.	계속 소식 전해 주세요.
4	Till next time!	다음에 다시 만날 때까지 잘 지내요!

❋ 전화할 때

1	A	Is he available?	그가 전화를 받을 수 있나요?
	B	I'll switch you over to him.	그에게 전화를 연결해 드리겠습니다.
	B	I'll put you through.	연결해 드릴게요.
	B	He's on the horn.	그는 통화 중이에요.

2	A	May I speak to Sara please?	Sara와 통화할 수 있을까요?
	B	Please hold on.	잠시만 기다려 주세요.
	B	I'll transfer you to that department.	그 부서로 연결해 드리겠습니다.
	B	Would you hang on for a second?	잠시만 기다려 주시겠어요?
	B	She's not available at the moment.	그녀는 지금 전화를 받을 수 없습니다.
	B	She's on another line.	그녀는 통화 중입니다.
	B	Her phone is busy.	그녀는 통화 중입니다.

2. 의사 표현하기 (1)

음성 바로 듣기

❀ 동의할 때

1	That makes two of us.	저도 마찬가지예요.
2	We're on the same page.	우리는 같은 생각을 하고 있네요.
3	You read my mind.	제 마음을 읽으셨네요.
4	You can say that again.	당신의 말에 전적으로 동의해요.
5	That'll do.	그러면 되겠군요.
6	You're telling me.	내 말이 그 말이야.
7	I can't agree with you more!	네 의견에 전적으로 동의해!
8	I'll say!	그럼요!
9	Tell me about it.	제 말이 그 말이에요.
10	I'd like to fall in with your idea.	당신의 생각에 동의해요.
11	I'm with you.	저는 당신 편이에요.
12	Without question!	이의 없어요!
13	You said it.	그렇긴 해요.
14	We're talking the same language.	우리는 말이 통하네요.

❀ 동의하지 않을 때

1	Chances are slim.	가능성이 거의 없어요.
2	Not a chance.	절대 안 돼요.
3	Not on your life.	어림도 없는 소리예요.
4	I'd like to take a different stance.	저는 다른 입장이에요.

칭찬할 때

1	**You're dressed to kill.**	옷차림이 끝내주네요.
2	**You're one in a million!**	당신은 정말 특별한 사람이에요!
3	**Way to go!**	잘했어요!
4	**You're something else.**	당신은 최고예요.
5	**It was out of this world.**	정말 훌륭했어요.
6	**You're really on top of things.**	당신은 매사에 훤하네요.
7	**He stands head and shoulders above the rest.**	그는 다른 사람들보다 훨씬 뛰어나요.
8	**She's got a heart of gold.**	그녀는 아주 친절해요.
9	**They turned up trumps.**	그들은 기대 이상의 성과를 거두었어요.
10	**The professor paid me a compliment.**	교수님께서 저를 칭찬하셨어요.

경고나 주의를 줄 때

1	**It's none of your business.**	당신이 상관할 바 아니에요.
2	**Over my dead body.**	제 눈에 흙이 들어가기 전에는 안 돼요.
3	**Take it or leave it.**	싫으면 그만두세요.
4	**Don't let the cat out of the bag.**	비밀을 누설하지 마세요.
5	**Don't pass the buck to someone else.**	남에게 책임을 전가하지 마세요.
6	**Don't put on airs.**	잘난 체하지 마세요.
7	**Don't boss me around.**	저한테 이래라저래라하지 마세요.
8	**You're barking up the wrong tree.**	당신은 헛다리를 짚고 있어요.

비난할 때

1	**It's like water off a duck's back.**	그건 전혀 효과가 없어요.
2	**It serves you right.**	자업자득이에요.

3. 의사 표현하기 (2)

음성 바로 듣기

✿ 의견을 물을 때

1	**A penny for your thoughts!**	무슨 생각을 하고 있는지 말해주세요!
2	**The ball's in your court.**	결정은 당신 몫이에요.
3	**Just let your hair down.**	그냥 솔직하게 말해요.

✿ 확실한 것에 대해 말할 때

1	**Now that you mention it, I do remember that.**	당신 말을 들으니, 이제 생각나네요.
2	**No matter what, my mind is set.**	어떻든지 간에, 저는 마음의 결정을 내렸어요.
3	**I got it straight from the horse's mouth.**	믿을 만한 소식통으로부터 들었어요.
4	**I know it like the back of my hand.**	저는 그것을 속속들이 알고 있어요.
5	**I have every intention of getting to it this weekend.**	이번 주말에는 틀림없이 할게요.

✿ 불확실한 것에 대해 말할 때

1	**It's on the tip of my tongue.**	생각이 날 듯 말 듯 해요.
2	**Beats me.**	모르겠어요.
3	**It's up in the air.**	아직 미정이에요.
4	**Not that I know of.**	제가 알기로는 그렇지 않아요.
5	**It's a long shot.**	거의 승산이 없어요.
6	**I heard through the grapevine.**	소문을 통해 들었어요.
7	**Let's play it by ear then.**	그럼 그때 봐서 결정해요.
8	**I've been batting around the idea of going into business.**	개업하는 것을 이리저리 논의하고 있어요.

9	I don't have an inkling of what he needs.	저는 그가 무엇을 필요로 하는지 짐작을 못하겠어요.
10	I don't want to make a trip for nothing.	헛걸음하고 싶지 않아서요.

✿ 조언할 때

1	Call a spade a spade.	솔직하게 말하세요.
2	You should get a move on.	당신은 서둘러야 해요.
3	Don't count on it.	기대하지 마세요.
4	Don't throw caution to the wind.	조심하는 게 좋을 거예요.
5	Let bygones be bygones.	지나간 일은 모두 잊어버리세요.
6	Take it on the chin.	꾹 참고 견디세요.
7	Take it easy.	진정하세요.
8	Don't get your head buried in the sand.	현실을 직시하세요.
9	Get it off your chest.	솔직하게 얘기하세요.
10	Just keep your shirt on.	진정하세요.
11	Stop beating a dead horse.	헛수고하지 마세요.
12	Hold your horses.	서두르지 마세요.
13	Shake a leg.	서두르세요.
14	You should take the bull by the horns.	정면으로 돌파해야 해요.
15	You have to learn to roll with the punches.	당신은 힘든 상황에 적응하는 법을 배워야 해요.
16	That's the way the cookie crumbles.	세상사가 다 그런 거예요.

✿ 이해한 것을 확인할 때

1	Do you get the picture?	이해하시겠어요?
2	I'm all ears.	듣고 있어요.
3	It's all Greek to me.	무슨 말인지 하나도 모르겠어요.

4. 감정 표현하기

음성 바로 듣기

🍁 격려할 때

1	**Hang in there.**	조금만 참으세요.
2	**Keep your spirits up.**	기운 내세요.
3	**Look on the bright side.**	긍정적으로 생각해 보세요.
4	**Things will work out for the best.**	결국엔 잘 될 거예요.
5	**Keep your chin up!**	기운 내세요!
6	**Don't be dejected, take courage.**	낙담하지 말고, 용기를 내세요.
7	**Snap out of it!**	기운을 내!
8	**Break a leg!**	행운을 빌어요!
9	**I'll keep my fingers crossed!**	행운을 빌어요!
10	**Give it your best shot.**	최선을 다해 보세요.
11	**Keep up the good work.**	계속 열심히 하세요.
12	**You're on the right track.**	잘하고 있어요.

🍁 우울하거나 초조할 때

1	**I'm feeling blue.**	우울해요.
2	**I feel like a fish out of water here.**	물 밖에 나온 물고기 같은 기분이에요.
3	**I have butterflies in my stomach.**	마음이 조마조마해요.
4	**I'm a little on edge right now.**	지금 약간 초조해요.

🌸 화가 날 때

1	**You get on my nerves.**	당신은 내 신경을 건드리고 있어요.
2	**I can't take this anymore.**	더는 못 참겠어요.
3	**You always turn your nose up at anything I want to do.**	당신은 내가 하려고 하는 것이 무엇이든 항상 거절하네요.
4	**That was the last straw.**	더는 못 참아요.
5	**It drove me crazy.**	그게 날 미치게 했어요.
6	**He stabbed me in the back.**	그가 제 뒤통수를 쳤어요.

🌸 기대나 선호를 표현할 때

1	**I'll make a day of it.**	즐거운 하루를 보낼 거예요.
2	**I can't wait to get my feet wet.**	시작하는 게 정말 기다려져요.
3	**I prefer Italian food over Chinese.**	저는 중국 음식보다 이탈리아 음식을 더 좋아해요.
4	**I think the world of him.**	저는 그를 아주 좋아해요.

🌸 걱정이나 유감을 나타낼 때

1	**What's eating you?**	무슨 걱정 있어요?
2	**Why the long face?**	왜 그렇게 시무룩해요?
3	**What's weighing on your mind?**	고민거리가 뭐예요?
4	**How did you get that black eye?**	왜 눈에 멍이 들었어요?
5	**You look down in the mouth.**	우울해 보여요.
6	**Things will look up soon.**	시간이 지나면 괜찮아질 거예요.
7	**It was a close call.**	큰일 날 뻔했네요.
8	**My heart goes out to you.**	당신의 심정 이해해요.
9	**It was like a bolt out of the blue.**	마른하늘에 날벼락이었어요.
10	**I'm all thumbs when it comes to matching colors.**	색을 맞추는 것에 관해선 제가 몹시 서툴러요.

음성 바로 듣기

🌸 고마움을 표현할 때

1	A	I owe you one.	제가 신세를 지는군요.
	B	It was nothing.	아무것도 아닌걸요.

2	A	I want to return your favor.	당신의 호의에 보답하고 싶어요.
	B	It's no bother at all.	별거 아니에요.

3	A	How can I ever repay you?	어떻게 보답하죠?
	B	Think nothing of it.	신경 쓰지 마세요.

4	A	I'm forever in your debt.	제가 큰 신세를 졌어요.
	B	It's my pleasure to help you out.	당신을 돕게 되어 기뻐요.

5	A	I can't begin to express my gratitude.	뭐라고 감사의 인사를 드려야 할지 모르겠어요.
	B	Don't make too much of it.	너무 대단하게 생각하지 마세요.

🌸 사과할 때

1	A	I didn't mean to step on your toes.	당신의 감정을 상하게 하려던 것은 아니었어요.
	B	Apology accepted.	사과를 받아 줄게.

2	A	I shouldn't have stuck my nose in.	제가 참견하지 말았어야 했어요.
	B	I don't mind at all.	전혀 개의치 않습니다.

3	A	Let's bury the hatchet.	화해합시다.
	B	Don't sweat it.	괜찮아요.

4	A	Sorry to rain on your parade.	실망하게 해서 미안해.
	B	No harm done.	괜찮아.

5	A	I can't tell you how sorry I am.	정말 죄송해서 어떻게 해야 할지 모르겠네요.
	B	It's nothing major.	큰 문제도 아닌걸요.

6	A	I owe you an apology.	당신에게 사과할게요.
	B	No worries.	괜찮아요.
	B	Don't give it another thought.	자꾸 미안하게 생각할 필요 없어요.

🌸 변명할 때

1	I didn't mean to.	일부러 그런 건 아니에요.
2	I couldn't help it.	어쩔 수 없었어요.
3	I couldn't make it.	해낼 수 없었어요.
4	I've had all I can take.	저는 최선을 다했어요.
5	That's the way it goes.	어쩔 수 없는 일이에요.
6	I took my eye off the ball.	제가 제대로 집중하지 못했어요.
7	I think I'm getting forgetful.	저 건망증이 생기는 것 같아요.
8	I promise you this will be the last time.	이번이 마지막이라고 약속할게요.
9	I don't have a choice.	저도 어쩔 수 없어요.

6. 약속하기 / 초대하기

음성 바로 듣기

약속을 잡을 때

1	A	Tell me what time suits you best.	언제가 가장 좋은지 저에게 말해 주세요.
	B	I'm free any time after 6.	6시 이후에는 아무 때나 괜찮아요.

2	A	Do you want me to come over to your place now?	제가 지금 당신 집에 들를까요?
	B	Something came up that I have to take care of.	처리해야 할 일이 생겼어요.

3	A	What do you say to going out for a movie with me on Saturday?	토요일에 저랑 영화 보러 가는 거 어때요?
	B	Can I take a rain check?	다음 기회로 미뤄도 될까요?

4	A	Is it possible to make the appointment for 2:30?	2시 30분으로 예약할 수 있나요?
	B	I think I'll have to beg off.	거절해야 할 것 같아요.

5	A	Is tomorrow all right with you?	내일 시간 괜찮으세요?
	B	Let's make it another time.	다음에 만나죠.
	B	The meeting was called off.	그 회의는 취소되었어요.

초대할 때

1	A	Care to come over for some coffee?	커피 마시러 올래요?
	B	Thanks for having us.	우리를 초대해 주셔서 감사해요.

2	A	I'd be delighted if you came for dinner.	당신이 저녁 식사를 하러 오신다면 기쁠 거예요.
	B	I'm sorry, but I have a prior engagement.	죄송하지만 선약이 있어요.

3	A	I'm throwing a party at my place.	우리 집에서 파티를 열 거예요.
	B	I'd love to come.	정말 가고 싶어요.
	B	I don't know whether I can go.	제가 갈 수 있을지 잘 모르겠어.
	B	Do I have to dress up?	옷을 갖추어 입어야 하나요?

4	A	Come as you are.	옷 입은 그대로 오세요.
	B	It's a deal.	그렇게 하죠.

5	A	You're more than welcome to join us for dinner.	당신이 우리와 함께 저녁 식사하는 것은 언제든지 환영이에요.
	B	I appreciate the invitation.	초대해 주셔서 감사해요.

6	A	It wouldn't be a party without you!	당신이 빠지면 파티가 아니죠!
	B	I wouldn't miss it for the world.	꼭 갈게요.

✿ 초대 후 만날 때

1	Make yourself at home.	편하게 계세요.
2	I'm glad we got together.	우리가 만나게 되어 기쁩니다.
3	I'm happy I could make it.	올 수 있어서 기쁩니다.
4	I can't wait to meet them.	그들을 만나는 게 정말 기다려져요.
5	We should do this more often.	좀 더 자주 만나요.

7. 쇼핑하기

음성 바로 듣기

🌸 상품을 구매할 때

1	A	Which one do you want to see?	어떤 것을 보고 싶으세요?
	B	I'm just browsing.	그냥 둘러보는 중이에요.
	B	Just looking, thank you.	그냥 둘러보는 거예요, 감사합니다.
2	A	Does it fit OK?	이거 잘 맞나요?
	B	Come see for yourself.	직접 오셔서 보세요.
3	A	Do you have this in a size 6?	이거 6사이즈 있나요?
	B	I'll check our inventory.	재고품 목록을 확인해 보겠습니다.
	B	That style is temporarily out of stock.	그 스타일은 일시 품절입니다.
4	A	Let me have a larger one.	더 큰 것으로 주세요.
	B	I'm sorry, but it's sold out.	죄송하지만, 그것은 품절입니다.
5	A	It looks great on you.	당신에게 정말 잘 어울려요.
	B	I'm of two minds about it.	살지 말지 결정을 못 하겠어.
6	A	It's on sale for $10.	그것은 10달러에 할인 판매 중입니다.
	B	That's not a bad price.	나쁜 가격은 아니네요.
	B	At this price, it's a steal.	이 가격이면 공짜나 마찬가지예요.

	A	I'll help you complete your purchase.	구매를 완료하시도록 도와 드리겠습니다.
	B	Can I get points on my membership card with this purchase?	이것을 구매하면 제 회원 카드에 포인트를 적립할 수 있나요?
7	B	I'll pay in cash.	현금으로 계산할게요.
	B	Can I put this purchase on a six-month payment plan?	6개월 할부로 살 수 있을까요?
	B	Can you come down a little?	조금 할인해 주실 수 있나요?

🌸 교환하거나 환불할 때

1	I was ripped off.	저 바가지 썼어요.
2	You can return it within 30 days.	30일 이내에 반품하실 수 있습니다.
3	We'll credit it to your card account.	저희가 카드 처리를 취소해 드릴게요.
4	Do you have a receipt for the book?	그 책의 영수증을 가지고 있으신가요?

8. 식사하기 / 관람하기

🌸 식사할 때

1	I've been on hold for an hour.	저는 한 시간 동안 기다렸어요.
2	Can I take your order?	주문하시겠어요?
3	For here or to go?	여기서 드시겠어요, 가져가시겠어요?
4	How would you like it done?	어떻게 해 드릴까요?
5	Have you been served?	주문하셨나요?
6	I'll go for the steak.	저는 스테이크로 할게요.
7	I'm being waited on.	주문했습니다.
8	Make that a double.	두 배로 주세요.
9	Make that two.	그걸로 두 개 주세요.
10	Can I get a side of rice with that?	거기에 밥을 곁들일 수 있나요?
11	Can I have a doggy bag?	남은 음식을 싸갈 수 있을까요?
12	I could eat a horse.	엄청 배고파요.
13	Let's have a toast.	건배합시다.
14	Would you care for seconds?	더 드시겠어요?
15	Help yourself.	마음껏 드세요.
16	How would you like your coffee?	커피는 어떻게 해 드릴까요?

🌸 계산할 때

1	Be my guest.	제가 낼게요.
2	How about going Dutch?	각자 내는 게 어때요?
3	I'd like this dinner to be my treat.	이번 저녁 식사는 제가 대접하고 싶어요.
4	It's on me.	이건 제가 살게요.

5	Let me get the bill.	제가 낼게요.
6	Let's split the bill.	각자 냅시다.
7	Let's go halves.	반반씩 냅시다.

🌸 스포츠 경기를 볼 때

1	He is hands down the best player.	그는 확실히 최고의 선수예요.
2	It was a nail-biter.	조마조마한 경기였어요.
3	Take the bull by the horns!	정면으로 돌파해야지!
4	That was a close race.	그것은 접전이었어요.
5	The winner takes it all.	승자가 모든 것을 차지하죠.
6	Throw in the towel.	패배를 인정하세요.
7	Could you save my place, please?	제 자리 좀 맡아 주시겠어요?
8	It ended in a tie.	동점으로 끝났어요.
9	The game is neck and neck.	막상막하의 경기예요.

🌸 영화를 볼 때

1	The movie dragged on.	그 영화는 질질 끌었어요.
2	This movie got two thumbs up.	이 영화는 극찬을 받았어요.
3	The twist at the end was shocking!	마지막 반전은 충격적이었어요!

9. 여행하기

음성 바로 듣기

🍁 여행을 할 때

1	**Please put my name in the appointment book.**	예약 명단에 제 이름을 넣어 주세요.
2	**Are we all set to go camping?**	캠핑 갈 준비가 다 되었나요?
3	**Everything's planned out.**	모든 계획을 다 세워 놓았어요.
4	**He packed everything but the kitchen sink.**	그는 필요 이상으로 많은 것들을 챙겼어요.
5	**I'm just taking a carry-on bag.**	저는 그냥 휴대용 가방만 들고 갈 거예요.
6	**I'm ready to hit the road.**	떠날 준비가 다 되었어요.
7	**It pays to pack light.**	가볍게 짐 싸는 게 득 보는 거예요.
8	**Do you take traveler's checks?**	여행자 수표를 받으시나요?
9	**We'll be on the road for eight hours today.**	오늘은 8시간 동안 이동할 겁니다.
10	**We'll make a pit stop in about 15 minutes.**	대략 15분 후에 화장실에 들르겠습니다.
11	**Let's drop by a gift shop.**	선물 가게에 잠깐 들러요.

🍁 호텔에서 예약하거나 숙박할 때

1	**Can I book a room for three?**	세 명이 쓸 객실을 예약할 수 있나요?
2	**I'd like a wake-up call at 6 a.m.**	오전 6시에 모닝콜을 받고 싶습니다.
3	**These room prices are off the charts!**	이 방들은 너무 비싸네요!
4	**I want to see the room myself.**	제가 직접 방을 보고 싶어요.

🍁 공항을 이용할 때

1	**When is the boarding time?**	비행기 탑승 시간은 언제인가요?
2	**I missed my connecting flight.**	제가 환승 비행기를 놓쳤어요.

3	Should I check this baggage in?	이 짐을 부쳐야 하나요?
4	Is this the baggage claim area?	이곳이 수하물 찾는 장소인가요?
5	Do I have to declare these items to customs?	이 물건들을 세관에 신고해야 하나요?
6	I've got nothing to declare.	저는 세관에 신고할 것이 없습니다.
7	Both flights have layovers in Amsterdam.	두 비행기 모두 암스테르담에 들릅니다.
8	Please write the flight number on your arrival card.	입국 신고서에 항공편 번호를 적어 주세요.
9	The flight has a brief stopover in Dallas.	이 비행기는 댈러스에 잠시 중간 기착합니다.

🌸 길을 찾을 때

1	Will I have to take a detour?	우회해서 가야 하나요?
2	I think we made a wrong turn.	우리는 길을 잘못 들어선 것 같아요.
3	You'll have to make a U-turn.	유턴하셔야 할 거예요.
4	Make a left at the intersection.	교차로에서 좌회전하세요.
5	Is there a shortcut to Gyeongbokgung?	경복궁으로 가는 지름길이 있나요?
6	That's just around the corner.	모퉁이를 돌면 바로 있어요.
7	You can't miss it.	찾기 쉬울 거예요.

10. 교통수단 이용하기

음성 바로 듣기

🌸 교통수단을 이용할 때

1	Could I get a free ticket with my air miles?	제 탑승 마일리지로 무료 티켓을 받을 수 있나요?
2	There's a fee to change your routing.	여정을 변경하는 데에는 요금이 발생합니다.
3	Would you prefer a window or aisle seat?	창가 자리와 복도 자리 중 어디를 선호하시나요?
4	You can upgrade with your air miles.	탑승 마일리지로 좌석을 업그레이드할 수 있습니다.
5	It's a flat rate to the airport.	공항까지는 고정 요금입니다.
6	Airport shuttles are free of charge.	공항 왕복 버스는 무료입니다.
7	How much is the fare?	요금이 얼마인가요?
8	I want to take the one that is cheaper and takes less time.	저는 더 싸고 시간이 덜 걸리는 것을 타고 싶어요.
9	Can I book a ticket to Canada?	캐나다행 티켓을 예약할 수 있나요?
10	The subways here run 24/7.	여기 지하철은 항상 다녀요.
11	You're better off grabbing a cab.	당신은 택시를 타는 편이 더 나아요.
12	I need to change my reservation.	예약을 변경해야 합니다.
13	I'd like to book a direct flight.	직항으로 예약하고 싶습니다.
14	First-class seats are available.	일등석 좌석이 이용 가능합니다.

🌸 기타 표현

1	He ran a red light.	그는 정지 신호를 무시하고 달렸어요.
2	I got a ticket for speeding.	저는 과속으로 딱지를 뗐어요.
3	I only got a slap on the wrist from the cop.	저는 경찰로부터 경고만 받았어요.
4	I was pulled over.	저는 차를 갓길에 세워야 했어요.

5	I'll let you off with a warning this time.	이번에는 경고만 드리고 보내 드릴게요.
6	You could get fined for that.	그것 때문에 벌금을 물 수도 있어요.
7	You shouldn't drive under the influence.	음주 운전을 하시면 안 돼요.
8	Don't be a backseat driver.	뒤에서 잔소리 좀 하지 마요.
9	He's got a lot of road rage.	그는 운전할 때 짜증을 잘 내.
10	Step on it! We're late!	속도를 내세요! 우리 늦었어요!
11	Fill it up with unleaded, please.	무연 휘발유로 가득 넣어 주세요.
12	Have you been behind the steering wheel yet?	운전해 본 적은 있나요?
13	I'm a student driver.	저는 운전 교습생이에요.
14	Hop in. I can drop you off.	타세요. 모셔다드릴게요.
15	Could you let me off here?	여기에 내려 주실 수 있나요?

11. 시간·돈에 관해 말하기

음성 바로 듣기

❊ 시간·계획에 대해 말할 때

1	A	The deadline is coming.	마감 기한이 다가오고 있어요.
	B	It's crunch time.	결정적인 순간이에요.
	B	I don't have a second to spare.	여유 시간이 없어요.
	B	There's no time to lose.	지체할 시간이 없어요.
	B	We don't have all day.	시간이 많지 않아요.
	B	Hang on a second. I'm almost done.	잠시만요. 거의 다 했어요.

2	A	Have you got the time?	지금 몇 시입니까?
	B	It's a quarter to five.	5시 15분 전입니다.
	B	It's 20 past the hour.	20분이에요.

3	A	Can we do this at a later date?	이것을 다른 날에 해도 될까요?
	B	I've rescheduled it for a different day.	일정을 다른 날로 변경했어요.
	B	I'll be taking a leave of absence next month.	저는 다음 달에 휴가를 갈 거예요.
	B	I'm tied up until Wednesday.	저는 수요일까지 바빠요.
	B	I have time on my hands.	저는 바쁘지 않아요.
	B	There's no rush.	서두를 것 없어요.

❊ 약속 시간에 대해 말할 때

1	That's cutting it close.	아슬아슬하네요.
2	I got there in the nick of time.	거기에 아슬아슬하게 시간을 맞춰 도착했어요.

3	I'm on my way.	가는 중이에요.
4	I'll be back in a jiffy.	쏜살같이 돌아올게요.
5	You're right on time.	제시간에 왔네요.

🌸 경제 사정에 대해 말할 때

1	He's flat broke.	그는 완전히 거덜 났어요.
2	He's good with money.	그는 돈에 밝아요.
3	I'm back on my feet now.	사정이 다시 좋아졌어요.
4	I'm not made of money.	저는 돈이 넉넉하지가 않아요.
5	I'm not well off.	저는 부유하지 않아요.
6	Money doesn't grow on trees.	돈은 거저 생기지 않아요.
7	Money is no object.	돈은 문제가 안 돼요.
8	She went from rags to riches.	그녀는 무일푼에서 부자가 되었어요.
9	That's my bread and butter.	그것이 저의 주 수입원이죠.
10	Could you loan me a few bucks?	저에게 돈 좀 빌려줄 수 있어요?
11	Give me a ballpark figure.	대략 얼마나 되는지 알려 주세요.

🌸 은행 업무를 볼 때

1	I'd like to open an account, please.	계좌를 개설하고 싶어요.
2	I'd like to withdraw money from my account.	제 계좌에서 돈을 찾고 싶어요.
3	What's the exchange rate today?	오늘 환율이 어떻게 되나요?
4	Can I cash this check here?	여기서 이 수표를 현금으로 바꿀 수 있나요?
5	Could you break this bill for me, please?	이 지폐를 잔돈으로 바꿔 주실 수 있나요?

12. 건강

음성 바로 듣기

🍁 진료를 받을 때

1	**I would get that checked out if I were you.**	제가 당신이라면 진료를 받아 보겠어요.
2	**You should get that looked at.**	당신은 진료를 받아야 해요.
3	**I'll schedule an appointment with the doctor.**	진료 예약을 할게요.
4	**I'd like to run some tests.**	몇 가지 검사를 해 보는 게 좋겠어요.
5	**I got some stitches.**	상처를 몇 바늘 꿰맸어요.
6	**You've got a clean bill of health.**	당신은 건강에 아무 이상 없습니다.
7	**The results came out negative.**	결과는 음성으로 나왔습니다.
8	**I'll write you a prescription.**	처방전을 써 드릴게요.
9	**You can schedule your next check-up with the nurse.**	간호사와 다음 검진 일정을 잡으시면 됩니다.
10	**Let me refer you to a specialist.**	제가 전문의를 소개해 드릴게요.
11	**She underwent heart surgery.**	그녀는 심장 수술을 받았어요.
12	**I don't have any medical insurance.**	저는 의료 보험이 없어요.
13	**I got tested at the hospital.**	병원에서 검사를 받았어요.
14	**Did the X-ray results come out?**	엑스레이 결과가 나왔나요?
15	**I'm going to get a flu shot.**	독감 예방 주사를 맞을 거예요.

🌸 건강 상태를 말할 때

1	You're as healthy as a horse.	당신은 굉장히 건강하시군요.
2	I couldn't be better.	제 상태는 최고예요.
3	She's in perfect health.	그녀는 매우 건강해요.
4	I'm back to normal.	정상으로 돌아왔어요.
5	I feel sick as a dog.	몸이 별로 좋지 않아요.
6	I've been under the weather lately.	요즘 몸이 좀 안 좋아요.
7	He sprained his ankle.	그는 발목을 삐었습니다.
8	I ache all over.	온몸이 쑤셔요.
9	I'm coming down with a fever.	열이 납니다.
10	I've got an upset stomach.	배탈이 났어요.
11	My knee was scratched up.	무릎이 까졌어요.
12	I have food poisoning.	식중독에 걸렸어요.
13	She just had a touch of flu.	그녀는 독감 기운이 있었어요.
14	I feel a bit sore.	약간 아파요.
15	He's in great shape for a man his age.	그는 나이에 비해 상당히 건강해요.
16	I feel feverish.	열이 있어요.
17	I have a sore throat, but it's not that serious.	목이 좀 아프지만 심각한 건 아니에요.
18	I'm allergic to pollen.	저는 꽃가루 알레르기가 있어요.
19	I'm breaking out in hives.	두드러기가 나고 있어요.

13. 학교생활 / 직장생활

음성 바로 듣기

🌸 시험에 대해 말할 때

1	I aced my exam.	저는 시험을 아주 잘 봤어요.
2	I blew my final exams.	저는 기말고사를 망쳤어요.
3	I flunked my physics test.	저는 물리학 시험에 낙제했어요.
4	I passed with flying colors.	저는 우수한 성적으로 합격했어요.
5	I'm lagging behind in my classes.	저는 수업에서 뒤처지고 있어요.
6	I'm falling behind in math.	저는 수학에서 뒤처지고 있어요.
7	You got straight A's.	당신은 전부 A를 받았군요.
8	Hit the books if you don't want to fail.	낙제하고 싶지 않으면 공부하세요.
9	I pulled an all-nighter studying.	저는 밤샘 공부를 했어.
10	You have to take a make-up test.	당신은 보충 시험을 치러야 해요.
11	What's going to be on the exam tomorrow?	내일 시험에 뭐가 나올까요?

🌸 회사에서 일할 때

1	Do you have any openings for a manager?	관리자직 자리가 있습니까?
2	The position has been filled.	그 자리는 충원되었어요.
3	The position is still open.	그 자리는 아직 비어 있습니다.
4	I'm buried in work.	저는 일에 파묻혀 있어요.
5	I got a big raise today.	저는 오늘 상당한 급여 인상을 받았습니다.
6	I'm running against the clock.	저는 시간을 다투어 일하고 있어요.
7	Keep me in the loop.	저에게 계속 보고해 주세요.
8	Let's call it a day!	퇴근합시다!
9	Let's get this show on the road.	이걸 한번 시작해 봅시다.

10	What time do you get off work?	몇 시에 퇴근하세요?
11	Could you substitute for me?	저를 대신해 주실 수 있나요?
12	He will be the right person for the position.	그가 그 자리에 적임자일 것입니다.
13	Here's the list of your responsibilities.	여기 당신의 담당 업무 목록이에요.
14	He's a really top-notch administrator.	그는 정말 최고의 관리자예요.
15	You're in charge of general office work.	당신은 일반 사무 업무를 담당합니다.
16	I will step into his shoes.	저는 그의 후임이 될 거예요.
17	The weekly meeting has dragged on for 3 hours.	주간 회의가 3시간이나 계속됐어요.

❀ 일을 쉬거나 그만둘 때

1	He is taking a day off.	그는 하루 휴가입니다.
2	She is on leave.	그녀는 휴가 중입니다.
3	Do you have a new job lined up?	새 직장은 구했어요?
4	If I were you, I wouldn't make such a risky move.	제가 당신이라면 그렇게 위험한 이직은 하지 않을 거예요.
5	He got laid off last week.	그는 지난주에 해고됐어요.

음성 바로 듣기

주변 사람에 대해 말할 때

1	He is beginning to look his age.	그가 나이에 걸맞게 보이기 시작하네요.
2	Her dancing is second to none.	그녀의 춤은 누구에게도 뒤지지 않아요.
3	He is the last person to deceive you.	그는 당신을 속일 사람이 아니에요.
4	He's always got something to beef about.	그는 항상 투덜거려요.
5	He's over the hill now.	그는 이제 한물갔어요.
6	He is a social butterfly.	그는 사교성 있는 사람이에요.
7	She is such a stuffed shirt.	그녀는 매우 격식을 차리는 사람이에요.
8	He is hot-tempered.	그는 다혈질이에요.
9	She's good with words.	그녀는 말주변이 좋아요.
10	He was born with a silver spoon in his mouth.	그는 부유한 집에서 태어났어요.
11	The supervisor jumped down her throat.	그 감독관이 그녀를 막 꾸짖었어요.
12	What's your impression of her?	그녀에 대한 인상이 어땠어요?
13	He is reliable.	그는 믿을 만해요.
14	They are tying the knot next weekend in Seoul.	그들은 다음 주말에 서울에서 결혼해요.

도움이 필요할 때

1	A	What's wrong?	무슨 일이에요?
	B	The toilet is clogged up.	변기가 막혔어요.
	B	The bike is beyond repair.	자전거의 상태가 수리할 수 없을 정도입니다.
	B	I'm locked out.	문이 안에서 잠겼어요.

| 2 | A | I don't have enough hands. | 일손이 부족해요. |
| | B | I can lend a hand. | 제가 도와 드릴 수 있어요. |

| 3 | A | Would you mind giving me a hand? | 좀 도와주시겠어요? |
| | B | I'll give you a hand. | 제가 도와 드릴게요. |

| 4 | A | Would you be kind enough to help me with this? | 이것을 도와주실 수 있나요? |
| | B | It'll be my pleasure. | 기꺼이 해 드릴게요. |

| 5 | A | I'm wondering if you can do anything with this. | 당신이 이것 좀 도와주실 수 있는지 궁금해요. |
| | B | I'd move mountains for you. | 당신을 위해서라면 뭐든 해 드릴게요. |

| 6 | A | Would you do me a favor? | 제 부탁 하나만 들어줄래요? |
| | B | I'm sorry, but I can't help you out. | 죄송하지만, 도와 드릴 수 없어요. |

| 7 | A | Could you fill me in? | 저에게 좀 알려 주시겠어요? |
| | B | I can give you a leg up. | 제가 도와 드릴 수 있어요. |

| 8 | A | I want you to back me up. | 당신이 날 지지해 주길 바랍니다. |
| | B | Just say the word. | 말씀만 하세요. |

9	A	Need a hand?	도움이 필요하세요?
	B	Don't bother.	신경 쓰지 마세요.
	B	No thanks, I'll take care of it.	괜찮아요, 제가 알아서 할게요.

음성 바로 듣기

1	**Better safe than sorry.**	나중에 후회하는 것보다 조심하는 것이 낫다.
2	**The grass is always greener on the other side of the fence.**	울타리 저편의 잔디가 항상 더 푸르다. (남의 떡이 더 커 보인다.)
3	**Speak of the devil.**	악마도 제 말하면 나타난다. (호랑이도 제 말하면 온다.)
4	**Money makes the mare go.**	돈은 암말도 가게 한다. (돈이 있으면 귀신도 부린다.)
5	**The squeaky wheel gets the grease.**	시끄러운 바퀴가 기름을 얻는다. (우는 아이 떡 하나 더 준다.)
6	**It takes two to tango.**	탱고 추는 데는 두 명이 필요하다. (손뼉도 부딪쳐야 소리가 난다.)
7	**More haste, less speed.**	급할수록 돌아가라.
8	**He who laughs last laughs longest.**	맨 끝에 웃는 사람이 가장 오래 웃는 사람이다. (최후에 웃는 사람이 진짜 승리자이다.)
9	**A fool and his money are soon parted.**	어리석은 이는 돈을 오래 지니고 있지 못한다.
10	**The apple doesn't fall far from the tree.**	사과는 나무에서 멀리 떨어지지 않는다. (부전자전이다.)
11	**A chain is only as strong as its weakest link.**	쇠사슬은 가장 약한 고리만큼 강하다.
12	**Birds of a feather flock together.**	같은 깃털의 새들이 무리를 짓는다. (유유상종하다.)
13	**Don't count your chickens before they hatch.**	부화하지 않은 병아리를 세어보지 마라. (김칫국부터 마시지 마라.)
14	**Haste makes waste.**	서두르면 일을 그르친다.
15	**Every man for his own trade.**	모든 사람은 제각기 전문 분야가 있다. (굼벵이도 구르는 재주가 있다.)
16	**Hunger is the best sauce.**	시장이 반찬이다.
17	**One man's meat is another man's poison.**	사람마다 취향이 다르다.
18	**The pot calls the kettle black.**	냄비가 주전자더러 까맣다고 한다. (똥 묻은 개가 겨 묻은 개를 나무란다.)
19	**Practice makes perfect.**	연습이 완벽을 만든다.

20	Don't judge a book by its cover.	겉표지로 책을 판단하지 마라. (겉만 보고 속을 판단하지 마라.)
21	Time and tide wait for no man.	세월은 사람을 기다려 주지 않는다.
22	Don't bite off more than you can chew.	씹을 수 있는 것보다 많이 입에 물지 마라. (송충이는 솔잎을 먹어야 한다.)
23	Every cloud has a silver lining.	모든 구름은 은빛 선을 가지고 있다. (고생 끝에 낙이 온다.)
24	Too many cooks spoil the broth.	요리사가 너무 많으면 수프를 망친다. (사공이 많으면 배가 산으로 간다.)
25	Do to others as you would be done by.	대우받고 싶은 대로 다른 사람을 대우하라.
26	Don't put off for tomorrow what you can do today.	오늘 할 일을 내일로 미루지 마라.
27	Experience is the best teacher.	경험은 최고의 스승이다.
28	Practice is better than precept.	실행이 교훈보다 낫다.
29	Strike while the iron is hot.	쇠가 달아올랐을 때 두드려라. (쇠뿔도 단김에 빼라.)
30	There is no rule but has exceptions.	예외 없는 규칙은 없다.
31	The pen is mightier than the sword.	펜은 칼보다 강하다.

해커스공무원
기출 보카 4000+

INDEX

INDEX

해커스공무원 기출 보카 4000+

INDEX

해커스공무원 기출 보카 4000+

해커스공무원 기출 보카 4000+

INDEX

해커스공무원 기출 보카 4000+

INDEX

해커스공무원 기출 보카 4000+

INDEX

해커스공무원 기출 보카 4000+

pavement	217	perspicuous	17	pledge	385
pave the way	308	perspiration	49	plenitude	251
pay ~ back	192	persuasive	113	pliancy	319
pay ~ off	132	pertinent	91	plight	115
pay attention to	158	perturbation	435	plow into	227
pay dividends	41	pervasive	430	plucky	143
payee	369	perverse	67	plummet	189
payoff	243	pessimism	309	plunge	141
pay tribute to	334	pest	146	point out	174
peacemaking	251	petal	335	poisonous	67
peak	138	petition	89	polarize	327
peasant	33	petty	343	polemic	151
peculate	59	phenomenon	60	policing	125
peculiar	224	philanthropist	259	politeness	75
pedestrian	81	philosophical	195	pollination	201
peerless	369	photosynthesis	293	polling	235
pejorative	351	physics	111	pompous	125
pellucid	411	physiological	295	ponder	129
penal	109	pick on	33	popularize	163
pending	275	pick up	16	pore over	334
pendulous	259	pick up on	133	port	313
penetrate	13	pictorial	277	portable	214
penitence	277	pier	235	portent	343
penniless	41	pigment	285	portion	252
pension	408	pillar	293	portion out	369
penury	285	pin down	327	portray	205
per capita	117	pinnacle	385	posit	25
perceive	320	pin one's faith on	235	positivity	125
perceptible	403	pinpoint	243	posthumous	41
perception	119	pioneer	321	postpone	346
perennial	175	pious	301	postulation	157
perhaps	178	pique	259	posture	151
perilous	109	pitfall	361	potable	207
periodically	209	pivotal	131	potent	25
peripheral	89	place an order	24	potential	370
perish	243	place a strain on	343	powerhouse	83
perishable	143	placid	309	practitioner	49
perjury	33	plagiarism	25	prairie	343
permanent	329	plague	416	praiseworthy	391
permeate	25	plain	414	precarious	369
pernicious	39	planetary	101	precaution	393
perpetual	247	plantation	109	precede	400
perpetuate	106	plasticity	385	precedented	293
perpetuity	235	platitude	25	precipitate	401
perplex	121	plausible	285	precipitation	59
persecution	377	play a role (in)	166	precise	289
persevere	30	play down	193	preclude	301
persistent	146	play havoc with	309	precocious	83
persist in	342	play up to	385	precursor	377
personnel	251	playwright	155	predate	243
perspective	187	plead	49	predator	76

INDEX

해커스공무원 기출 보카 4000+

2025 대비 최신개정판

해커스공무원
기출 보카
4000+　2권 | DAY 31-50

개정 3판 2쇄 발행 2024년 8월 19일
개정 3판 1쇄 발행 2024년 5월 2일

지은이	해커스 공무원시험연구소
펴낸곳	해커스패스
펴낸이	해커스공무원 출판팀

주소	서울특별시 강남구 강남대로 428 해커스공무원
고객센터	1588-4055
교재 관련 문의	gosi@hackerspass.com
	해커스공무원 사이트(gosi.Hackers.com) 교재 Q&A 게시판
	카카오톡 플러스 친구 [해커스공무원 노량진캠퍼스]
학원 강의 및 동영상강의	gosi.Hackers.com

ISBN	2권: 979-11-6999-982-3 (14740)
	세트: 979-11-6999-980-9 (14740)
Serial Number	03-02-01

저작권자 © 2024, 해커스공무원

공무원 교육 1위,
해커스공무원(gosi.Hackers.com)

ĭĬĬ 해커스공무원

- 해커스공무원 학원 및 인강(교재 내 인강 할인쿠폰 수록)
- 공무원 영어 기출 어휘를 언제 어디서나 외우는 **단어암기 MP3 및 단어암기 어플**
- 클릭 몇 번으로 내가 원하는 어휘 테스트지를 만드는 **단어시험지 제작 프로그램**
- 직무 관련 어휘를 한 번에 정리할 수 있는 **직무 관련 핵심 어휘**
- 해커스 스타강사의 무료 매일 문법/어휘/독해 실전문제 & 해설강의

5천 개가 넘는
해커스토익 무료 자료!

대한민국에서 공짜로 토익 공부하고 싶으면   해커스영어 Hackers.co.kr ▾   검색

RC 정수진   RC 이상길

강의도 무료

베스트셀러 1위 토익 강의 150강 무료 서비스,
누적 시청 1,900만 돌파!

3,730제 무료

문제도 무료

토익 RC/LC 풀기, 모의토익 등
실전토익 대비 문제 3,730제 무료!

LC 한승태   RC 김동영

최신 특강도 무료

2,400만뷰 스타강사의
압도적 적중예상특강 매달 업데이트!

공부법도 무료

토익 고득점 달성팁, 비법노트,
점수대별 공부법 무료 확인

전원
무료

가장 빠른 정답까지!

615만이 선택한 해커스 토익 정답!
시험 직후 가장 빠른 정답 확인

*미션 달성 시

더 많은 토익무료자료
보기 ▶